Les Grandes Religions

Avec des textes de Li Deman,
Birgit Falkenberg, Kora Perle, Brigitte Selbig

AVERTISSEMENT

Les textes et illustrations de cet ouvrage ont été rédigés et choisis dans le plus grand respect pour les sentiments et opinions des communautés religieuses concernées. Il est cependant possible que certains passages soient imprégnés d'un mode de penser occidental, appartenant à la culture des auteurs. Nos lecteurs pourront être d'un avis différent. Nous les prions de bien vouloir faire preuve d'indulgence et de croire en notre meilleure intention.

Peter Delius, 1997

ISBN : 2-84459-104-3
Dépôt légal : 2e trimestre 2005

Titre original : *Weltreliogionen*
ISBN de l'édition originale allemande : 3-8331-1406-1

Sous la direction de Peter Delius
Rédaction : Brigitte Selbig
Index : Julia Niehaus
Direction artistique : Peter Feierabend

Traduction de l'allemand : Charlette Denef, Danièle Hirsch, François Mathieu, France Varry
Réalisation : Bookmaker, Paris
Lecture : Michel Massuyeau
Mise en pages : Atelier Régine Ferrandis

Imprimé en Allemagne
ISBN : 3-8331-1668-4

10 9 8 7 6 5 4 3 2 1
X IX VIII VII VI V IV III II I

Markus Hattstein

Les Grandes Religions

ÉDITIONS
PLACE DES VICTOIRES

Sommaire

L'HINDOUISME OU LE BRAHMANISME

LE BOUDDHISME

LES RELIGIONS EN CHINE

LES RELIGIONS AU JAPON

LE JUDAÏSME

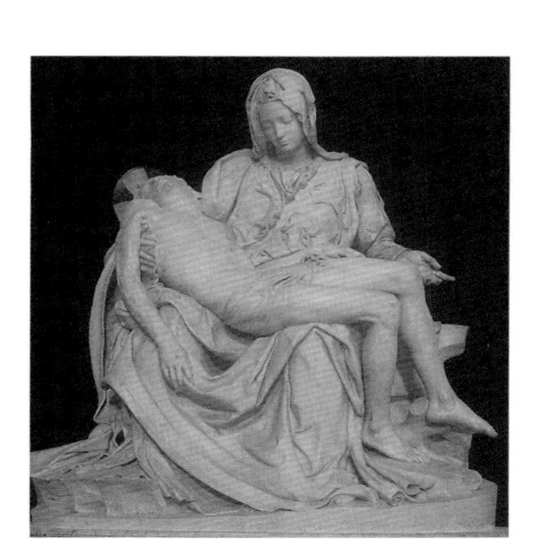

LE CHRISTIANISME

L'ISLAM

L'HINDOUISME OU LE BRAHMANISME

L'hindouisme est, parmi les grandes religions, celle qui se présente sous les aspects les plus divers, qui vont de l'adoration des divinités de la nature et du polythéisme au monothéisme le plus exigeant et à la croyance en une loi universelle qui régnerait sur tous et sur tout (*dharma*, « l'ordre du monde »), sur les plans cosmique, social, religieux... Il est étroitement lié aux structures sociales – par les castes – et se trouve très attaché aux rites fortement ancrés du sacrifice. Il n'impose aucune interprétation métaphysique ou religieuse contraignante, mais prêche une loi universelle qui doit être prise dans son sens moral. L'hindouisme est caractérisé par le concept de cause à effet – le *karma* (l'acte et les conséquences, bonnes ou mauvaises, qu'il entraîne) –, par son cycle de renaissances et par des âges cosmiques, les *yuga*.

CONCEPT ET PARTICULARITÉS

La « religion éternelle »

La religion locale de l'Inde est le brahmanisme ou l'hindouisme. Les deux termes sont utilisés indifféremment, bien que leurs origines soient différentes. Le « brahmanisme » est le nom que retiennent ses adeptes ; le mot a pour origine une caste indienne de prêtres, les brahmanes (en sanscrit, *brâhmana*) et désigne en général les hindous qui se réclament des brahmanes et de leur enseignement comme d'une religion.

Le terme « hindouisme » (dérivé du nom du fleuve Indus) était utilisé péjorativement par les musulmans lors de leur pénétration en Inde pour désigner tous les hindous qui ne se convertissaient pas à l'islam.

Il est déjà question de brahmanisme mille ans avant J.-C., lorsque la caste des prêtres brahmanes avait acquis une certaine hégémonie ; le terme « hindouisme » remonte encore plus loin, à l'époque où une religion autochtone de l'Inde antique, essentiellement tournée vers la vénération de la nature, devint une religion élaborée et réformée.

Ce qui frappe dans l'hindouisme, c'est son caractère éclectique, que ce soit sur le plan religieux ou sur le plan social ; c'est une religion créatrice et en constante évolution. Sa cohérence ne se doit pas à l'existence d'un fondateur ni à des références à des écritures saintes, mais à une continuité dans son développement qui va de la plus haute antiquité jusqu'à nos jours.

Les hindous eux-mêmes qualifient leur foi de « religion éternelle » (*sanâtana-dharma*, « ordre divin et éternel du cosmos »), ce qui veut dire qu'à toutes les époques se sont manifestés des sages et des religieux pour annoncer la bonne parole sous des formes les plus diverses.

Helmuth von Glasenapp résume les trois caractéristiques de l'hindouisme : il s'agit d'une religion « élaborée » et non proclamée ; elle ne s'appuie sur aucun dogme défini ; elle est spécifique aux populations hindoues.

L'hindou place sa foi dans l'éternité d'un monde en perpétuel renouveau. C'est pourquoi il ne reconnaît pas, dans l'absolu, une « création du monde », pas plus qu'un événement historique unique de rédemption. Aucune personnalité n'est porteuse de révélation, ainsi divers modes de pensée et de culte coexistent, avec les mêmes droits et la même reconnaissance. Sans dogme reconnu, l'hindouisme n'impose aucune expression déterminée de foi. Le croyant pourra se tourner vers un dieu créateur personnifié ou une loi cosmique impersonnelle. Les voies du salut sont, quant à elles, tout aussi nombreuses. La foi n'en est pas pour autant laissée à la libre interprétation de chacun : elle respecte certaines considérations bien établies, telles que l'acceptation d'un cosmos reconnu comme « un tout » structuré, régi par un ordre cosmique, le *dharma* ; la manifestation terrestre de cet ordre par un système de castes rigoureusement hiérarchisé avec ses préceptes de pureté ; la croyance en une ère cosmique et en des cycles cosmiques, les *kalpa*, avec leurs apocalypses et leurs régénérations. Cet ordre cosmique est aussi un ordre moral. La moralité dépend du respect de cet ordre.

La roue de la vie
Représentée à la « Pagode Noire », à Konarak

La roue, symbole-clé de l'hindouisme, représente le cours du temps. Elle incarne les cycles cosmiques de la naissance et de la mort, de la création, de la maturité, et du processus de dégradation et de déliquescence et enfin de réincarnation qui marque toute vie. Elle est aussi le symbole de l'enchaînement des quatre âges hindous, les *yuga* que parcourt toute vie jusqu'à son déclin et sa réincarnation. La rotation de la roue symbolise la continuité et la pérennité de l'évolution cosmique. Dans l'hindouisme, la sagesse n'est autre que la révélation de cette mutation ininterrompue et cyclique de l'univers, conçue comme un accomplissement biologique. Le temple solaire de Konarak avait la forme d'un immense char solaire. Cette forme s'inspire à l'origine de l'adoration vouée au dieu du soleil, Surya, reconnu comme celui qui structure les cycles cosmiques et qui tient les guides du char solaire.

L'hindouisme est une religion spécifiquement indienne. Elle ne se fixe aucune mission spirituelle hors de son propre milieu culturel. Toutefois, dans l'arrière-pays de l'Inde et en Indonésie s'est développé un courant à tendance missionnaire, mais il s'agissait moins de « gagner des âmes » que d'accueillir des communautés entières en tant que « nouvelles castes ». Certains penseurs ou saints brahmanes ont consciemment influencé des personnalités étrangères à l'Inde, désireuses de se tourner vers l'hindouisme. Cela a été le cas dans les années 60 et 70, lorsqu'une « vague indienne » fit de nombreux adeptes en Europe et aux États-Unis.

HISTOIRE RELIGIEUSE DE L'HINDOUISME

L'époque préaryenne

L'hindouisme est la synthèse de deux courants religieux différents qui, au cours de leur histoire, se fondirent en une seule religion : la religion autochtone de l'Inde antique et la religion des Aryens, venus du Nord pour s'infiltrer en Inde.

L'époque de la culture préaryenne remonte à la nuit des temps. Les populations d'origine, de type négroïde, furent peu à peu refoulées vers le sud du pays par les envahisseurs nordiques. Leur culture était une culture paysanne, régie par le matriarcat ; elle introduisit dans l'hindouisme des éléments qui avaient peu d'importance dans les écritures védiques, tels que le culte du phallus et la vénération pour les divinités féminines de la fécondité, pour l'image de la terre. Cette culture hindoue était socialement très évoluée et possédait une abondante iconographie, particulièrement des emblèmes phalliques, *linga*, et certains autres symboles religieux, comme le *svastika*, représentant le soleil. La vénération pour les animaux sacrés remonte également à cette époque.

La période aryenne ou védique

Les Aryens pénétrèrent en Inde deux mille ans environ avant J.-C., en passant par la chaîne montagneuse du Nord-Ouest, et assujettirent les populations locales. Ils étaient bergers et guerriers et ne possédaient aucune culture urbaine. Ils introduisirent en Inde un système religieux déjà bien élaboré, qui faisait état d'un panthéon à plusieurs ramifications. Leur croyance s'appuyait sur les *Veda*, « textes sacrés du savoir », dont l'hymne le plus ancien, le *Rig-Veda*, décrit souvent les dieux comme des incarnations des forces de la nature.

Vénération du Linga
Miniature hindoue, reproduction extraite d'une série Ragamala, XVIIIe siècle, Rajasthan, Savar

Le culte phallique, en corollaire au culte de la fécondité, remonte à l'époque des divinités prévédiques et n'a été l'attribut de Shiva que bien plus tard. Shiva étant le dieu de la fécondation et de la destruction, le linga, le phallus de pierre, devant lequel des offrandes à la fécondité sont déposées, est le symbole de sa force créatrice et se trouve être au cœur du culte rendu à Shiva. À l'origine, on vénérait comme linga des pierres dont la forme évocatrice n'était due qu'à une érosion naturelle, mais par la suite ces objets de culte ont été façonnés dans l'argile, pour être vénérés dans les foyers. La confection du linga est scandée par des litanies religieuses et s'achève selon les rites par des ablutions. Au terme de cette cérémonie, le linga - fait de terre - sera détruit en étant jeté à l'eau.

Baignant dans une mythologie féconde, de nombreuses divinités connurent au fil du temps, de profondes transformations.

Il semble que les principaux dieux aient été tout d'abord le dieu du soleil, Mitra, et le dieu du ciel, Varuna. Tous deux se présentent comme les gardiens de l'« ordre universel éternel » (Rita), qui se manifeste aussi bien dans la nature que dans les us et coutumes, comme une puissance équilibrant le cosmos.

La croyance aryenne est un hénothéisme, c'est-à-dire que l'adoration d'un dieu suprême n'exclut pas l'existence d'autres dieux. Les interprétations oscillaient entre la croyance en une loi universelle, bien au-dessus des hommes et même de tous les dieux, et celle en un dieu tout puissant, maître de cette loi universelle ; cette divergence continue aujourd'hui encore à diviser l'hindouisme.

Vers 1000 avant J.-C., les Aryens, venant du Pendjab, pénétrèrent vers l'est et le sud, le long de la plaine fertile du Gange. Ils assujettirent les populations locales en imposant leur loi et leur notion de castes.

Les Aryens occupaient les trois castes supérieures, dont la plus haute, la caste sacerdotale, était celle des brahmanes, tandis que les autochtones et leurs descendants étaient réduits à être des *shudra* (quatrième état).

Par la suite, la caste brahmane parvint, par ses traditions rituelles et sacrificielles complexes, à exercer une influence considérable. Elle prétendait pouvoir, par son savoir, influencer les dieux eux-mêmes.

Cette revendication des prêtres – détenir le monopole du savoir et exercer un plein pouvoir dans la pratique du culte – perdure dans l'hindouisme actuel.

La déesse du fleuve : Gangâ
Terre cuite, tuile, Ve siècle ; Inde du Nord

Le Gange est l'archétype de tous les fleuves de l'Inde et le fleuve sacré par excellence. Il est personnifié par la déesse du fleuve : Gangâ. Elle chevauche le monstre marin Makara et tient dans ses mains une cruche d'eau débordante, symbolisant la force de vie en rapport avec l'eau répandue. Selon la légende, elle aurait été la seconde épouse de Vishnu, puis de Shiva, et ne serait venue sur terre que pour répondre aux sollicitations des hommes dont les suppliques l'avaient émue. Elle coule en sept bras, issus de la chevelure de Shiva ; l'un d'eux est le Gange.

Épisode tiré du récit épique du Râmâyana
Miniature indienne, 1er quart du XIXe siècle de style Pahari, à Kangra

Le *Râmâyana* (la Geste de Râma) est un poème de 24 000 distiques retraçant les hauts faits d'armes du guerrier parfait que fut le fils du Roi Râma, la septième incarnation du Seigneur suprême, Vishnu. À l'instigation de sa belle-mère, il fut dans l'obligation de se retirer quatorze ans en exil dans la jungle, avec sa très pure épouse, Sitâ, et son fidèle demi-frère Lakshmana.
Constamment en lutte contre des légions de démons, Râma en trucida, à lui tout seul, 14 000 au cours de sa première bataille. Lorsque Râvana, le prince des démons aux dix têtes, vint ravir Sitâ à son époux, les deux princes s'adressèrent à Hanumân, le dieu-singe. Celui-ci leva une immense armée de singes et d'ours contre les démons à cheval de Râvana et lancèrent une bataille décisive qui extermina tous les démons. Pour clore cet épisode, Râma eut raison de Râvana dans un duel mortel. Après quoi, Râma put régner en souverain équitable à Ayodhya, et Hanumân se vit accorder l'immortalité par les dieux, en récompense de sa fidélité. Le récit épique se termine par la description des circonstances extraordinaires de la mort de Sitâ, de Lakshmana et de Râma, qui furent « élevés dans la gloire de Vishnu ».

La période classique

On situe généralement le début de cette « période classique » vers 500 avant J.-C. C'est à cette époque que l'hindouisme met en place ses structures, valables encore de nos jours, et connaît l'apogée de son rayonnement. Il le doit au sanscrit, une langue raffinée que pratiquent poètes et érudits, destinée pratiquement aux seules fins religieuses ou cultuelles.

C'est pourquoi le mot *sanskrita* peut se traduire par « présenté de manière artistique » et se démarque nettement de la langue populaire hindoue, le *pakrita*.

L'influence aryenne s'étend alors à tout l'ensemble du territoire hindou et imprègne fortement tous les autres cultes ou langages. De nouvelles divinités s'imposent : Brahmâ, Vishnu et Shiva. Le culte voué à ces nouveaux dieux se distingue des dévotions antérieures. Auparavant, les lieux de culte étaient des places de sacrifice à ciel ouvert, tapissées d'herbes ; maintenant des temples sont bâtis, des statues érigées devant lesquelles les fidèles viennent déposer des offrandes : nourriture, boissons et fleurs.

De nombreuses pratiques de culte et de consécration s'instaurent. C'est ainsi qu'aujourd'hui encore on distingue dans l'hindouisme seize sacrements, *sanskara*, réservés aux hommes des trois castes supérieures. Le culte des morts et de l'au-delà revêt une forme plus élaborée, par des offrandes aux morts et, aux dates anniversaires, des sacrifices à leurs mânes, *straddha*. Au IVe siècle avant J.-C. l'hindouisme est en position d'infériorité en Inde, la montée du bouddhisme lui ayant fait perdre une large part de ses adeptes. La propagation du bouddhisme dans un courant ouest-est a permis à l'hindouisme de prendre un nouvel essor sur le continent indien.

Mais il faudra attendre la dynastie des empereurs Gupta, la seule dynastie autochtone en Inde, pour que l'hindouisme soit officiellement reconnu, ce qui ne sera acquis que dans les années 320-647 de notre ère.

L'époque de la prédominance islamique

L'hindouisme, après avoir recouvré une prédominance spirituelle en Inde grâce au recul progressif du bouddhisme et au retour du jaïnisme, se vit à nouveau menacé par la percée de l'islam. À partir du XIIIe siècle cette religion sut s'imposer de façon permanente dans les régions au nord de l'Inde, et convertir nombreux hindous à sa doctrine.

C'est alors qu'apparurent de nombreuses sectes se réclamant soit de Vishnu, soit de Shiva, dans l'intention d'imposer à l'hindouisme la foi en un seul dieu. C'est dans ce contexte que se créa, dans le Pendjab actuel, la communauté religieuse des Sikhs (mot hindou signifiant « apprenti »), considérés comme une communauté religieuse totalement indépendante. Leur foi, avec son monothéisme rigoureux et la vénération due aux dix maîtres religieux, les *gurus*, associe des éléments hindouistes et islamiques. Les adeptes sont reconnaissables à leur habillement et à leur coiffure ; ils apposent le mot *Singh*, « lion », à leur nom.

L'époque de la prédominance britannique

Dès le début du XVIe siècle, l'Inde a été un objet de convoitises pour les puissances européennes en mal de colonisation, et en tout premier lieu des Portugais.

Peu à peu, la Compagnie des Indes, d'origine britannique, parvint à évincer un à un tous ses concurrents en établissant des comptoirs pour s'assurer le monopole des exportations. Les Anglais s'investirent de plus en plus politiquement en Inde et, après avoir soumis la plupart des souverains locaux d'origine, ils renversèrent en 1877 la souveraineté des Moghols et décernèrent à la reine Victoria le titre d'impératrice des Indes.

Au cours du XIXe siècle, de nombreuses tentatives de réforme de l'hindouisme ont été entreprises. Dans leurs débats autour des progrès techniques et des philosophies modernes en Europe, les réformateurs ont tenté de faire admettre d'autres religions dans le cadre d'un hindouisme orthodoxe moderne. L'hindouisme ne devait plus être cette religion rigoriste, mais laisser le champ libre à la vénération de tous les prophètes et autres fondateurs de religions.

L'Inde moderne

Au terme des longues et âpres luttes auxquelles se sont livrés hindous et musulmans, l'Inde accède à l'indépendance le 15 août 1947 par décision des Britanniques. Le drapeau du Congrès national hindou réunit les couleurs rouge safran (pour les hindous), le vert (des musulmans) et le blanc (des chrétiens, juifs et Perses, entre autres). Cette période de l'indépendance fut marquées par des exodes de populations et par de graves affrontements entre hindous et musulmans. Dès 1947, le Pakistan, « l'État des Purs », se sépare de l'Inde et se constitue en un État strictement musulman. Les luttes et les troubles d'origine religieuse aboutirent à l'assassinat du Mahatma Gandhi, en janvier 1948, par un hindou fanatique qui considérait la tolérance de Gandhi comme une trahison à l'égard de la religion. Dans les années qui suivirent, le pandit Nehru Jawaharlâl (1889-1964) assura le gouvernement de l'Inde, à tendance socialiste modérée, aux côtés de ceux qui, sous Gandhi, avaient lutté pour l'indépendance. Les grands problèmes sociaux du pays tournaient immanquablement en conflits religieux. Encore de nos jours, la paix politique et religieuse en Inde ne semble pas acquise et exige des responsables une attitude vigilante.

LES TEXTES SACRÉS

La base de tous les systèmes orthodoxes

Dans l'hindouisme, les textes sacrés forment un recueil décousu, qui néanmoins fait autorité dans l'enseignement de l'ordre universel moral, dans la règle de cause à effet, sur les droits et obligations de la vie de tout un chacun, et sur la hiérarchie, qu'elle soit d'ordre naturel, spirituel ou social.

Les quatre *Veda* et leurs textes complémentaires – les *Brâhmana*, les *Upanishad* et l'*Âranyaka* – en forment la base. Les orthodoxes hindous leur attribuent une origine surnaturelle ; ils sont donc admis comme dogmes fondamentaux par tous les courants hindouistes qui ont en commun la croyance en certains dieux, le rite des cérémonies et la nécessité d'offrir des sacrifices, les règles sociales des castes, la croyance en une loi éternelle, dharma, ainsi que la relation de cause à effet dans un processus de réincarnation hiérarchisé.

Ces textes sont, dans leur totalité, rédigés en sanscrit, la langue des érudits, et divisés en deux parties : les *shruti*, « ce qui est entendu », révélations surnaturelles, et les *smriti*, « ce dont on se souvient », écrites de la main de l'homme, qui reprennent les traditions transmises par voie orale.

Immersion rituelle dans le Gange (Bénarès)

Les Hindous orthodoxes sont convaincus de l'effet purificateur divin des eaux du Gange. Bénarès, dont le nom religieux est « ville de la Lumière » est le centre de la dévotion à Shiva et au Gange, un haut lieu de pèlerinage. Des Hindous, à la foi inébranlable, procèdent ici chaque matin à de larges ablutions, accompagnées de prières ; beaucoup emplissent cruchons et seaux pour pouvoir rapporter l'eau sacrée chez eux. Par le fait de s'immerger dans les eaux du Gange, de s'y laver et d'en boire, on pense pouvoir échapper au cycle des réincarnations et accéder directement au salut. Tous les trois ans, se déroule sur les bords du fleuve sacré, et en particulier à Allahabad, au confluant du Yamuna et du Gange, une fête rituelle particulière : *Kumbh-Mela*. De nombreux Hindous entreprennent le pèlerinage à Bénarès pour venir mourir sur les rives du Gange, la ville est devenue le centre des incinérations hindouistes. Les corps sont brûlés sur la berge, sur les ghât (escaliers donnant accès au Gange), puis les cendres sont dispersées dans le Gange.

Les quatre *Veda*

Les *Veda* sont donc, purement et simplement, LA révélation, qui réunit une gigantesque collection de textes, rédigés entre 1500 avant J.-C. et 1500 après J.-C., c'est-à-dire sur une durée de quelque trois mille ans. Ils se composent de quatre recueils de formules versifiées et de vers chantés, les *sanhitâs*.

- Le *Rig-Veda* est le recueil le plus ancien : il doit avoir été rédigé, pour l'essentiel, entre 1500 et 1200 avant J.-C. Il comprend 1 028 hymnes, par lesquels les dieux étaient invoqués lors des sacrifices. Il y est fait état de différents mythes de la Création dans lesquels les sacrifices occupent une très large place. Il traite de l'origine de l'homme et de celle de l'univers, par le sacrifice du géant cosmique Purusha, à partir des membres duquel tout a été créé.

Il se dégage de ces textes une véritable joie de vivre. Rita, qui représente la cohérence dynamique du cosmos, veille à l'équilibre des forces.

- Le *Sâma-Veda* est un recueil des chants qui accompagnaient les préparatifs et l'offrande des sacrifices. Il se recoupe beaucoup, sur le fond, avec le *Rig-Veda*.
- Le *Yajur-Veda* est le recueil des formules murmurées au cours des cérémonies de sacrifices. Il établit la transition, amorcée par l'avance des Aryens vers l'an 1000 avant J.-C., avec les textes brahmaniques en pratique lors de la célébration de sacrifices.
- L'*Atharva-Veda* est un recueil d'incantations à peine plus récent que le *Rig-Veda* (vers le Xe siècle avant notre ère). Ses prières et ses hymnes, pour la plupart versifiés, ont un ascendant magique ou prennent pour thème la création du monde. Le titre

Krishna et Arjuna partent en guerre
Miniature indienne, extraite d'une série relatant l'épopée de Mahâbhârata, XVIIIe siècle, de style Pahari, à Kangra

Krishna (littéralement, « le Noir »), le puissant exterminateur des démons, est le héros le plus populaire et le plus célébré de l'hindouisme. Bien avant le cruel usurpateur Kamsa, dont il triomphera plus tard et qu'il tuera, Krishna grandit parmi des bergers ; on lui prête de nombreuses espiègleries et, adoré de toutes les bergères, il est le héros de nombreuses aventures galantes. Pour ses adeptes, il est la huitième incarnation de Vishnu. Dans l'épopée de Mahâbhârata, Krishna est le conducteur du char d'Arjuna, allié au clan des Pàndavas. Avant la bataille contre l'ennemi Kauravas, il exhorte Arjuna à l'action et, pour le fortifier dans sa décision, lui lit le poème de la Bhagavad-Gitâ. En effet, aux yeux de bon nombre d'hindous, ce texte est, sur le plan religieux et philosophique, le fondement de l'hindouisme.
La Bhagavad-Gitâ prêche une éthique de la guerre et de l'ascèse, qui élève la lutte du bien et du mal au rang d'un principe cosmique tout en préconisant une forme de stoïcisme à laquelle permettent d'accéder la connaissance et le yoga. Krishna invite aussi le croyant à trouver la voie de la dévotion (*bahkti – bahkti-yoga,* discipline de la dévotion).

signifie « Veda des Atharvans », (initiés d'origine aryenne) car il renfermait les formules magiques. Ce recueil était sans doute destiné à la caste des guerriers, ce qui s'exprime surtout dans les hymnes pour tambours de guerre.
À chacun de ces quatre *sanhitâ* viennent s'ajouter des « textes complémentaires » de deux sortes, présentant des caractéristiques différentes :

• les *Brâhmana*, textes en prose sur le sacrifice védique, qui décrivent le rituel et en donnent des explications mythiques ;
• les *Upanishad*, textes philosophiques, en prose ou en vers, qui s'attachent avant tout au spirituel à l'échelon cosmique, base de toutes choses dans l'univers.

Les *Brâhmana* (plus exactement, « *Brâhmana* des cent chemins ») sont des textes en prose comportant des formules sacrificielles, les *mantra*, et des traités de mythologie.
Ils sont probablement postérieurs à l'an 1000 avant J.-C. et dénotent un penchant pour les spéculations philosophiques. Ils tentent aussi de recenser, de répertorier et de cataloguer systématiquement les diverses puissances, divinités ou notoriétés. C'est dans ces textes que l'on trouve les plus anciennes théories sur Brahma en tant que principe absolu. Les hymnes des *Veda* font déjà état, en partie, de l'éclosion de la multiplicité en partant de l'« unique » originel. Ce cheminement de la pensée est systématiquement repris dans les *Brâhmana*, qui soulignent la nécessité et la volonté de faire progresser toute existence vers une unicité finale.
Les *Upanishad* (plus exactement, « doctrine ésotérique » ; le mot signifie à l'origine : « se rapprocher, venir s'ajouter ») sont des textes qui s'enchaînent aux *Brâhmana* et se fondent dans ces derniers. Ce sont des traités de réflexion sur les rites et la cosmologie qui parachèvent la littérature védique ; avec eux débutent les spéculations philosophiques en Inde. *Brahman*, l'« absolu », en tant que cellule originelle de tout individu, est mis sur un pied d'égalité avec *âtman*, le « soi », puisque chaque individu (la multiplicité) est issu de l'Être unique originel (l'unicité). C'est dans les *Upanishad* que l'on trouve pour la première fois, dans la *Brihad Âranyaka Upanishad* (3.2, verset 13) la notion de *karma*, sanction des bonnes et mauvaises actions, dans une vie future réincarnée. Cette doctrine caractérise particulièrement la cosmologie hindouiste.
On ne sait toujours pas avec certitude si cet enseignement a été introduit dans l'hindouisme avec l'arrivée des Aryens ou s'il était déjà en pratique à l'époque préaryenne.
Croire que l'univers ne connaît ni début ni fin ; espérer pouvoir être libéré des entraves du cycle des mutations par le renoncement (par. l'ascèse) et admettre qu'entre tous les êtres vivants, c'est-à-dire également entre l'homme et l'animal, il ne saurait y avoir de différence dans le principe mais uniquement des degrés différents d'évolution – tout cela est formulé dans les *Upanishad*.

La tradition sacrée, *smriti*

La « tradition sacrée » englobe « les fils conducteurs », *sûtras*, et les « livres d'enseignement », *shastra*, dans les domaines les plus divers du savoir, ainsi qu'une interrogation philosophique concernant les problèmes religieux ou sociaux. D'autres œuvres en font également partie dont les textes, dans l'ensemble, présentent davantage un caractère narratif. Il s'agit, en tout premier lieu, des deux grands récits épiques populaires : le *Mahâbhârata* et le *Râmâyana*.
Le *Mahâbhârata* est une sorte d'*Iliade* « démesurée » de plus de 90 000 distiques, dans laquelle se côtoient des passages distrayants et un enseignement religieux. Cette épopée compte de nombreux chapitres, dont la *Bhagavad-Gîtâ*, « Chant du Divin Seigneur », le poème le plus important ; ses versets chantent Krishna, « l'Être suprême » qui guide les hommes. Il enseigne au prince Arjuna la nature de dieu, du monde et de l'âme humaine. Cette bible du « krishnaïsme » est devenue l'un des textes de l'Inde les plus connus hors de l'espace culturel strictement hindou.
La légende du *Râmâyana*, nettement plus brève, est certainement l'un des récits épiques de langue hindi parmi les plus populaires. Elle relate la destinée du héros Râmâ et sa lutte contre le roi des démons, Ravana – lequel a enlevé l'épouse du héros. Il remporte ces batailles avec l'aide d'Hanumân, l'astucieux roi des singes, et de ses troupes.
Les dix-huit *purâna*, « Récits d'autrefois », datent de la fin des grandes épopées et constituent le patrimoine populaire de l'hindouisme. Ces textes trai-

tent de la création du monde, du processus de destruction et de réincarnation, des cycles du temps, ainsi que des hauts faits de guerre et de la généalogie de certains dieux et rois. À ces textes traditionnels viennent s'ajouter à une période plus récente (pour la plupart entre 500 et 1000 de notre ère) d'autres purâna secondaires, les *upapurâna*. Il s'agit de *samhitâ* (collections) s'inspirant fortement de Vishnu, d'*âgama* (traditions) s'appuyant sur Shiva, et surtout des *tantra* (« livres » ; littéralement, tissu, canevas) sur les prescriptions de la religion, qui présentent un caractère ésotérique.
L'essentiel du message hindouiste se trouve dans les *Upanishad*, dans la *Bhagavad-Gîtâ* (Chant du Divin Seigneur) et la *Bhâgavata-Purâna* (antique tradition concernant le Seigneur).

CE QU'ENSEIGNE L'HINDOUISME

Le cosmos est un tout ordonné : le système de castes est un modèle d'ordre social

Dans l'hindouisme, le cosmos se présente, de l'infiniment petit à l'infiniment grand, comme un tout, parfaitement ordonné. Il est régi par une loi universelle, le dharma, qui est à la fois un ordre naturel et moral.
Cette loi se fonde sur le principe selon lequel tous les êtres vivants sont différents les uns des autres, dès la naissance et au long de toute leur vie, en fonction de leur mission, de leurs droits et devoirs, de leur potentiel. Parmi les êtres humains, on peut également très nettement distinguer des classes (les castes) les unes des autres.
Par dharma on entend la Loi universelle, unique et éternelle, et qui concerne tous les êtres vivants. Unique, elle est néanmoins multiple dans son expression, en fonction des différentes castes et stades de la vie, *âshrama*. Cela suppose un statut spécifique, religieux et cultuel, selon les castes. Les règles de conduite orthodoxes applicables aux castes visent à gérer tous les domaines importants de la vie quotidienne.
Elles sont formulées dans des lois qui réglementent avec précision les actes de la vie, tels que mariage, repas, etc. Le système de castes, spécifique à l'hindouisme, reste, pour d'autres religions ou conceptions, la chose la plus difficile à comprendre ou à admettre. Au sommet de la hiérarchie des castes, on trouve celle des prêtres et des brahmanes ; elle accorde une grande importance à la pureté, se consacre presque exclusivement aux choses de l'esprit, et – par son rituel et ses traditions sacerdotales – se dit être «la plus proche» des dieux. La deuxième caste est celle des guerriers, *kshatriya*, à laquelle incombe le maintien de l'ordre moral. Les souverains et les rois en sont généralement issus. Cet «état militaire» était à l'origine subventionné par des impôts et taxes payés par les castes inférieures. La troisième caste est composée de paysans et de fermiers, d'artisans et de commerçants, les *vaishya*. Ces trois castes supérieures, issues des envahisseurs aryens et réputées appartenir à une élite, ont pris conscience de cette distinction sur le plan social comme d'une nouvelle naissance. C'est pourquoi leurs membres se font appeler «ceux qui sont nés deux fois». Selon l'hindouisme orthodoxe, elles sont les seules à pouvoir accéder à l'étude des textes sacrés : le *Veda*.
À ces trois classes supérieures se rattachent les castes inférieures qui se subdivisent à l'infini. La quatrième classe, celle des *shudra*, regroupe les travailleurs et les artisans des «petits» métiers ; placés sous l'obédience des classes supérieures, ils sont, à leur tour, en fonction de leur pureté, très rigoureusement hiérarchisés. C'est ainsi, par exemple, que les tisserands et les potiers sont

Temple Minakshi, à Madurai

En Inde, les temples sont richement décorés avec de nombreuses ornementations, en particulier sur les façades et sur les toits. Pas un espace qui ne soit rehaussé de bas-reliefs représentant dieux et déesses, héros et démons, animaux, plantes et personnages de légende. Chaque temple constitue son propre univers, avec la représentation de scènes les plus diverses peuplées d'une foule de personnages. Les deux imposantes tours de l'entrée du temple de Minakshi (les gopura), ne font pas exception à la règle : elles sont couvertes de milliers de figurines en stuc hautes en couleur. Le temple lui-même, avec son enfilade de salles et de cours intérieures, a été achevé au XVIIe siècle. C'est l'un des hauts lieux de pèlerinage les plus fréquentés de l'hindouisme. Quelque 10 000 croyants le visitent chaque jour. Selon la légende, c'est ici que Shiva aurait épousé Parvati. La superficie totale du temple, en grande partie couverte, représente six hectares. Les hindous viennent continuellement y prier et offrir des sacrifices devant les nombreux autels et idoles richement décorés.

Krishna et Râdhâ,
assis sur une fleur de lotus
Miniature de l'École Parkari,
Basohli, 1715

Le lotus est par excellence
la plante cosmique de l'hindouisme.
Lorsque la semence divine
est sur le point d'engendrer l'univers,
un lotus aux mille pétales éclot
à la surface des eaux cosmiques :
c'est l'ouverture, le portail, la bouche
d'où sortira l'univers.
Le lotus est l'organe géniteur
de l'Être absolu qui enfante et symbolise
l'enchaînement sans fin des existences.
À l'époque prévédique,
le lotus était le symbole de la grande
déesse mère, la déesse terre :
Shri ou Lakshmi, représentée assise
sur un lotus ; c'est pourquoi elle fut
nommée « née du Lotus »,
Padmâsambhava.

supérieurs aux blanchisseurs, aux bouchers, aux pêcheurs ou aux peaussiers.

La catégorie sociale la plus basse – la cinquième classe – est celle des *pancama,* les « parias » ou les *asprishya, les* « intouchables ». Ils mènent une vie de misère au sein de la société indienne traditionnelle en exerçant des métiers « impurs » ou « indignes », tels ceux d'éboueurs, d'égoutiers ou en se rattachant à différents groupes de mendiants ou de voleurs.

Ces deux classes inférieures sont essentiellement composées par les descendants des populations indiennes autochtones. Chacune de ces classes se fragmente encore en une multitude de classifications internes, si bien que l'hindouisme dénombre de 2 000 à 3 000 castes, dont chacune est strictement définie et se voit imposer des tâches spécifiques. Comparée au système de castes, toute autre classification, que ce soit en fonction du lieu, de la langue, de la nation, de la population, etc., apparaît à l'hindouisme comme secondaire, voire artificielle. Faillir à cette notion de caste équivaudrait à renier ses origines et à faire fi de l'ordre naturel.

L'Inde moderne qui, depuis l'époque du pandit Nehru, se présente sur le plan social comme un État séculier, s'efforce dans plusieurs domaines d'atténuer les effets du système rigoureux des castes, bien que celui-ci apparaisse aux yeux des hindous pratiquants comme la structure qui, depuis des millénaires, est garante d'un ordre social établi. Déjà dans les textes anciens, dans le *Rig-Veda* (10.90, verset 12), ce système passe pour une organisation d'ordre divin, les différentes castes étant issues des différents membres de l'« homme cosmique », *Purusha.* C'est pourquoi elles sont toutes appelées à coopérer comme un seul et même corps.

Le karma ou le lien de cause à effet : le cosmos en tant qu'ordre moral

La hiérarchie du système des castes est le reflet de l'idée reçue d'un ordre naturel qui serait aussi une harmonie universelle morale. Cette conception s'exprime, depuis le *Brihad Âranyaka Upanishad,* au travers de la loi du karma. L'existence et la destinée de chaque individu ne sont que la conséquence nécessaire des actes commis dans une vie antérieure, les bonnes actions se trouvant récompensées par une « bonne réincarnation », c'est-à-dire par un accès à une caste supérieure, alors que les mauvaises actions entraînent une réincarnation dans l'une des classes inférieures.

La multiplicité des individus n'a d'égale que la multiplicité des actions commises, lesquelles appellent une juste sanction. Les points communs et les différences décelables en chaque individu sont à l'échelle des points communs et différences dans les comportements au cours d'une vie antérieure. Le cours des choses étant sans fin, et les systèmes universels étant éternellement soumis aux cycles des déclins et des renaissances, l'hindouisme ne reconnaît aucun début à ce processus de cause à effet ; ni la fin du monde, ni les périodes cosmiques transitionnelles ne sauraient interrompre le cycle de récompenses et de punitions, elles les font resurgir à chaque nouvelle création du monde. L'ordre universel moral ne se contente pas de sanctionner les actions ; il offre également à chaque individu la possibilité de parvenir progressivement à la perfection et, enfin, à son salut.

On peut se demander si l'hindouisme accepte réellement l'idée que tout être vivant est appelé à accéder, à un moment quelconque, au salut et n'aurait alors plus à affronter de nouvelles réincarnations dans le cycle des renaissances, *samsâra.* Ce qui est propre à l'hindouisme est d'énoncer que toute vie ici-bas – y compris celles des animaux et des plantes – participe de ce double ordre hiérarchique (vie sur terre et dans un au-delà), puisque tout être vivant ne diffère d'un autre que par ses étapes de développement et non par définition.

LES DIVERSES CONCEPTIONS DE DIEU

La multiplicité des systèmes

Face aux questions philosophiques et métaphysiques, l'hindouisme, plus qu'aucune autre religion, laisse aux croyants une liberté totale. Chacun peut se définir théiste, panthéiste ou athée, reconnaître en Vishnu ou en Shiva le Maître suprême du monde ou admettre un principe dépersonnalisé. Il en va de même pour les théories de la création des mondes et de leurs composantes matérielles ou immatérielles ainsi que pour la relation entre l'âme et le corps ; elles ne sont pas dogmatiques. Les hindous n'éprouvent pas le besoin d'ériger en préceptes la multiplicité de leurs conceptions et de leurs rites religieux.

Les conceptions philosophiques se trouvent formulées dans les sûtra, « fils conducteurs », et dans certains modes de pensée qui, en sanscrit, se disent *darshana* (littéralement, « modes de conception », de *drishti*, « voir, contempler la vérité ») ; souvent, elles n'ont d'autre prétention que d'être une simple aide pour ceux qui sont à la recherche de la Voie.

Les six darshana orthodoxes

La tradition compte six darshana qui tous passent pour être orthodoxes, car tous admettent que les textes védiques sont de révélation divine, tout en interprétant le monde de façon très diverse. Les six théories se présentent généralement regroupées par deux ; le *sâmkhya* ou *sankhya* (qui s'appuie sur la connaissance intellectuelle) et le *yoga* (la maîtrise des sens et des pulsions intérieures) vont de pair ; le *vaisheshika* (qui est expérimental et s'appuie sur une expérience sensorielle) est le pendant du *nyaya* (qui procède par logique et s'appuie sur la dialectique) ; de même pour le *vedânta* (spéculation métaphysique) et le *karma-mimansa* (déiste et cultuel, qui s'appuie sur les textes sacrés).

Dans chacune de ces associations, le premier des deux systèmes est davantage d'inspiration philosophico-métaphysique tandis que le second est généralement plus pragmatique, davantage tourné vers la méthodologie que vers la métaphysique.

- Le *sâmkhya* ou *sankhya* (littéralement, « compte, dénombrement ») fait état d'un réalisme dualiste. Il s'agit d'une très ancienne théorie qui défend l'existence de deux réalités éternelles : un principe spirituel, *purusha*, et des qualités constitutives de la nature primordiale, *prakriti*. Il s'agit d'une force qui transcende tout, une sorte de substance qui repose sur trois principes ou éléments, les *guna*. Ces trois gunas, tout en étant antagoniques, s'équilibrent. Purusha est l'antimatière, ou le pur esprit. Avec l'aide du yoga, le jeu des forces peut s'en trouver influencé. Notre existence matérielle (terrestre) est jalonnée de soucis et de peines, car nous ne parvenons pas à différencier le « moi » du « non-moi ». L'accès à la liberté ne pourra se réaliser que par la méditation.
- Le *yoga* (littéralement, « effort, entraînement ») fait référence au livre de Patanjali (première moitié du Ier siècle de notre ère), dont certains passages sont sans doute bien antérieurs. Il s'agit d'une théorie théiste qui repose sur le sâmkhya modifié (« classique ») et s'impose comme une discipline de la méditation pour accéder à la connaissance, afin d'ouvrir la voie du salut. Le yoga comporte huit niveaux, de l'autodiscipline à l'immersion spirituelle totale.
- À l'origine, le *vaisheshika* est un système athée. Il envisage une explication atomique du monde, selon laquelle tout, jusqu'à l'esprit, est composé d'atomes qui ne deviennent matière visible qu'à la suite de leur fusion. Dans la nuit de la dissolution (fin du monde), les atomes se sépareront et créeront dans d'autres mondes de nouvelles combinaisons.

Yogi devant le temple de Warwari, à Madras

Le yogi en méditation revêt le signe visible des adeptes de Vishnu : le front maquillé de blanc et le trait rouge entre les deux sourcils.

Fakir en Malaisie

Sur la route de leur pèlerinage, les ascètes hindous font montre de leur insensibilité à la douleur physique et de leur détachement à l'égard des vicissitudes de la vie courante, qualités auxquelles ils accèdent par la concentration, la méditation et par les transes. Ils en font la démonstration en se transperçant les joues et la langue à l'aide d'aiguilles ou de baguettes d'argent auxquelles sont souvent attachées des chaînettes. D'autres fakirs se suspendent aux chars des pèlerins par des crochets percés dans la peau de leur dos ; il arrive que de tels équipages parviennent au but du pèlerinage, poussés par les pèlerins. Particulièrement vénérés parmi les ascètes, on trouve les naga (de *naga*, serpent, démon-serpent), considérés comme des gardiens de la foi, experts dans les arts martiaux. Ils vivent pratiquement nus et sans moyens de subsistance ; ils n'ont que le bâton et le lien du pèlerin, portés souvent à la manière d'un rosaire.

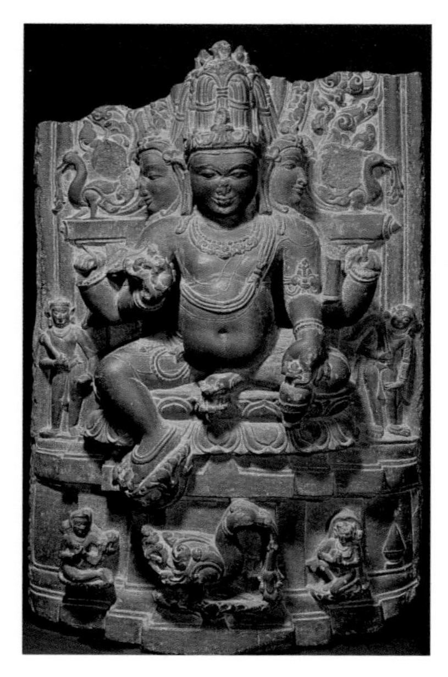

Stèle du dieu Brahmâ
Schiste, XIIe siècle, nord du Bengale

Brahmâ, l'anthropomorphisation du concept védique *brahman* (l'âme universelle, l'Absolu), porte le lien, attribut des trois castes supérieures ; il a pour coursier l'oiseau sacré, *hamsa*, symbole de la sagesse. Brahmâ n'est pas le créateur, mais plutôt le Grand Ordonnateur ou le Grand Architecte, conservateur de l'univers. Nombreuses sont les légendes qui entourent Brahmâ, mais dans la hiérarchie des dieux suprêmes, il est inférieur à Vishnu et à Shiva.

Le dieu Brahmâ à l'autel des sacrifices
Miniature indienne, extrait d'une série Ragamala, vers 1660, au centre de l'Inde, style Malwa

Brahmâ est aussi la divinité suprême de la caste des prêtres brahmanes. À ce titre, il est représenté avec quatre têtes et quatre mains, chacune des têtes représentant l'un des quatre *Veda* (*Rig-Veda, Yajur-Veda, Sâma-Veda et Atharva-Veda*) ; ses mains tiennent les accessoires sacerdotaux : le manuscrit des *Veda*, l'aiguière d'eau bénite, la cuillère rituelle et le lien.

La philosophie du vaisheshika expose les réelles différences présentes dans tout ce qui existe, *vishesda*, en classant tous les êtres à l'intérieur de catégories. Elle détaille le réel pluralisme des neuf substances, dont l'action conjointe gère la bonne marche de l'univers : la combinaison des quatre éléments constitués d'atomes (terre, eau, air et feu), des trois entités (éther, espace et temps) qui n'en forment qu'une qui transcende tout, des innombrables âmes individuelles (intervenant comme huitième élément) et des substances du raisonnement, de la taille de l'atome, qui les habitent (neuvième élément).

- Le *nyaya* (littéralement, « la logique ») témoigne d'un certain réalisme. Il s'agit d'un mode de logique et de dialectique qui, dans ses conceptions fondamentales du monde, reprend les concepts du vaisheshika avec lequel, plus tard, il fusionnera.

Par ses cinq membres (phrases) il cherche à distinguer la vraie connaissance du faux savoir et affirme qu'il existe une corrélation entre l'existence d'une idée et l'image que l'on s'en fait avec l'esprit qui les a imaginées. Il envisage une libération par l'expérience de l'autonomie du « moi », considérée différemment selon qu'il s'agit du corps ou de l'esprit.

À l'origine, il n'était pas question de Dieu dans le nyaya ; ce n'est que plus tard, lors de sa fusion avec le vaisheshika, que cette notion apparaîtra.

- Le *vedânta* (littéralement, « fin du Veda ») tente d'exprimer les conclusions des *Upanishad*. Sa grande doctrine est le *Brahma Sûtra*, le summum des spéculations védiques. Présentées sous forme de brèves paraboles empreintes de connotations ésotériques, elles sont difficiles à interpréter, ce qui a donné lieu à de nombreux commentaires.
- Le *karma-mimansa* (littéralement, « débat sur le travail » ou « approche critique du travail ») est à l'origine un texte théologique, voire cultuel. Dans un premier temps, l'ouvrage n'était pas philosophique, mais plutôt une interprétation des textes sacrés sacrificiels, importants pour le maintien du monde et de la vie humaine.

Ce n'est que vers le VIIe-VIIIe siècle de notre ère qu'il se constitue en un système philosophique qui affirme l'existence réelle d'une grande pluralité d'âmes et de substances.

Chacun des six darshana se différencie des autres par sa prise de position sur la notion du « divin ». Le karma-mimansa et le classique samkhya réfutent l'existence d'un Maître du monde éternel et préfèrent admettre que le cosmos est régi par une loi naturelle et morale, le dharma. Le yoga croit en un seul dieu, éternel et omniscient, sans pour autant lui accorder une quelconque influence sur le cours des événements en ce monde (ce que la philosophie européenne désigne sous le nom de « déisme »).

Le vaisheshika et le nyaya placent leur foi en un dieu personnalisé et directif, dont l'origine coïncide avec celle de l'âme éternelle et de la matière éternelle.

Le vedânta, plus ancien, prône un panthéisme selon lequel Dieu serait la substance originelle du monde, tout en étant une spécificité supérieure à celui-ci ; certains le considèrent comme un principe impersonnel, d'autres comme un dieu suprême, une entité.

Cette conception se retrouvera plus tard dans l'adoration de Vishnu et Shiva. Au cœur de ces écoles ou sectes, de même que pour les adeptes de Vishnu ou Shiva, se trouve la *bhakti* – mot qui exprime l'émotion dans la dévotion au Maître du monde, Celui qui trace à chacun la voie du salut. Cette conception est réfutée par la philosophie et les sciences.

Shankarâ

Le brahmane Shankarâ (788-820 après J.-C.) se consacra à l'immense tâche de rapprocher les différentes conceptions religieuses et les cultes par une exégèse novatrice des textes du vedânta ; il allait profondément marquer la pensée hindoue. Influencé par les système bouddhistes, Shankarâ préconise une théorie de la vérité en deux étapes, selon laquelle toute forme de foi en ce monde a sa raison d'être, mais aucune ne saurait appréhender la vérité suprême dans sa globalité.

La sainte, l'ultime vérité est à chercher, dit-il, au-delà des multiples apparences, au-delà du « voile de *maya* » (illusion du monde). Seuls les sages, plongés dans leur méditation, peuvent en prendre connaissance. Shankarâ établit donc un lien entre « la connaissance » d'un Tout et Unique et la croyance en un Maître du monde personnifié, qui exercerait ses droits dans le domaine des maya, autrement dit, dans notre univers en mutation illusoire. Tous les cultes de nature terrestre ne sont que des étapes sur la voie de la connaissance de la vérité, vérité qui se trouve au-delà des mots et des pensées. L'enseignement de Shankarâ a largement été adopté par l'hindouisme orthodoxe.

Ce qu'enseigne le yoga

Le mot « yoga » signifie littéralement « atteler » et fait référence, à l'origine, à la comparaison faite avec le harnais d'une monture. Les techniques du yoga – dont l'enseignement s'inspire des deux *darshana sâmkhya* et *yoga* – sont des méthodes d'autodiscipline, de l'âme comme du corps. Elles sont aussi l'apprentissage d'une concentration à partir d'une approche intuitive des points communs dans un monde où les manifestations sont de tous ordres.

Il existe neuf théories yoga, divisées en quatre grandes lignes et cinq méthodes complémentaires. Le but du yoga est de libérer l'âme pour l'amener à la vraie connaissance. Les moyens préconisés sont : le renoncement, l'abstinence et l'ascèse, le rejet du confort et de toutes possessions, l'abnégation, autant de voies qui permettent d'accéder à une certaine forme de stoïcisme, à l'harmonie de l'âme et à la paix intérieure, cette paix que l'on trouve par la méditation et l'examen de conscience.

Vénération de Ganesha
Miniature indienne illustrant la préface de la *Bhagavad-Gîtâ*, XVIIIe siècle, de style Moghul, au Cachemire

Le joyeux et cordial Ganesha, qui passe pour être le fils ou la créature de Shiva, est l'une des divinités les plus populaires de l'hindouisme. Son père lui ayant conféré le pouvoir d'exaucer tous les vœux des hommes qui s'adresseraient à lui, on l'invoque avant chaque entreprise délicate ou avant tout voyage pour s'assurer de sa protection. Il se présente sous des traits humains avec une trompe d'éléphant en guise de nez et une seule défense. De nombreuses légendes entourent son personnage, mais toutes précisent qu'il possédait à l'origine une tête à visage humain, qu'il perdit ou qu'on lui trancha. Ganesha serait redevable de sa tête d'éléphant à la sollicitude de Shiva ou de Brahmâ. Grand consommateur des offrandes que lui apportaient les hommes, en particulier des fruits et des friandises, son ventre prit de l'embonpoint. Il est souvent représenté entouré de servantes qui le comblent de fruits. Dieu de la sagesse et protecteur des sciences, il serait également l'auteur du texte sacré du *Mahâbhârata* que lui aurait dicté le sage Vyâsa. Dans la lutte contre les démons, il prend la tête des troupes formées par la suite de Shiva (les *ganadevata*). En tant que « seigneur suprême des armées » (*Mahaganapati*) il a été élevé au rang de divinité suprême par une secte tantrique.

Le tantrisme

À partir du Ve siècle, les pratiques sacrées propres à l'hindouisme connurent une importance croissante. C'est l'époque où surgit le tantrisme (mot né des textes sur lesquels il s'appuyait : les *tantra*), mouvement qui a introduit une large part d'éléments de magie dans les rites.

Les populations indiennes antérieures à l'invasion aryenne voyaient dans ce culte la possibilité de s'affirmer, de pouvoir influencer les courants de pensée. La croyance dans les *shakti*, accompagnatrices et compagnes des dieux, et la conviction que le dieu mâle ne pouvait agir que grâce à la force créatrice et dynamique de son épouse, en sont les points forts.

On a souvent lié au culte tantrique un rituel ésotérique, sa mystique alambiquée reposant sur la numérologie et l'interprétation des lettres ainsi que sur une iconographie très fouillée. L'assistance des guru semble indispensable. Ce que l'on désigne par « tantrisme de la main gauche » est – dans l'hindouisme comme dans le bouddhisme – un culte de la sexualité n'excluant pas des tendances orgiaques ; d'où son caractère extrêmement ésotérique à implication magique.

Adeptes de Vishnu et de Shiva

La vénération de Vishnu et de Shiva correspond à un courant philosophique qui s'est manifesté plus tard dans l'hindouisme, en partie pour se démarquer du monothéisme rigoureux de l'islam, la religion prédominante (depuis le VIIIe siècle), mais aussi et surtout en réaction contre la philosophie de Shankarâ et du tantrisme. Les adeptes ont pour but de reconnaître et de faire reconnaître celui qu'ils tiennent pour le Maître de l'univers – Vishnu ou Shiva – comme seul vrai dieu.

Ces deux orientations « récupérèrent » bon nombre de cultes locaux et de traits caractéristiques propres aux dieux. Le principe de base de la foi en Vishnu est la « voie de la dévotion », *bhakti-mârga*, alors que celle pour Shiva est axée sur le culte phallique du linga ; Shiva est aussi vénéré pour sa force féminine (et destructrice). De ces deux orientations sont nées de nombreuses communautés cultuelles, pratiquant des rites variés.

Cultes et rituels

Passé l'époque védique, l'importance accordée au rituel dans le cadre de l'hindouisme connut un déclin, au bénéfice de pratiques cultuelles – en particulier sous l'influence du courant tantrique –, ce dont témoignent la propagation des idoles et l'essor des arts plastiques.

Cette évolution religieuse s'exprime lors de cérémonies : la *pûjâ*, « l'adoration » ; Dieu est accueilli tel un hôte d'honneur, entouré d'un nuage d'encens et de fleurs. D'une certaine manière, l'image des dieux est autant admirée et glorifiée que Dieu lui-même ; la présence divine se laisse aussi appréhender au travers de symboles, comme par exemple celui du linga, symbole de Shiva. Sur le plan cultuel, la vénération des dieux se conforme à des rites très purs. Lors de la prière, ce sont des formules précises, les mantra, que l'on récite, et l'on retrouve cette précision dans la gestuelle des danses religieuses. Les danseuses du temple et les prêtres spécialement attachés à cette fonction jouent un rôle prépondérant dans la ferveur portée aux dieux. Les danses religieuses prévoient une gestuelle très précise.

Le tantrisme a également recours à des emblèmes, des yantra ou mandala artistiquement ouvragés,

Stèle du dieu Vishnu
Fin de l'époque Pallara, IXe siècle

Vishnu, dont l'avènement n'est signalé qu'à la fin de l'époque védique, est aujourd'hui, dans l'hindouisme, la plus haute divinité aux côtés de Shiva. Par rapport à Shiva, il incarne le dieu aimable et serviable ; sa force et sa douceur lui valent la dévotion des fidèles (*bhakti*). C'est lui qui, par sa tempérance, est le conservateur et le protecteur de l'univers.

Vishnu dans son incarnation en sanglier (varaha), dans le temple Hoysala à Belur
Vishnu, sous la forme de sa troisième incarnation en sanglier (*varaha*), va rechercher au fond des mers, à l'aide de son groin, la terre qu'un démon avait précipitée dans l'océan. Il la rapporte à la surface, extermine le démon, et surgit des flots portant dans ses bras la déesse de la terre, Prithivi qui devint son épouse.

des diagrammes mystiques en forme de cercle ou de carré, censés représenter matériellement le dieu correspondant à tel rituel ou à telle méditation. Il est vrai que pour des profanes de la culture hindoue, la compréhension d'une telle symbolique cultuelle n'est pas simple. Comme c'est grâce aux symboles et par eux que les divinités sont vénérées, l'image des dieux, conduite en procession, « est » ce dieu lui-même. Cette présentation imagée de principes abstraits est acceptée par tous – les hindous plus lettrés, eux, ne niant évidemment pas la différence entre signifié et signifiant.

Les temples indiens les mieux conservés sont, en grande partie ceux dont la construction est postérieure au VIIe siècle. C'est vers cette époque que les lieux sacrificiels sont à ciel ouvert. Le but de la plupart des pèlerinages religieux consiste à faire le tour des édifices et des châsses. Les temples au nord du pays se présentent comme des tours pyramidales alors que ceux du Sud ont, en règle générale, un socle imposant comme une montagne, qui rappelle une pyramide tronquée.

LE PANTHÉON DE L'HINDOUISME

L'intarissable diversité des divinités hindoues

Le mot qui, dans l'hindouisme, définit les dieux est *deva* (de *div*, « briller, rayonner »). Depuis l'époque des *Upanishad*, le panthéon védique a connu de profondes transformations ; même si les divinités telles que Mitra et Varuna, Indra et Agni sont encore vénérées, elles tendent à disparaître pour céder la place à trois nouveaux dieux : Brahmâ, Vishnu et Shiva qui apparaissent parfois comme une triade, *trimurti*. Les textes disent qu'ils ne sont en fait que les trois figures ou formes différentes d'un seul et unique être originel dans sa triple intervention en qualité de créateur, de conservateur et de destructeur de l'univers. La plupart des théologiens hindous partagent la croyance des fidèles en Vishnu ou en Shiva et considèrent l'un ou l'autre comme le Dieu suprême, dont dépendent toutes les autres divinités ou réincarnations.

Brahmâ, le créateur

En sa qualité de dieu créateur, Brahmâ prit une part déterminante dans la création du monde. Toutefois, il ne le créa ni selon son gré, ni en le tirant du néant, ce pour quoi son titre se limite à celui de « dieu géniteur ». C'est lui qui propage les textes sacrés, les *Veda*. Il est une personnification du concept originel et neutre, brahman, cité dans les *Upanishad* et qui signifie alors l'Absolu (le Tout et l'Unique) qui se reflète dans le « moi », âtman, de toute créature et de tout être humain.

De plus, Brahmâ est une synthèse d'autres figures cosmogoniques, tel Prajapati, le « seigneur des créatures » souvent cité dans les textes des *Brâhmana*.

Brahmâ, sans doute en raison de ses origines – puisqu'il est réputé être né du « neutre » et donc d'un principe impersonnel – n'a jamais été élevé au rang d'un dieu suprême, régnant sur d'autres dieux. L'hindouisme actuel voit en lui le démiurge, le « grand architecte » qui veille en permanence au bon ordonnancement du monde et qui procure une nouvelle enveloppe charnelle aux âmes lors de leur réincarnation. Le brahman des *Upanishad* est un absolu, sans forme ni couleur. À l'époque védique, le Créateur ou le Démiurge ne s'identifiait pas encore au dieu Brahmâ ; il s'appelait Prajapati et était une énergie créatrice. Les adeptes de Vishnu et de Shiva surtout, en prenant de l'importance, s'élevèrent contre Brahmâ, réduisirent à néant ses intentions d'absolutisme et firent de lui une caricature de dieu créateur en colportant, entre autres, l'histoire selon laquelle il aurait pris pour femme sa propre fille, Savitri, et aurait vécu avec elle dans l'inceste. De plus, la légende de sa naissance a contribué à porter préjudice à son ambition de régner en maître absolu : Brahmâ serait né d'une fleur de lotus, sortie du nombril de Vishnu. Étant un dieu purement théiste et non (à l'origine) un dieu naturel, Brahmâ n'a pas partie liée avec les cycles de la destruction et de la renaissance, contrairement à Shiva.

Vishnu, le protecteur

La destinée de Vishnu en sa qualité de *brahmâ* fut jalonnée de succès. Peu cité dans les *Veda*, il devint par la suite l'un des deux dieux les plus puissants de l'Inde ; il fut identifié à diverses déités et connut plusieurs réincarnations en différents héros des épopées indiennes. Il incarne le principe qui protège et maintient l'univers par des actes éthiques et héroïques.

Chaque fois que le monde ou le genre humain court à sa perte, par l'action des puissances du mal ou par sa propre décadence, Vishnu intervient sous la forme d'un homme ou d'un animal pour le sauver.

Vishnu est représenté sous dix formes différentes, étalées sur les quatre âges cosmiques de l'univers, ce qui n'est pas sans rapport avec la structure compliquée du temps telle que la concevaient les dieux Aones, selon laquelle chaque cycle s'achevait par une destruction d'ordre moral, Vishnu intervenant alors pour engager une lutte contre les démons du mal et permettre la recréation d'un nouveau monde.

Vishnu s'est donc réincarné neuf fois : sous la forme d'un poisson, Matsya ; d'une tortue, Kûrma ; d'un sanglier, Varaha ; sous les traits d'un homme-lion, Nârâsimha ; en nain, Vamana ; en Râma, Parashurâma ; en Râma et héros martial, Râma ; en Krishna ; et en Bouddha.

Quant au dixième avatar, il est écrit que Vishnu arrivera chevauchant un cheval blanc, ou sous la forme d'un cheval blanc, Kalki, et ce sera la fin du présent âge cosmique, *kali-yuga*. Parmi toutes ces réincarnations (ou avatars, littéralement « descendance »), la septième (en Râma le héros) et la huitième (en Krishna) font l'objet d'une vénération particulière. Dans le récit épique du *Râmâyana*, Râma est un prince qui devint roi d'Ayodhya et y régna avec sa vertueuse épouse Sitâ, modèle de fidélité. Râma est vénéré pour ses qualités d'homme d'État, de chef des armées, de législateur et d'artiste. La seule incarnation parfaite de Vishnu est Krishna. C'est pourquoi ce dernier est révéré comme une divinité à part entière. Krishna aussi est un prince. Il avait été prédit à son oncle, le roi impie Kansa de Mathura, qu'il serait tué par Krishna. Pour échapper à cette prophétie, il ordonna donc que l'on extermine tous les nouveau-nés mâles de son royaume. Mais Krishna ne fut pas du nombre ; il grandit, sans se faire connaître, parmi les bergers à Brindavan et, encore adolescent, accomplit des miracles. Jeune homme, il suscitait des passions dans le cœur de toutes les bergères, les *gopi*. Plus tard, il mit effectivement fin à la vie de Kansa, régna sur Mathura et sortit triomphant de nombreuses batailles. Il prit le chemin de Gujarat et s'installa à Dvaraka où, avec 16 000 femmes il engendra 180 000 fils. C'est la raison pour laquelle il est également le héros de la fécondité. Ses exploits martiaux, ses aventures amoureuses et ses prophéties sont les thèmes les plus appréciés de la littérature indienne.

Kalki, la dixième réincarnation de Vishnu, est le dieu de l'avenir qui terrasse l'esprit du mal, réinstaure la justice et ouvre la voie vers un nouvel âge cosmique heureux.

Vishnu n'étant à l'époque védique que l'un des douze dieux solaires symbolisant la course du soleil, il n'accéda que fort tard au titre de « Protecteur du monde » : le « vishnuisme » ne s'est manifesté que bien postérieurement au « shivaïsme ». En sa qualité de protecteur, il est l'incarnation de la grâce et de la bonté. Par sa transcendance, il a projeté dans l'existence le monde et les êtres vivants et veillera sur eux jusqu'à la dissolution de l'univers. Vishnu retournera alors à sa forme originelle et fera en sorte que, après un temps de répit, tout puisse recommencer. On l'invoque surtout dans son rôle de Nârâyana, le dieu d'un nouvel âge. Vishnu somnole dans un sommeil contemplatif sur le serpent à cinq têtes lové autour du monde et rêve d'un ordre nouveau. De son nombril pousse une fleur de lotus d'où sortira le dieu créateur, Brahmâ.

Shiva, le destructeur

Shiva, dont le nom signifie « le Bienveillant », est de nos jours, avec Vishnu, la divinité la plus populaire de l'hindouisme. Son modèle védique est Rudra, le

La lutte des dieux contre les démons
Miniature indienne extraite d'un manuscrit en sanscrit du *Devimahatmya*.
Seconde moitié du XVIIIe siècle, région de Pahari, style Guler

Dans la lutte des dieux contre les démons, la déesse Durgâ, « la Farouche », épouse de Shiva, joue un grand rôle. Elle est une incarnation de la grande divinité Devi, le plus souvent dans sa forme la plus négative et la plus menaçante ; on la représente aussi sous des traits séduisants. Elle naquit des flammes qui sortaient de la bouche de l'un des dieux ; depuis toujours elle fut une femme merveilleuse, épanouie. Sa tâche principale consistait à anéantir l'esprit du mal. Elle fut désignée par les dieux pour lutter contre le démon-buffle, Mahisha, qui les menaçait (l'illustration montre Durgâ en lutte contre Mahisha). Durgâ se battit de ses dix bras, brandissant dans chaque main l'arme attribuée par un dieu. Même si le démon revint à la charge à plusieurs reprises, Durgâ finit par l'exterminer avec son épée.

Shiva Nâtaraja
Bronze, Inde du Sud, XIXe siècle

Shiva, seigneur de la danse (*Nâtaraja*), exécute un pas de danse sur le corps du démon nain, Apasmara, qui représente le mal et l'ignorance. La danse de Shiva revêt une signification cosmique : elle évoque la renaissance et le rétablissement de l'ordre divin dans une ère nouvelle. L'auréole de flammes dans laquelle il évolue symbolise le cycle de la création, de la destruction et de la renaissance.

La vache sacrée

Depuis l'époque védique, la vache est vénérée dans toute l'Inde. L'objectif des rites sacrificiels védiques était d'implorer des dieux la richesse en bétail. Certaines vaches sacrées de l'Inde appartiennent aux temples, mais la plupart errent dans les rues des villes et en sont réduites à quémander leur nourriture aux fidèles ; ceux-ci non seulement les nourrissent mais les couronnent de fleurs et, en signe de vénération, leur offrent du safran. La viande rouge est, pour un hindou, un sujet tabou. Tuer une vache compte parmi les péchés les plus graves.

redoutable archer, qui a le pouvoir d'infliger les maladies et de pourvoir à leur guérison. On lui associe le dieu de la nature de l'époque pré-aryenne, avec sa force créatrice représentée par un symbole phallique, le linga.

Shiva est le dieu bicéphale par excellence : il incarne simultanément les forces créatrices et dévastatrices du cosmos en fonction de ses divers aspects ou avatars.

Sur le plan spirituel, il est le prototype de l'ascète qui par automortification parvient à dominer le monde et à créer une nouvelle existence ; il est le sauveur qui apporte la rédemption.

Au même titre que Vishnu, Shiva est considéré par ses adeptes comme le Maître suprême de l'univers. C'est la divinité de l'hindouisme dont le personnage présente le plus de facettes et qui compte parmi les plus anciennes divinités.

Étant avant tout une force de la nature, il est le dieu des orages, des maladies et du grand départ ; mais aussi celui qui apporte aide et assistance aux hommes.

Il répond à 1 008 noms différents ! Comme le dieu des orages, Rudra, il hante les cimetières et les bois ; c'est un dieu de l'état sauvage et des états de transition. On le représente avec une couronne portée en sautoir.

Les Aryens plaçaient cette incarnation de Rudra sur le même plan que Vishnu ; ses forces naturelles, incultes et sauvages, se sont trouvées de ce fait « civilisées ». Dans l'hindouisme moderne, Shiva est une divinité aussi bien masculine que féminine, voire androgyne – cette dernière caractéristique étant un aspect constitutif de sa déité.

Cette ambivalence de Shiva, *ardhanarishvara*, a été représentée par une figure mi-homme, mi-femme. Par ailleurs, il existe des représentations de Shiva-homme au côté de sa shakti (une divinité féminine) qui lui confère son énergie. Sous cette forme, le principe masculin représente l'élément passif de l'espace et le principe féminin l'élément actif du temps.

Le Shiva dansant, Nâtaraja, est une représentation particulière et très connue. La danse cosmique est considérée comme un acte créatif ; le danseur symbolise la force vitale impersonnelle et en éternelle évolution qu'il exprime par divers mouvements des mains et du corps. Ce faisant, le danseur cosmique délivre le monde de l'ignorance, symbolisée par le méchant nain Apasmara, foulé aux pieds par Nâtaraja.

Shiva, divinités féminines

Seul de la triade hindoue fondamentale à posséder encore des traits précis, Shiva est aussi l'incarnation ou les réincarnations de divinités féminines, et surtout de celles en rapport avec la nature (telles l'aurore, la nuit, la fécondité).

Les *Veda* avaient réhabilité les forces vitales féminines par le concept de shakti, ce qui signifie « force » et sous-entend que les divinités féminines dispensent l'énergie aux dieux mâles, auxquels elles sont subordonnées. Le concept premier des dieux, *devi*, désigne à l'origine la grande déesse mère, puis la déesse de la terre Prithivi (« la lointaine »). Toutes ces différentes shakti se fondent dans les forces de Shiva.

Shiva est connu et redouté lorsqu'il se présente en déesse sous ses aspects terribles, en particulier en « Kâli, la noire », la déesse du temps.

Autres divinités – les dieux védiques

L'hindouisme compte d'innombrables divinités, souvent descendants ou serviteurs des dieux de la trimurti et qui, dans ce cas, se présentent sous forme d'animaux.

Parmi eux, le dieu à tête d'éléphant et au ventre rond : Ganesha, dieu de la sagesse, que l'on dit être avisé, joyeux et cordial. C'est lui que l'on invoque avant les épreuves ou les entreprises difficiles.

Parmi les dieux védiques, il faut mentionner le dieu solaire Surya, générateur de vie, représenté sur son char tiré par un cheval. Au début, il passait pour avoir été l'origine de toutes choses, le créateur de l'univers. Il faisait l'objet d'une grande dévotion et, jusque vers le XIIe siècle, des temples lui étaient consacrés.

Dans le cadre des *Veda*, quatre dieux interviennent en qualité de « gardiens des régions du monde », *dikpala* : le dieu des orages, Indra (à l'est), le dieu des eaux, Varuna (à l'ouest), le dieu de la mort, Yama (au sud) et le dieu de la richesse, Kubera (au nord). Viennent s'y adjoindre les gardiens des régions intermédiaires : le dieu du feu, Agni (sud-est), le dieu des vents, Vayu (nord-ouest), le dieu de l'adversité, Nirrti (sud-ouest) et le dieu lunaire, Candra (nord-est). Le roi du tonnerre et de la guerre, Indra, nommé le « Roi des dieux », est représenté à ce titre avec tous les insignes de sa puissance royale.

Il brandit un diamant taillé en flèche, *vajra*, (qui, plus tard, devait revêtir une importance surprenante dans le bouddhisme : le *vajrayana*, le « char en diamant », a été présenté comme la troisième voie du bouddhisme tantriste). Les légendes racontent comment la puissance d'Indra s'affaiblit de plus en plus sous l'effet de boissons fortes, *soma*, au point que Vishnu et Shiva le « détrônèrent ». Cet exemple illustre à quel point il était possible de modifier, de faire et défaire le panthéon hindou.

Le dieu du feu Agni, le dieu solaire Surya et Indra forment, aux débuts de l'époque védique, une sorte de triade. Agni avait la charge des feux sacrificiels rituels et de l'incinération des corps ; il était le dieu de la chaleur et de la lumière. Yama, le dieu de la mort, se faisait passer pour le fils du roi solaire, Surya. Considéré comme le premier homme sur terre, il fut de ce fait le premier des mortels. On le représente aussi comme seigneur des enfers et comme juge des morts chargé de consigner dans son grand livre les faits et gestes des humains.

Varuna est le dieu de l'eau en même temps qu'il est le gardien de l'ordre cosmique, du soleil, de la lune et des étoiles, et l'éternel témoin des agissements des hommes. L'importance de l'eau dans tous les rituels de l'hindouisme est probablement due à ce dieu.

Se succèdent ensuite de nombreuses divinités d'étoiles et de planètes, les ancêtres des dieux, *rishi*, que l'on imagine plutôt comme des esprits errant sans but, de même que toutes sortes de démons qui seraient le plus souvent les ennemis des dieux comme des hommes. Deux esprits inquiétants, *yakshas* et *yakshis*, l'un masculin, l'autre féminin, exercent leur magie dans la vie des êtres humains et peuvent être tantôt bénéfiques, tantôt maléfiques.

Les *bhuta* sont les sinistres esprits de la nuit, qui ont partie liée avec la mort et le malheur. La plupart des êtres surnaturels ont des fonctions de gardiens, ou bien sont musiciens célestes, ou encore des divinités protectrices dont les fonctions se limitent à un plan local. Chaque divinité est représentée avec un animal ou une monture et se voit affecter une foule de minuscules serviteurs ou gens de cour.

Les déesses

Adoratrice de Shiva, l'Inde vénère depuis des siècles ses déesses, même si elles sont peu nommées dans les textes védiques. Au cours de la période classique, leur notoriété ne fit que croître, en raison notamment de l'influence confirmée que prenait un courant de pensée antiaryen.

De nos jours, les déesses les plus célèbres sont les épouses respectives des trois dieux principaux : Lakshmi, la déesse de la félicité, épouse de Vishnu ; Sarasvati, la patronne des érudits, épouse de Brahmâ, et Durgâ, symbole de l'éternelle force originelle qui enfante et détruit, est l'épouse de Shiva. Aux yeux de nombreux hindous, Durgâ régnerait souverainement sur le monde et serait la force originelle, souffle de vie, *shakti*.

Si l'on admet que presque toutes les déesses védiques incarnent les forces vitales perpétuelles, on peut en déduire qu'elles portent presque toutes déjà en elles ce « double visage » hérité de Shiva (lorsque celui-ci se réincarne en une divinité féminine) qui les rend tantôt créatrices, tantôt destructrices. Dans les premiers temps de la religion indienne, le symbole de la « grande déesse mère » prend une place importante, au même titre que celui de la vache cosmique. Le respect pour les « vaches sacrées » en Inde pourrait trouver là son origine.

LA COSMOLOGIE SELON L'HINDOUISME

L'univers et l'homme

Dans l'hindouisme, l'univers se compose d'une plaque, la terre, avec en son centre le mont Meru, encerclé de continents et d'océans. Sous la terre se trouvent les « mondes du dessous », les enfers, peuplés de démons où les coupables purgent leur peine. En surface, les « mondes du dessus », sont la demeure des esprits et des divinités. L'univers entier se trouve à l'intérieur d'une enveloppe, l'« œuf cosmique ». Un nombre incalculable d'« œufs cosmiques » errent dans l'espace.

Ces conceptions, admises dès l'époque des *Upanishad*, ont été reprises en grande partie par le bouddhisme. La vie se propage indéfiniment sur terre. Chaque être vivant se compose d'une âme, qui est un pur esprit, *jiva*, et d'une enveloppe charnelle (matérielle). Les âmes existent depuis toujours et se réincarnent selon leur karma (les œuvres accomplies) dans un nouveau corps à chaque renaissance. Le débat est loin d'être clos, même au sein de l'hindouisme, en ce qui concerne la nature de l'âme, certaines théories la disant auréolée d'une impalpable

La Fête des pèlerins
Temple à Calcutta

Les nombreuses fêtes religieuses de l'hindouisme attirent chaque année de nombreux fidèles, toutes castes confondues. L'une des plus appréciées est la fête de la déesse de la Félicité, Lakshmi, qui dure cinq jours, en automne (*diwali*) et celle qui se déroule au printemps (*holi*), au cours de laquelle les participants se déguisent comme pour un carnaval et allument des feux de joie. Au Bengale, c'est en octobre que se fête en grand apparat la *durgâ-pûjâ*, en l'honneur de la déesse Durgâ. Chaque village, chaque quartier confectionne une effigie de Durgâ en argile ou en papier mâché bariolé, pour la promener ensuite dans les rues, suivie de nombreux fidèles en procession. Au terme de la semaine de fête, elles sont jetées dans les eaux du fleuve sacré, où elles disparaissent.
Dans l'hindouisme, tous les rites religieux, toutes les cérémonies, sont fêtés dans une grande joie et avec une profusion de couleurs. Ci-dessus : l'intérieur du temple dédié à la déesse protectrice de la ville, Kâli, à Calcutta. Les fidèles viennent déposer devant les *linga* de pierre noire et blanche des bouquets de fleurs coupées et de l'eau sacrée du Gange.

La jeune femme et l'ascète

Ce qui frappe et fascine dans l'hindouisme, c'est la multiplicité et la convivialité des formes de piété et de dévotion, totalement différentes les unes des autres. L'ascèse la plus rigoureuse, les rites les plus variés se pratiquent au grand jour et imprègnent de leur marque la religion et le pays tout entier. Les passants assistent quotidiennement aux démonstrations du renoncement aux biens de ce monde et de la mortification.

enveloppe, invisible à beaucoup pendant le temps de la mutation et même avant, lorsqu'elle se trouve encore dans le corps matériel (l'aura).

La définition hindouiste du rapport entre l'âme et la matière est donc ambiguë : croire en la fusion d'une âme immortelle avec un corps (mortel), une matière d'une telle disparité, ne peut que relever de l'ignorance des hommes.

La genèse à partir de la matière originelle et les âges cosmiques (kalpa)

Actuellement, la plupart des écoles hindouistes retiennent l'enseignement d'un sankhya : la genèse à partir d'une matière originelle, prakriti, envisagée comme une transcendance.

La matière originelle se trouverait, toujours à la suite d'une destruction, dans un état latent, à un stade impalpable, dans l'attente de se redéployer. Elle se compose de trois substances, les *guna* : *sattva*, la légèreté, la lumière, la joie ; *raja*, le mouvement, l'incitation qui réveille la douleur, et *tama*, ce qui est lourd, sombre et entrave.

Ces trois *guna* sont en équilibre aussi longtemps que dure l'état latent, d'où elles émergent par la volonté divine à l'instant de la création du monde. Tout en étant antagonistes, elles fusionnent. C'est ainsi que se produit une cohésion qui est tout d'abord ténue puis devient de plus en plus forte : après avoir créé la faculté de penser et de discerner l'âme (concentration légère), puis les cinq éléments (concentration plus prononcée), l'œuf cosmique (forte concentration) se forme par la combinaison de toutes ces forces.

C'est alors que Dieu (l'Unique et le Tout, l'Absolu) pénètre cet œuf cosmique et appelle à la vie le dieu Brahmâ qui façonnera le monde selon les lois éternelles du dharma. C'est encore Brahmâ qui réveille de l'état latent les âmes, et les aide à se réincarner selon leurs mérites antérieurs.

Pour Brahmâ, les périodes actives succèdent aux périodes de transition, tout comme l'état éveillé et l'état de sommeil alternent chez l'homme. Lorsque la journée brahmanique arrive à son terme, la fin du monde se produit et au réveil une nouvelle création du monde se met en place. Chaque âge cosmique, *mahayuga*, se compose des quatre stades de la vie, dont la durée et la qualité déclinent. Calculer la durée de chacun de ces stades est une opération compliquée. Alors qu'au premier stade *krita-yuga*, l'esprit de justice, de vérité et de vertu domine systématiquement, il décline au fur et à mesure des stades suivants, jusqu'à la décadence totale, tant physique que morale, de manière à permettre un retour au premier stade.

Notre monde a donc encore une mauvaise et longue période à traverser, au terme de laquelle Vishnu reviendra, sous la forme de sa dixième incarnation, Kalki, monté sur son cheval blanc – tel un messie – pour punir les méchants et instaurer une ère de bonheur.

Lorsque se sera écoulée la vie de Brahmâ, c'est-à-dire après cent années brahmaniques, l'œuf cosmique retournera dans la matière originelle indifférenciée et, après un long temps de transition, en resurgira sous forme d'un nouvel œuf cosmique.

Le principe universel suprême (dharma)

La loi éternelle qui régit toute chose et tout être est à la fois un ordre universel moral et naturel : pour la plupart des systèmes philosophiques de l'hindouisme, le dharma est le principe suprême et ultime qui gère tout et règne sur tout. Même les dieux lui sont soumis et seraient donc, comme les hommes, « mortels », assujettis à une renaissance en fonction de leur karma respectif. Dans une certaine mesure, un tel système, qui se réclame d'un ordre universel dépersonnalisé, peut être considéré en fin de compte comme un mode de pensée athée.

Les philosophies du yoga et du vaisheshika-nyaya prônent en revanche l'existence d'un seul dieu, éternel et personnifié, qui se tiendrait aux côtés des âmes éternelles et de la matière éternelle, sans les avoir « créées », mais uniquement ordonnancées en sa qualité de démiurge.

Or, même Lui n'est que « l'outil » du dharma, lequel se situe au-dessus de tout. Toutefois, il existe dans l'hindouisme des systèmes selon lesquels le monde serait une émanation du dieu éternel et le dharma la volonté et la loi de ce dieu unique.

La progression des âmes sur les voies du salut

La théorie du karma et l'évolution des âmes qui lui est liée forment la base de l'hindouisme, indépendamment de l'idée de Dieu. L'objectif de toute vie humaine est de s'assurer, par de bonnes actions, une bonne réincarnation. Du fait que toutes les existences s'achèvent dans une fin du monde, chacune d'elles - y compris celle des dieux - se trouve « limitée » dans le temps ; le sage qui aura su reconnaître la fragilité et la caducité des biens de ce monde aspirera au salut éternel. Les adeptes de Vishnu et de Shiva proclament que l'homme ne peut accéder au salut par ses propres moyens : pour cela, il lui faut la grâce de Dieu, qui ne se mérite que par une fervente dévotion, *bhakti*, et une résignation fondée sur la confiance, *prapatti*.

Certaines écoles insistent sur l'indispensable coopération de l'homme dans l'œuvre de Dieu auquel il devrait se cramponner comme un jeune singe à sa mère. C'est pourquoi on les appelle « écoles des singes ». D'autres écoles prétendent que l'homme serait mis en sécurité sans intervention divine, à l'image du chat qui saisit son chaton par le cou pour le porter en lieu sûr ; celles-ci sont appelées « écoles des chats » ; elles se reposent entièrement sur la grâce de Dieu, sans faire intervenir un quelconque mérite humain.

En revanche, d'autres écoles affirment, à l'instar du bouddhisme classique, que l'homme peut obtenir son salut par lui-même. La vraie science et la véritable connaissance du monde leur permettraient de dominer en eux toute passion, ce qui serait bénéfique au karma présent et à celui d'existences antérieures qui devraient encore être « expiées », et qui seraient ainsi « rachetées ». Plusieurs écoles ont la conviction que le salut n'est possible que par la mort ; d'autres voient la possibilité d'un salut dès la vie sur terre, par la méditation et l'ascèse.

Les réformateurs de l'hindouisme

De tous temps, cette religion a compté dans ses rangs des penseurs et des vulgarisateurs de renom, mais ce n'est que vers le début du XIXe siècle qu'ils se sont attachés à éveiller un intérêt particulier pour le mode de pensée indienne, en la comparant au patrimoine intellectuel européen. Un érudit du Bengale, le brahmane Ram Mohan Roy (1772-1833), fondateur en 1828 d'un mouvement de réforme, le Brâhmo Samâj, jeta les bases d'une première confrontation systématique avec la culture européenne, ce qui lui valut le titre honorifique de « père de l'Inde moderne ». Il ambitionnait une purification de l'hindouisme par une réflexion sur ses éléments fondamentaux et souhaitait un rapprochement de toutes les religions du monde. Ainsi acceptait-il certains aspects du christianisme (le monothéisme, l'éthique...), tout en affirmant que l'hindouisme ne devait pas lui être subordonné. Sur son instigation, de nombreux réformateurs hindous du XIXe siècle se sont fait connaître.

Le brahmane Ramakrishna, de son vrai nom Gadadhar Chatterjee (1836-1886), fut le penseur indien le plus connu et le plus efficace du XIXe siècle. Profondément mystique, il préférait à toute culture livresque la recherche de la réalisation personnelle à travers la dévotion et le renoncement, prônant une vie simple et pieuse, le respect envers toute créature et le rapprochement de toutes les religions. Il attira de nombreux disciples grâce auxquels son enseignement put être divulgué.

Le plus connu d'entre eux, Vivekânanda (1863-1902), diffusa largement sa pensée en Europe et aux États-Unis, et entreprit une action sociale et philanthropique en Inde. En 1897, il créa un ordre monastique, la mission *Ramakrishna*, dont le centre est à Belur, près de Calcutta.

Mohandas Karamchand Gandhi (1869-1948), connu sous son titre de *Mahatma*, « grande âme », était un hindou orthodoxe très marqué par la pensée européenne. Son idéologie de la vérité et de la non-violence a sa source dans la Bible. Des hommes comme Ruskin, Thoreau (*la Désobéissance civile*) et Tolstoï ont influencé sa pensée et son action. Il fut à la tête du combat pour l'indépendance de l'Inde, qu'il mena sous le signe de la non-violence. Il attachait un grand prix à la vérité de toutes les religions dans leur croyance en un seul et même dieu. Il s'est battu pour un ordre social plus juste et pour l'égalité des droits de la femme.

Sri Aurobindo Ghosh (1872-1950), après avoir pris part à la lutte de libération, fut incarcéré en 1907. À la suite de profondes expériences mystiques il développa la philosophie du yoga intégral. Il créa l'ashram de Pondichéry et publia des œuvres religieuses et philosophiques sur les interprétations des textes védiques et des *Upanishad*. Propagées par son disciple Jean Herbert, son œuvre et sa pensée lui ont valu de nombreux adeptes dans le monde entier.

Sarvepalli Râdhâkrishnan (1888-1975) fut un philosophe dont la pensée est proche de celle de Gandhi. De 1962 à 1967 il fut également chef d'État de l'Inde. Il a beaucoup œuvré pour un brassage de l'hindouisme avec les idées occidentales et s'est particulièrement investi dans un rapprochement politique et religieux avec l'Europe.

Mahatma Gandhi (1869-1948)
Le Mahatma Gandhi est l'un des penseurs les plus notoires de l'hindouisme moderne. Il a tenu à propager un universalisme religieux fondé sur une profonde piété et sur le respect de la vérité, quelle que soit la religion. Dans le cadre de l'hindouisme, il entreprit une forte politisation des modes de pensée. Adepte très jeune d'un idéal d'ascétisme et de non-violence, il instaura le jeûne religieux comme moyen politique. Dès 1919, il fut le meneur le plus connu des luttes pour l'indépendance de son pays. C'est lui qui insuffla une orientation non-violente à un mouvement de masse dressé contre les puissances coloniales britanniques : le « mouvement de non-coopération ». Dans ses écrits, il prônait une éthique de paix englobant l'humanité entière, et un idéal marqué par le respect de toute forme de vie.

LE BOUDDHISME

Le terme bouddhisme est issu du mot sanscrit *buddh*, « éveil », et signifie sortir des ombres de l'ignorance pour s'éveiller à la Vérité.
Le bouddhisme originel n'était pas centré sur le culte du Bouddha Gautama qui eut une importance primordiale ultérieurement. Il mettait l'accent sur l'obtention de la connaissance par soi-même, sans révélation divine, par une pratique assidue de la méditation.
Cette forme de méditation, en partie éthique, portait sur les Quatre Nobles Vérités, voies par lesquelles sont atteints la sérénité intérieure et l'abandon de la croyance en une individualité.
Le bouddhisme souligne le caractère éphémère de toutes choses terrestres qu'il dissout en facteurs d'être impermanents. L'enseignement ultérieur a largement intégré la croyance populaire et les pratiques magiques de délivrance, accordant une place importante aux divinités, aux *bouddhas* et aux êtres bienfaisants tels que les *bodhisattvas* qui aident les hommes à obtenir la délivrance.

LA DOCTRINE FONDAMENTALE

Doctrine de l'homme et des facteurs d'être

Dans le bouddhisme, l'être humain, l'individu est un non-soi ou une non-âme, *anatta*, le je n'étant qu'une « composition » de facteurs d'être, *dharma*. Les dharma conditionnant l'individu sont séparés en cinq groupes ou agrégats, *skandha* :

- matière, sens, forme, *rûpa* ;
- sensation, *vedanâ* ;
- perception, *samjna* ;
- formations mentales, *samskâra* ;
- conscience, *vijñâna*.

Ces skandha constituent l'individualité. Dans le bouddhisme, exprimer l'individualité par des formules telles que « je suis », « j'ai », « le mien » ou le « soi » n'est pas correct.

L'enseignement bouddhiste dissout la perception et les sensations habituelles, ressenties et comprises par un sujet (âme, être humain) dans l'existence quotidienne, en une série de phénomènes impersonnels ; par exemple, au lieu de « je perçois », il convient de dire : « Un processus de perception s'accomplit dans les cinq agrégats ».

Si le bouddhisme comprend différentes voies et méthodes de cessation de l'individualisation, celles-ci se fondent unanimement sur la notion que la vie signifie souffrance et fait souffrir, qu'elle est soumise à la maladie, à la décrépitude et à la mort.

L'éphémère, la souffrance et le non-soi marquent autant l'individu que le monde. L'homme, de même que le monde qu'il perçoit, ne forme pas un tout homogène, mais est composé d'éléments séparés qui ne cessent de se lier et de se dissoudre.

Par conséquent, l'homme (l'individu) ne possède pas une âme (le soi) qui resterait immortelle après la décomposition de l'enveloppe charnelle. L'individu et ses mondes sont donc soumis à une métamorphose perpétuelle.

Les divers éléments, dharma, suivent toutefois un principe rigoureux puisqu'il existe une loi éthique fondamentale, le dharma, et qu'ils ne sont que des formes d'expression différentes de cette loi.

C'est pourquoi ces éléments sont eux aussi appelés dharma ; ils sont nombreux et vus comme des « forces », même s'ils sont de nature tangible. Leurs combinaisons et corrélations créent partout l'apparence d'une unité telle que le soi chez l'homme.

La mort n'interrompt pas le flux continu des facteurs d'être. Ils agissent au-delà de la mort de « l'individu » et forment de nouvelles combinaisons pour engendrer un nouvel « individu ». Dans le bouddhisme, ce processus signifie davantage une repersonnification qu'une transmigration d'une âme dans un autre corps (ce qui est moins évident dans l'hindouisme), puisque le bouddhisme n'admet pas d'âme au sens classique du terme.

Bouddha explique cette position dans son enseignement de la « production conditionnée », ce qui, dans la pensée occidentale, peut être traduit par « la loi des causes à effets ». Elle signifie en bref que les facteurs d'être sont interdépendants et se conditionnent réciproquement. L'enseignement nomme douze éléments ou facteurs d'être, *dharma* :

- les facteurs 1 et 2 sont les dharma qui dans une existence passée déterminent les conditions pour la création d'un nouvel « individu » dans le temps présent (= passé) ;
- les facteurs 3 à 10 expliquent le devenir du nouvel « individu » (facteurs 3 à 5) et les forces qu'il engendre (facteurs 6 à 10) (= présent) ;
- les facteurs 11 et 12 sont les moments caractéristiques de son existence future (= avenir).

Ces douze facteurs se trouvent résumés en une formule synthétique :

par l'ignorance (1) sont conditionnées les formations mentales ou actions volitionnelles (2) ;

par les actions volitionnelles est conditionnée la conscience (3) ;

par la conscience sont conditionnés les phénomènes mentaux et physiques (4) ;

par les phénomènes mentaux et physiques sont conditionnés les six sens (5) ;

Bouddha et la roue de l'enseignement
Relief, Pagode Noire, 936-941, Fuzhou, Chine

La roue est le symbole le plus fréquent dans la métaphore et l'iconographie bouddhiques. Elle illustre le cycle infini du courant spirituel de chaque être humain à travers les six formes de vie (renaissance, roue de la vie) ainsi que l'enseignement du Bouddha historique Gautama.
Après que Gautama eut reçu la connaissance de la voie octuple qui mène à la délivrance du cycle de vie (roue de la Loi), il adressa son message par la roue de l'enseignement. Les représentations du Bouddha méditant assis dans la posture du lotus et de la roue aux huit rayons illustrent les forces divines acquises par le mortel Gautama.

par les sens est conditionné le contact (6) ;
par le contact est conditionnée la sensation (7) ;
par la sensation est conditionnée la soif (8) ;
par la soif est conditionnée la saisie (9) ;
par la saisie est conditionné le processus du devenir karmique (10) ;
par le devenir karmique est conditionnée la naissance (11) ;
et par la naissance sont conditionnés la décrépitude, la mort, les peines, les lamentations, la tristesse, le désespoir (12).

Le huitième facteur, la « soif », signifie le désir, notamment sexuel ; le neuvième facteur, la saisie, signifie s'emparer du monde des sens comme « la flamme s'empare du combustible ».

La connaissance de ces corrélations peut empêcher le devenir karmique (10) de générer de nouvelles naissances, amenant ainsi à la délivrance. La connaissance est indispensable car c'est avec l'ignorance (facteur 1) que débute le cycle du malheur.

Le cycle des renaissances

Un individu ignorant, c'est-à-dire non libéré, renaît inéluctablement. La crainte de la mort n'existe pas dans le bouddhisme puisque la mort définitive signifie la réalisation du nirvâna.

Par contre, la crainte de renaître existe, mais il faut la considérer avec sérénité.

La notion bouddhique du cycle des renaissances ressemble beaucoup à la notion du *karma* hindouiste : la renaissance sera d'autant meilleure que les actions auront été bonnes dans la vie précédente. De mauvaises actions entraînent une renaissance dans de mauvaises conditions.

Toutefois la doctrine bouddhique (au contraire de l'hindouisme) met moins l'accent sur les actions que sur les motifs qui les génèrent, c'est-à-dire l'attitude spirituelle de l'acteur. Ce que l'être humain accomplit sans désir, sans haine ou aveuglément a des effets positifs ; agir sans soif de succès, sans chercher à porter préjudice à autrui en n'étant guidé que par la raison favorise la délivrance.

La force motrice de la renaissance est le désir, la « soif » (le huitième dharma) qui lie l'être à l'existence par « le mien » et « Je ». Par conséquent, l'état de délivrance, l'accès au nirvâna est un état absolument dépourvu de désir et de soif.

En revanche, l'homme non libéré reste attaché au monde à cause de son ignorance, de sa non-connaissance des corrélations de la souffrance.

Le désir et l'ignorance sont l'un comme l'autre des causes de la souffrance et conditionnent le lien causal des douze facteurs.

Le bouddhisme, psychologie et philosophie

Edward Conze qualifie de « pragmatisme dialectique » la philosophie du bouddhisme. Son objectif premier est d'enseigner le salut, ce qui explique ses orientations psychologiques et pratiques.

Toute spéculation ne servant pas directement à la recherche du salut est vaine et inutile. Les conseils, recommandations et comportements prescrits par la doctrine fondamentale configurent une philosophie de vie pragmatique, une aspiration à l'autonomie intérieure, à la paix et à l'abandon de toute velléité de gain temporel. La notion de silence en tant que valeur particulière n'est apparue que bien plus tard.

Les « Quatre Nobles Vérités » sont un moyen d'atteindre le salut en encourageant les pratiques de contemplation et d'autodiscipline. Le bouddhisme utilise volontiers la logique dialectique pour exposer et démontrer la notion de sagesse, en usant à souhait de contradictions et de paradoxes (analogues à l'expression de la pensée chinoise) afin de révéler les frontières de la pensée et de la logique.

Le soi (individu) étant la cause majeure de tous les maux, la délivrance de la souffrance s'associe à l'obtention du non-soi, *l'anatta*. Cette notion est si difficile à appréhender qu'elle est même considérée comme insondable par certains courants du bouddhisme.

Le monde, le soi et le quotidien étant rejetés comme transitoires, insatisfaisants et douloureux, on pourrait croire, au premier abord, que le bouddhisme se caractérise par un profond pessimisme.

Or, on n'y trouve ni affliction, ni misanthropie mais au contraire l'idée de faire abnégation de soi-même avec une joyeuse sérénité.

La « non-mortalité », à savoir l'état de délivrance, signifie une cessation de l'existence individuelle. Dès la naissance, la vie individuelle est associée à la mort et est dominée par la souffrance puisqu'elle s'attache à l'éphémère comme à une possession durable. La non-mortalité signifie donc surpasser, abandonner son individualité. La vie étant souffrance, la voie de la délivrance passe par l'effacement du soi et le renoncement aux liens terrestres.

Bouddha en or
Pagode Shwedagon, vers le XVe siècle, Rangoon, Myanmar (ex-Birmanie)

Dans l'Asie du Sud-Est, le bouddhisme reste très marqué par l'enseignement du Bouddha historique, Gautama, que l'on retrouve dans l'école du « petit véhicule ». Des figurations multiples évoquent la légende du Bouddha.
Le Bouddha Gautama est considéré comme le sauveur ultime d'une époque mythique chaotique et non pas comme un des nombreux bouddhas de l'histoire bouddhique.
Cette notion a entraîné une immense vénération des reliques attribuées au Bouddha Gautama, pour lesquelles furent construits d'imposants monuments reliquaires richement décorés appelés *stûpa*.

Tête du Bouddha
713-803, Leshan, Chine

Des oreilles démesurées comme symbole de l'omniscience, des yeux à demi fermés et une bouche entrouverte sont les caractéristiques physiques de nombreuses représentations du Bouddha. Elles illustrent la fusion de la connaissance du visible et de l'invisible, l'enseignement révélé ainsi que la méditation profonde qui mène à l'extinction du soi, en ce monde et dans le *nirvâna*. L'iconographie bouddhique utilise les gestes des mains (*mudrâ*) pour traduire notamment la diversité des manifestations innombrables de la nature du Bouddha. Le Bouddha de Leshan sculpté dans une paroi de rocher mesure 71 m et a une tête de 15 m de hauteur. La statuaire bouddhique représente généralement le Bouddha debout ou méditant dans la position du lotus. Cette statue est une exception car elle le montre assis, les mains posées sur les genoux.

La cosmologie bouddhique et les divinités

Le bouddhisme a largement repris la cosmologie hindouiste : le temps cosmique ne se compte pas en années, mais en *kalpa*. Un kalpa comprend la période de temps entre le début et la fin d'un système de monde. Cette période s'étend sur des millions d'années.

Chaque système de monde suit une certaine évolution depuis sa création jusqu'à sa disparition définitive. Il existe une quantité incalculable de systèmes du monde – également parallèles – dont notre monde fait partie, mais sans y occuper une place particulière.

Les mondes se créent et disparaissent à l'infini ; chacun d'eux est stratifié, s'élevant des sphères grossières aux sphères subtiles où se trouve la « région de la non-forme » (immatérialité).

Chaque monde est constitué d'une multitude de facteurs d'être dynamiques, les *dharma*, dont certains sont inconditionnels et indestructibles (*nirvâna*, espace vide), tandis que les autres, relatifs et interdépendants, sont impermanents et éphémères.

Le bouddhisme a ajouté plus tard à sa doctrine la notion de ciels et d'enfers, et partagé chaque système de monde en six lieux de la vie, chacun divisé en trois sphères supérieures et trois sphères inférieures.

Les trois lieux supérieurs sont constitués :

- de la sphère des divinités, *devas*, placées au-dessus des hommes, composées d'une matière plus subtile et jouissant d'une plus longue durée de vie, tout en étant comme l'homme soumises à la souffrance et la mort ;
- de la sphère des *asura*, également êtres célestes mais esprits malfaisants en lutte avec les divinités ;
- de la troisième sphère qui est le monde des humains.

Les trois « destins sombres » ou « états misérables » sont séparés des trois lieux supérieurs. Ils se divisent :

- en monde des esprits, *preta*, à l'origine esprits des morts, mais englobant aujourd'hui toutes sortes de démons ;
- en monde des animaux ;
- en monde des enfers fragmenté en une multitude d'enfers froids ou brûlants.

La souffrance est le destin de toutes les créatures vivantes et de toutes les sphères. Les êtres humains ont une possibilité de délivrance grâce au cycle des renaissances, qui leur permet d'obtenir la connaissance et la compréhension de la Loi fondamentale, le *dharma*. Seul n'aura plus à renaître dans le monde de souffrances l'homme qui aura atteint la Vérité.

Le bouddhisme originel a souvent été pris pour un enseignement athée car bien que ne déniant pas l'éventuelle existence d'un dieu individuel, il ne s'attacha jamais à cette notion pas plus qu'il ne porta d'intérêt aux spéculations sur la nature et les attributs des divinités. Mais en même temps, il affirmait que le nirvâna était éternel, et lui attribuait de nombreux noms tels que béatitude, réalité ultime ou vérité absolue.

Plus tard, Bouddha, l'Éveillé, fut considéré comme l'incarnation du nirvâna et devint alors un objet d'adoration religieuse.

Les Quatre Nobles Vérités

Dans l'enseignement du bouddhisme, les Quatre Nobles Vérités répondent à quatre questions primordiales :

- Qu'est-ce que la souffrance ?
- Quelle est l'origine de la souffrance ?
- Qu'est-ce que la cessation de la souffrance ?
- Quelle est la voie pour faire cesser la souffrance ?

La souffrance comprend la naissance, la décrépitude, la maladie et la mort, mais aussi la séparation d'avec des êtres chers et l'inutilité de tout effort.

La soif, accompagnée de joies éphémères et de passions, qui mène de renaissance en renaissance, est responsable de la souffrance ; c'est la soif de la jouissance, du devenir et de la cessation du devenir. La cessation de cette soif causera la libération de la souffrance.

La voie vers la délivrance est le « chemin sacré à huit branches ». Pour comprendre la vie en tant que souffrance, il convient d'identifier les cinq *skandha* (agrégats) de l'individu à cinq manières de s'accrocher à ce qui est terrestre et de ne pas refouler les aspects de l'existence comportant de la souffrance. Quiconque concentre son mental et ses sensations sur son corps et son « soi » subit automatiquement la souffrance. Elle est universelle.

La voie sacrée conduisant à vaincre la soif (désir), celle qui conduit donc à la délivrance, est constituée de huit branches : parfaite correction des idées, des intentions, des paroles, du comportement, des moyens d'existence, des efforts, de l'attention et de la méditation. Cette voie octuple se divise en trois groupes comprenant la sagesse (branches 1 et 2), la discipline (branches 3 à 5) et la méditation (branches 6 à 8). Les branches sont expliquées avec précision dans différents textes.

La parfaite correction de la méditation (branche 8) s'obtient grâce à cinq techniques de méditation :

- observation des sensations,
- vigilance dans tous les actes,
- immersion en soi (transe),
- méthodes analytiques (introspective et vers l'extérieur).,
- technique synthétique également nommée les « quatre états sublimes » : l'esprit devient infini après s'être empli successivement de bonté universelle, de compassion, de partage de la joie avec les autres et d'équanimité. À cela s'ajoutent des préceptes éthiques guidant le méditant. Le but ultime, le nirvâna, n'est pas assimilé au néant, mais à un état positif, exempt des facteurs de souffrances qui constituent la vie. Nirvâna signifie la dissolution ou plutôt la cessation de la personne en tant qu'individu.

LA VIE DE BOUDDHA

Notion du Bouddha

Le Bouddha peut être considéré sous trois aspects : être humain, principe spirituel ou être à mi-chemin entre les deux.

Le Bouddha « historique », Gautama, n'occupa pas une place primordiale dans le bouddhisme originel. Un bouddha est un éveillé, un archétype de sage qui s'incarne dans diverses enveloppes charnelles à diverses époques.

Vu en tant que principe spirituel, « l'individu » Gautama recèle une nature de Bouddha ; il est *Tathâgata*, c'est-à-dire « Celui qui a trouvé la vérité ». Le Bouddha Gautama n'est donc pas un maître unique dans l'histoire, mais fait partie de toute une lignée de Tathâgata qui ont transmis le même enseignement à travers les temps. Enfin, le Bouddha figure le « Corps illuminé », appelé également « Corps des joies » et « Corps de nature pure », enfermé dans l'enveloppe charnelle du Bouddha historique et reconnaissable aux trente-deux signes inhérents aux « surhommes », qui constituent des motifs fréquents de l'art bouddhiste.

Le Bouddha historique

Le Bouddha historique se prénommait Siddhârtha mais était appelé Gautama (son nom de famille issu d'un maître védique) ou Çâkyamuni (le sage du clan des Çâkya). Il naquit dans le nord de l'Inde où son père, le rajah Suddhodana, gouvernait la principauté des Çâkya. Les dates de sa naissance et de sa mort sont fixées à 560-480 avant J.-C., mais il n'y a aucune certitude historique à ce sujet.

La légende du Bouddha relate d'innombrables histoires sur ses formes d'existences antérieures. Sa mère Maya aurait été une vierge immaculée lorsqu'elle le mit au monde sous la forme d'un petit éléphant blanc. Elle mourut sept jours après sa naissance. De nombreux miracles se seraient accomplis durant son enfance qu'il passa sous la garde de Mahapajapati, une sœur de sa mère et autre épouse de son père.

Après une enfance et une adolescence protégées, il épousa à seize ans la jeune princesse Yasodhara qui lui donna un fils, Rahula, alors qu'il avait vingt-neuf ans.

C'est à cet âge que la vie du prince Gautama va radicalement changer. Il fut à ce moment profondément touché par toutes les misères et souffrances qui l'entouraient. Selon la légende, au cours de quatre promenades, il rencontra successivement un vieillard, un malade, un cortège funèbre et un ascète. Confronté pour la première fois aux souffrances de l'humanité, à la décrépitude, à la maladie et à la mort, il prit conscience de l'aspect transitoire de l'existence et se mit à réfléchir aux moyens de surmonter les souffrances de cette vie.

Qu'elle soit authentique ou non, cette histoire révèle toutefois la forte influence hindouiste sur la pensée de Gautama.

Le prince apprit la naissance de son fils au retour de sa quatrième randonnée, mais décida de quitter son palais la même nuit pour aller parcourir la province actuelle du Bihar.

Le Bouddha enseignant à ses disciples
VIIe-VIIIe siècle, grottes de Magao
près de Dunhuang, Chine

Ce groupe de grandeur naturelle figure un des plus fréquents motifs de la statuaire bouddhique : le Bouddha Gautama enseigne, assis dans la position du lotus. Il est reconnaissable à la main droite levée dans le geste du discours, appelé *vitarka*, tandis que la main gauche est dirigée vers la terre. Avec ce geste, Gautama prend la terre comme témoin de sa révélation de la Vérité. Deux disciples dévoués sont à ses côtés : l'ascète Kasyapa et Ananda au beau visage. Ce « groupe historique » est entouré de bodhisattvas bienfaisants et de gardiens du monde martiaux. Ces personnages figurant des divinités protectrices qui éloignent le mal se retrouvent dans toutes les grandes représentations de groupe ainsi que dans les entrées des temples.

La mort du Bouddha entouré de ses disciples

La représentation des derniers instants de la vie terrestre du Bouddha Gautama est un des motifs les plus impressionnants de l'art bouddhique, notamment dans la sculpture. La peinture met davantage l'accent sur l'aspect historique et narratif, décrivant les diverses réactions des disciples du Bouddha et des esprits bienveillants ou démoniaques de tous les mondes.
La sculpture figurant la mort du Bouddha historique souligne le phénomène de l'extinction de la conscience et de la perception ainsi que l'accès au nirvâna. La rencontre des mondes perceptible et imperceptible illustrée dans la représentation du « Bouddha endormi » confère au motif de la mort de Gautama un caractère très différent de celui des représentations stylisées de la puissance du Bouddha.

Il étudia avec des maîtres religieux (gourous), qui ne purent l'aider à répondre à ses questions. Il se soumit à de dures pratiques ascétiques, jeûna, et se mortifia jusqu'à épuisement complet avant de reconnaître qu'il n'était pas sur la juste voie.
Finalement, dans la plus stricte ascèse, il s'installa au pied d'un figuier pour méditer, et obtint l'Éveil, *bodhi*, à l'âge de trente-cinq ans. De bodhisattva (être recherchant l'Éveil), il devint *Bouddha*.
Il commença alors à prêcher la 100 la Vérité aux hommes. Son premier sermon, « Discours sur la mise en mouvement de la roue du dharma », eut lieu dans un bois, près de la ville de Bénarès.
Il choisit une voie du milieu, sans ascétisme outré, et consacra son enseignement à la compréhension des souffrances de la vie et au chemin à suivre pour les surmonter.
Une petite communauté se constitua progressivement autour de lui et parcourut le pays en vivant comme des moines errants tandis que Gautama concevait les cinq prescriptions morales.
Ces prescriptions devinrent les premières règles de l'ordre du Sangha et étaient plus ou moins sévères selon qu'elles étaient destinées aux laïcs ou aux moines.
Gautama eut rapidement de nombreux disciples provenant de toutes les couches de la société et fut également soutenu par différents souverains locaux qui appréciaient ses conseils. S'il ne pratiquait pas le système hindou des classes sociales avec ses disciples, il ne tenta pas de détruire la division en castes.
Gautama dirigeait la communauté sans heurts, grâce à la force persuasive qui se dégageait de sa personnalité harmonieuse. Il exigeait un grand travail intellectuel de la part des moines, qui n'avaient le droit de posséder que quelques ustensiles personnels. Le Bouddha s'éteignit à l'âge de quatre-vingts ans après avoir dit adieu à ses disciples. Sa propre famille avait adopté le nouvel enseignement.
Il fut incinéré, et le partage de ses cendres entre huit communautés différentes est à l'origine de la vénération des reliques qui se développa ultérieurement dans le bouddhisme.
D'apparence aristocratique, le Bouddha Gautama était un homme compatissant, à l'écoute des autres, qui possédait une grande conviction et une force spirituelle qui lui permit de résister à maintes tentations. Les traits de son visage que l'on retrouve dans la transfiguration ultérieure de son personnage, sont empreints d'une sérénité céleste.
Doué d'une intelligence remarquable, il connaissait parfaitement les grandes questions philosophiques de son temps ainsi que la pensée hindoue.
Sa conception du monde était vaste, diversifiée et exigeante. Il prêchait l'harmonisation de la vie et de l'enseignement, l'observance d'une éthique supérieure, et l'obtention d'un esprit empreint de paix et de bienveillance.

Les textes du bouddhisme

Gautama n'a laissé aucun manuscrit ; son enseignement fut d'abord divulgué oralement par ses disciples. Il est donc difficile de faire le tri entre ce qui correspond à la doctrine d'origine, celle qu'enseignait Bouddha, et les interprétations et ajouts ultérieurs. Ainsi, l'évolution constante de la doctrine fait partie intégrante du bouddhisme, qui ne présente donc pas de canon dogmatique fondamental.
Les « Quatre Nobles ou Saintes Vérités », le sentier à huit branches, les préceptes de la « production conditionnée » et de l'inexistence d'un soi ainsi que le nirvâna en tant qu'objectif final existent déjà dans la doctrine fondamentale. Les premiers textes écrits sur le bouddhisme datent de l'époque de l'empereur Açoka (272-232 avant J.-C.), c'est-à-dire environ deux cents ans après la mort de Gautama.
Les écrits furent très tôt divisés en *dharma*, enseignement, et *vinaya*, discipline monastique. Les *sûtra* qui auraient été énoncés par Gautama lui-même, constituent la partie principale des textes. Les sûtra ultérieurs sont traités différemment selon les diverses écoles bouddhistes. L'*hînayâna* (« Petit Véhicule », aujourd'hui appelé

enseignement des Anciens) conteste leur authenticité. Selon le *mahâyâna* (« Grand Véhicule »), certains textes de Gautama non destinés à ses contemporains auraient été conservés dans les sphères inférieures et divulgués plus tard par des maîtres éminents.

Une autre partie du canon englobe les *shastra*, des textes d'enseignants « religieux » autorisés, mais de noms inconnus. Un grand nombre de ces textes, rédigés plus tard par des érudits, ne furent pas conservés en entier et leur datation est incertaine. Par ailleurs, un nombre important d'autres textes furent tout simplement attribués plus tard à des maîtres bouddhistes de renom. Tous les écrits considérés comme authentiques sont répartis en trois collections ou canons selon la région et l'espace linguistique de leur origine :

- le *tripitaka pâli* (école hînayâna) ;
- le tripitaka chinois ;
- le *Kanjur* et *Tanjur* tibétain.

Il existe en outre des écrits en langue sanscrite, mais qui ne sont pas rassemblés en canon.

L'ENSEIGNEMENT DES PREMIERS MOINES BOUDDHISTES

Le bouddhisme des moines (sangha)

La différenciation majeure établie dans la communauté bouddhiste est celle entre moines et laïcs. Les moines constituent le noyau du mouvement, vivant soit en communauté, soit en ermites. Ils forment un ordre appelé *sangha* dont l'importance varie selon les régions et les périodes de l'histoire bouddhiste. C'est ainsi que le nombre des moines et nonnes en Chine passa de 77 258 en 450 après J.-C. à 2 millions en l'an 525 ; au Tibet, il y eut des époques où un homme sur trois vivait dans un monastère bouddhiste.

Les moines estimaient être les « seuls vrais bouddhistes ». Leurs règles fondées sur l'ancien enseignement de l'hînayâna, englobent une rigoureuse observation de sa personne, des commandements sur la pureté ainsi que des avertissements contre la vie sensuelle et ses tentations. Les règles appelées vinaya (de *vi-nayati*, conduire du mal à la discipline) furent très tôt codifiées ; elles étaient récitées dans les assemblées avant l'apparition des textes écrits.

Le vinaya comprend trois préceptes : la pauvreté, le célibat et le pacifisme.

Le moine n'a aucune possession hormis un bol à aumônes, des aiguilles à coudre, un chapelet, un rasoir et un filtre pour purifier l'eau. Les premiers moines itinérants s'étaient engagés à n'avoir ni maison, ni « patrie ». Mais ce précepte tomba en désuétude avec la construction de monastères. La possession d'argent étant interdite, les moines devaient demander l'aumône pour subsister, la règle commandant de mendier autant auprès des riches que des pauvres pour ne pas faire de distinction.

Dans la doctrine de l'*hînayâna*, la mendicité était une école d'autodiscipline tandis que le *mahâyâna* y associa plus tard l'altruisme, l'amour et la compassion. Aujourd'hui, l'acte de mendier n'est plus accompli que par certains courants zen au Japon ; les moines ne mendient plus pour eux-mêmes, mais exclusivement pour des œuvres de charité.

Les règles de célibat déterminaient le comportement des moines avec les femmes. Il s'agissait de refouler tout désir et sexualité pour ne chercher et trouver la détente et la paix intérieure que dans les techniques de méditation. Ce précepte se libéralisa également car des moines se marièrent plus tard.

En ce qui concerne le précepte du pacifisme, le bouddhisme présente une grande similitude avec le jaïnisme qui naquit à la même époque en Inde. Les *jaïna* et les bouddhistes ont en commun deux principes fondamentaux similaires :

- la croyance que tout ce qui est vivant est apparenté et que chacun peut être un humain réincarné (radicalisation du principe hindouiste) ;
- la compassion envers tous les autres êtres vivants « comme s'ils étaient soi », dérivée de l'enseignement du Bouddha : « Je suis tout ce que je rencontre », ce qui implique de ne faire de mal

Vénération du bodhisattva Guanyin
Île de Putuo Shan, dédiée au bodhisattva, près de Ningbo, Chine

La communauté monastique bouddhiste ne connaît pas de services religieux au sein d'une paroisse. Les rites accomplis par les moines au temple comprennent la récitation en commun des *sûtra* (plusieurs fois par jour) et la vénération de statues.
À l'encontre de la croyance populaire, les représentations figuratives des bodhisattvas et des divers bouddhas (bouddhas guérisseurs, rédempteurs, etc.) ne sont pas des divinités transcendantes, mais illustrent des forces et des principes mentaux et cosmiques sur lesquels le méditant se concentre pour se plonger dans une contemplation profonde. Toutefois, la pratique rituelle monastique a été ultérieurement influencée par la croyance populaire qui, selon les cultures des différents pays, a abouti à la vénération de nombreuses émanations des forces du Bouddha et à la création d'un panthéon bouddhique. Par exemple, entre le VIe et Xe siècle, le bodhisattva Avalokiteçvara devint la déesse chinoise bénéfique Guanyin qui est, jusqu'à nos jours, la plus populaire des divinités bouddhiques en Chine.

à nul autre, chacun devant conserver son « soi ». Ces deux principes ont exercé une influence profondément humanitaire dans l'espace asiatique. En raison de son caractère pacifique, le bouddhisme a été soutenu et accepté par tous les niveaux de la société, notamment à ses débuts. Il a également été impliqué dans les tribulations politiques et profanes de l'histoire, cela jusqu'à nos jours.

Mouvements principaux et premières écoles du bouddhisme

Après la mort de Gautama, trois conciles tentèrent de définir la doctrine du maître. Cela provoqua rapidement des scissions entre les theravâdin (en sanscrit : *sthaviravâdin*), adeptes de « l'enseignement des anciens » qui suivaient surtout l'*hînayâna* (Petit Véhicule) aux préceptes rigoureux, et les *mahâsanghika*, adeptes de la « grande commune », bien plus libéraux et précurseurs du *mahâyâna* (Grand Véhicule).

Dès 500 après J.-C. vinrent s'ajouter à l'*hînayâna*, doctrine orthodoxe du bouddhisme, le *mahâyâna*, nouvelle forme d'enseignement vénérant divers bouddhas et bodhisattvas, des écoles de yoga *yogacarin*, et le *vajrayâna* ou « véhicule de diamant », forme ésotérique du bouddhisme influencée par le tantrisme hindou, qui se propagea notamment au Népal, au Tibet, en Chine, au Japon, à Java et à Sumatra.

Le bouddhisme tibétain, le lamaïsme, prit parfois une forme magique en s'associant au chamanisme issu de l'ancienne religion Bon. Les lignées des theravâdin et mahâsanghika se divisèrent en diverses sectes au fil du temps. Au XIe siècle, les différentes écoles avaient bâti leurs structures définitives (en quinze cents ans de bouddhisme).

Le monastère de Hengshan
VIIe-IXe siècle, au sud de Datong, Chine

La règle monastique bouddhique exigeait une vie de méditation et d'ascèse à l'écart du monde. Ainsi des ermitages et des monastères ont-ils été construits dans des endroits isolés et difficilement accessibles, comme sur les sommets de montagnes ou sur des îles. Avec le temps, ils sont devenus des lieux de pèlerinage très fréquentés et se sont souvent développés, formant d'importants complexes religieux.
Un exemple en est le temple de Hengshan qui s'accroche au versant de la montagne du même nom.
Simple ermitage au début, il s'est transformé en un monastère de quarante édifices. Ce monastère qui accueille des pèlerins de toutes doctrines comprend également des temples destinés à Lao-tseu et au confucianisme.

Position et influence de la société laïque

Les moines et les ascètes ont toujours dépendu de la bonne volonté des laïcs bouddhistes. En outre, l'éthique bouddhique se souciant du bien-être spirituel de tous les hommes, un point essentiel était de partager la doctrine, le *dharma*, avec tous, et d'accomplir un devoir de missionnaire (au contraire de l'hindouisme).

La théorie de l'« acquisition de vertus » répond aux besoins de mythe des croyants : grâce à une bonne conduite de vie, les adeptes acquièrent des vertus qui permettent d'accéder à de meilleures renaissances jusqu'à ce qu'ils atteignent l'Éveil. La vénération du Bouddha et des reliques est pratiqué dans des *caitya* « lieux saints ». Le haut lieu de ce culte est la place Sainte à Bodh-Gayâ où se dresse le figuier sous lequel Bouddha parvint à l'Éveil. C'est ainsi que s'est développé un culte incluant des offrandes, la vénération de figures sacrées protectrices et un symbolisme intense de l'arbre, de la roue illustrant le dharma, du trône et du *stûpa* la « montagne du monde ».

Le soutien de l'empereur Açoka (v. 273-236 avant J.-C.), converti au bouddhisme, joua un rôle déterminant dans la relation entre les moines et les fidèles laïcs. Réformateur, il introduisit de nombreux changements et incita les moines à populariser leur enseignement. À l'origine, les moines ne voulaient accorder qu'une influence moindre à la société laïque et séparer strictement les deux groupes. Les moines établirent les « cinq préceptes » et le « triple joyau » que le laïc, *upâsaka*, devait répéter trois fois avant d'être accepté dans la communauté bouddhique.

La formule du triple joyau énonce : « Je prends le Bouddha, le *dharma* (enseignement) et le *sangha* (ordre des moines) comme refuges. »

Les cinq préceptes dictent :

- de ne pas détruire la vie,
- de ne pas voler,
- de ne pas commettre d'adultère,
- de ne pas mentir,
- de s'abstenir de boissons enivrantes.

L'ordre adoucit ses règles austères sous l'impulsion de l'empereur Açoka qui voulait rendre le bouddhisme plus universel. Des représentations figuratives du Bouddha facilitèrent la pratique du culte tandis que se propageait une littérature populaire divulguant sa légende.

L'enseignement du karma et de la renaissance, que les fidèles connaissaient de l'hindouisme, prit une place primordiale. Désormais, la société laïque comptait, avait davantage d'influence, ce qui allait permettre la naissance de la forme bouddhique *mahâyâna*, le « Grand Véhicule ».

Expansion du bouddhisme

L'empereur Açoka fut le premier à faire du bouddhisme une religion mondiale. Il envoya des missionnaires dans les pays voisins, fit établir les textes et travailla à la propagation de l'« enseignement juste » à travers l'Inde et Ceylan. Il décréta des lois de conduite morale et interdit les dissensions entre les moines bouddhistes. Le développement du *mahâyâna* se doit en grande partie aux édits d'Açoka qui recommandaient de ne pas surévaluer l'importance des règles et des rites de l'*hînayâna,* mais de mettre plutôt l'accent sur les actions utiles et les actes méritoires. Pour toutes les écoles bouddhiques, l'empereur Açoka illustre l'idéal du souverain bouddhiste intègre et équitable.

Le bouddhisme, exhortant à la paix, à la réconciliation et à l'équanimité, était désormais sous la protection de l'empereur, notamment dans le nord de l'Inde et au Bengale. Un grand nombre de souverains se parèrent de titres bouddhiques tandis qu'une théocratie influencée par le bouddhisme naissait dans quelques pays dont l'Indochine, Java et le Tibet.

Le bouddhisme a acquis une popularité croissante, car il n'est l'ennemi d'aucune culture ou science, ignore les tabous tribaux et les restrictions à l'intérieur des systèmes de castes et sait s'adapter aux cultures et mentalités des nations industrielles modernes caractérisées par la technologie et la mobilité.

HÎNAYÂNA : L'ENSEIGNEMENT DES ANCIENS

L'*arahant*, idéal de l'hînayâna

À la mort du Bouddha en 480 avant J.-C., ses adeptes se retrouvèrent confrontés à une situation délicate dans la mesure où aucune trace écrite de son enseignement n'existait. Cinq cents moines se réunirent en un premier concile au cours duquel ils se divisèrent en diverses écoles et sectes.

Dans le bouddhisme (à l'instar du christianisme) ce ne fut pas le fondateur de la doctrine mais un de ses premiers disciples qui codifia son enseignement. Le moine Sariputa conçut la contemplation méthodique selon les règles de l'*Abhidharma* et développa l'enseignement de l'ancienne école qui allait marquer les quinze à vingt premières générations de bouddhistes. L'*hînayâna* ou « Petit Véhicule » forme le canon de l'ancien enseignement.

Ce canon comprend trois divisions appelées les « trois corbeilles », le *tripitaka*, d'après le lieu où elles sont conservées : le *Vinaya pitaka* (règle de l'ordre), le *Sutta pitaka* (discours du maître et de ses moines, en cinq volumes) et l'*Abhidharma pitaka* (doctrine supérieure, philosophie et psychologie, contenue dans sept livres).

L'*arahant* (ou *arhat*), qui illustre l'idéal du bouddhisme *hînayâna,* est un sage arrivé à la quatrième et dernière étape du nirvâna. Le terme signifie « destructeur des choses ennemies », à savoir des plaisirs et des passions du monde ainsi que de la croyance en un je ou soi.

L'arahant voit dans l'homme la réunion des cinq *skandha* ou agrégats et a renoncé à ses liens « monde triple » - le monde des aspirations sensuelles, le monde matériel et le monde immatériel. Il a compris et réalisé la réalité ultime ou vérité absolue, le nirvâna, dont il s'approche par la méditation qui comprend trois étapes :

- discipline morale,
- transe,
- sagesse.

Selon l'*hînayâna*, la discipline morale signifie avoir une attitude disciplinée envers son corps, renoncer aux joies des sens et à la convoitise et se libérer de l'illusion de l'individualité. Certains exercices de méditation font prendre conscience de la grossièreté et de l'imperfection du corps humain.

La « vigilance envers les organes des sens » éduque la concentration du regard tandis que la « vigilance envers les portes des sens » exprime une interruption consciente de la chaîne réactionnelle des stimuli. Il s'agit de les tenir en échec et

Pagode Shwedagon
À partir du XVe siècle, Rangoon, Myanmar (ex-Birmanie)

La pagode Shwedagon, symbole en or du bouddhisme en Birmanie, est autant un monument religieux que national. Sa magnificence provient des dons des adeptes bouddhistes et de l'ostentation des souverains bouddhistes qui associaient la renommée de Bouddha à la leur. Les pagodes (*stûpa* en pierre) furent construites comme monuments mémoriaux destinés à protéger les reliques de grands maîtres bouddhistes et particulièrement du Bouddha Gautama. La pagode Shwedagon, qui fut restaurée plusieurs fois, abrite huit cheveux de Gautama.

Bodhisattva Avalokiteçvara
Bronze doré, XVIIIe siècle, monastère de Tanzhesi près de Pékin, Chine

L'école mahâyâna a énormément contribué à transformer le bouddhisme, qui était à l'origine un enseignement monastique rigoureux, en une croyance populaire. En effet, elle introduisit de nouvelles déités, les bodhisattvas, ces êtres parfaits qui ont atteint l'Éveil, mais qui renoncent au nirvâna et restent en ce monde dans le seul but d'aider les hommes prisonniers du cycle des renaissances. Le plus grand bodhisattva de l'histoire bouddhique est Avalokiteçvara à la compassion sans limite, dont les onze visages et les mille bras symbolisent la puissance du Bouddha qui l'aide à reconnaître la souffrance et à apporter soutien et soulagement.

de ne discerner que son propre état d'esprit, sans affects extérieurs, afin de ne pas attacher ses désirs aux choses du monde. La « transe » comprend trois sortes d'exercices de concentration : les huit *dhyâna*, les quatre illimités, les forces occultes.

• Les huit dhyâna constituent les étapes de l'interruption des réactions sur des stimuli extérieurs.
- Le méditant se concentre d'abord sur un objet particulier en refoulant toute évaluation personnelle (première étape) ;
- cette concentration conduit le pratiquant dans le champ de la pensée non discursive qui mène à la paix intérieure et à l'extase (deuxième étape),
- puis à la « cessation de toute impureté » (troisième étape),
- et à la perte de toute sensation corporelle agréable ou désagréable (quatrième étape).

Ces étapes sont suivies des quatre dhyâna immatériels où toutes les choses concrètes disparaissent et où l'espace illimité ou vacuité, le nirvâna, devient « visible ».

Le méditant atteint finalement un état au-delà de la perception ou de la non-perception, exempt de conscience du soi, et expérimente l'union du rien avec le rien, à savoir de l'Un avec l'Un. Cet état, également appelé « abîme divin » ou « désert divin », traduit un effacement avancé du soi.

• Les quatre illimités, *apramana*, sont pratiqués pour maîtriser les sentiments :
- bienveillance,
- compassion,
- joie partagée,
- équanimité.

Il convient ici d'effacer les frontières entre le soi et un soi étranger, sans considérer ses préférences et aversions. La bienveillance engendre le souci du bien-être de toutes les créatures et la libération de toutes mauvaises pensées envers les autres ; la compassion s'adresse à tous les êtres qui souffrent et ont besoin d'aide ; ces deux stades atteints créent le sentiment de joie partagée tandis que l'équanimité a une valeur universelle et infinie.

Les forces occultes ne jouèrent qu'un rôle très secondaire dans la doctrine bouddhique originelle, au rationalisme rigoureux. La vie mystique intense avait toutefois le pouvoir de renforcer les facultés parapsychologiques.

La sagesse

La sagesse, la plus haute vertu du bouddhisme, signifie la compréhension profonde du *dharma* (enseignement) et est notamment expliquée dans les sept livres de l'*Abhidharma*. Le thème majeur de l'*Abhidharma* est le renoncement à l'individualité, dans le sens bouddhique du terme.

Edward Conze l'a décrit avec justesse comme étant la plus ancienne forme de psychologie. L'*Abhidharma* enseigne le changement systématique d'expressions personnelles en expressions impersonnelles selon le dharma. Conze prend comme exemple la phrase : « j'ai mal aux dents » qui, selon les cinq skandha, signifierait :
- c'est une matière (la dent est matière) ;
- c'est une sensation douloureuse ;
- c'est la perception de la dent révélée par le visage, le toucher et la douleur ;
- c'est une réaction volitionnelle : aversion contre la douleur, soif de bien-être ;
- c'est la prise de conscience – conscience des facteurs antérieurs.

L'*Abhidharma* fragmente la réalité qui participe de la compréhension du quotidien en un certain nombre de facteurs d'être - de 79 à 174 - qui transforment la manière d'observer usuelle en un jeu de forces impersonnelles. Il ne s'agit pas d'une forme d'observation théorique, mais d'un moyen « thérapeutique » qui doit aider à supporter le fardeau et la souffrance du monde.

La tendance possessive de l'individualisme éloigne l'être humain de son véritable soi et provoque la souffrance, due au fait que l'homme s'identifie avec ce qui est « conditionné » et impermanent. La méditation vise à anéantir le soi, donc à rejeter toute identification avec ce qui est conditionné.

Ces définitions génèrent des contradictions insolubles pour la notion d'absolu du bouddhisme. Par définition, l'absolu n'est lié à rien d'autre. Or, l'idée de se libérer des attaches du monde impermanent pour atteindre l'absolu présuppose un lien avec des états conditionnés. Par ailleurs, on ne peut rien exprimer sur l'absolu car toute déclaration est conditionnée et éphémère.

Par conséquent, il est impossible d'affirmer que l'absolu est dans le monde (immanent) ou en dehors du monde (transcendant). L'absolu, le nirvâna, est pourtant défini face au monde comme celui-ci n'étant pas. Le monde est considéré comme impermanent et générateur de souffrance tandis que l'absolu est inconditionné, immuable, et est même appelé « paix infinie et bienfaisante ».

Le bouddhisme a toujours été conscient de ces contradictions, qu'il a essayé d'éliminer en établissant souvent les faits à l'aide de paradoxes.

MAHÂYÂNA : LA NOUVELLE ÉCOLE DU BOUDDHISME

Mahâyâna, le « Grand Véhicule »

Une première dissension majeure apparut au sein de l'ordre des moines bouddhistes sous le règne de l'empereur Açoka et provoqua une rupture entre les sthaviravâdin orthodoxes et les mahâsanghika, plus libéraux, qui concédaient davantage d'influence aux laïcs et furent les précurseurs du bouddhisme mahâyâna.

Le mahâyâna dont le nom indique qu'il n'est pas réservé à la communauté exclusive des moines, s'est développé à partir du mouvement mahâsanghika. Lorsque le bouddhisme déclina en Inde vers 800 après J.-C., le mahâyâna devint plus important que l'hînayâna et se répandit sous différentes formes en Chine, au Japon et au Tibet notamment, tandis que Ceylan, la Birmanie, le Cambodge et le royaume de Siam demeuraient les hauts lieux de l'hînayâna.

Le bouddhisme mahayaniste enseigne globalement l'existence d'un absolu qu'incarne Bouddha. Au contraire de l'hînayâna qui a une conception individualiste de la délivrance, le mahâyâna cherche à aider tous les êtres humains à se délivrer. Il a donné naissance à une éthique inédite de la compassion en admettant la transmission des mérites karmiques aux autres.

Le mahâyâna produisit une multitude de sûtra entre 100 avant J.-C. et 200 après J.-C., notamment le « Lotus de la loi juste » et la « vérité absolue » (en sanscrit *paramârtha* ou, littéralement, « vérité partie dans l'au-delà », donc vérité transcendantale). Les moines Nâgârjuna et Aryadeva formulèrent la plupart des textes hautement philosophiques du *paramârtha*, conçu au Dekkan (sud-est de l'Inde) vers 150 après J.-C.

Nâgârjuna, l'un des plus grands dialecticiens de tous les temps, appuya ses travaux sur la logique et les paradoxes pour démontrer, entre autres, qu'il était impossible de soutenir une quelconque hypothèse affirmative, notamment sur l'absolu.

Il fit de « l'essence des choses » le critère distinguant le vrai de l'apparent et conçut la théorie de la vacuité comme base du monde impermanent et illusoire ; la reconnaissance de cette vacuité interrompt le cycle des renaissances et permet de se dissoudre dans l'absolu.

C'est sous l'enseignement de Nâgârjuna que le mahâyâna, influencé par des modèles de pensée hindouistes, rompit avec le dualisme rigoureux de l'hînayâna pour lequel la relation entre le nirvâna et le monde impermanent constituait une contradiction irréductible. Nâgârjuna enseignait un monisme selon lequel tout ce qui est impermanent n'est qu'illusoire et en vérité il n'existe que le « vide », *sûnya*, une sorte de « néant relatif » (à l'instar du nirvâna) ou d'unité globale où disparaît toute distinction entre être et ne pas être comme entre l'unicité et la pluralité. La différence entre le nirvâna et le monde impermanent n'existe donc que dans le domaine de l'illusoire, c'est-à-dire pour le monde impermanent, mais non pas pour la vérité.

L'éthique activiste et altruiste du mahâyâna professe que la délivrance n'est pas seulement destinée à quelques sages et saints, mais qu'elle est accessible à presque tous les êtres humains, et qu'il s'agit de l'atteindre communautairement.

Le bodhisattva, idéal du mahâyâna

Tout comme la notion de vide ou de vacuité, le bodhisattva, idéal du mahâyâna, est une autre

Bouddha Maitreya
Vᵉ siècle, grottes de Yungang près de Datong, Chine

Maitreya est une des nombreuses figures du panthéon bouddhique. Il est vénéré en tant que Bouddha de l'avenir qui apportera la délivrance et fait également partie des bodhisattvas bienfaisants qui retardent leur accès au nirvâna pour mener les hommes sur la voie juste. Le bras droit replié et la paume de la main ouverte vers l'extérieur forment le geste de l'*abhaya* (« Ne craignez rien »), tandis que le bras gauche baissé et la paume de la main tendue vers le sol montrent le geste du *vara mudrâ* (« Donnez »). Le personnage central et l'architecture de la pagode révèlent les origines indienne et afghane de l'art bouddhique précoce en Chine.

Offrande de bâtonnets d'encens

Seuls les moines bouddhistes sont en mesure d'atteindre l'extinction du soi par l'observation des règles de l'ordre et la méditation.
Les adeptes laïques ne peuvent d'eux-mêmes rompre le cycle des renaissances et obtenir la délivrance, mais ils ont la possibilité d'influencer positivement leur futur en obéissant aux préceptes bouddhiques et en accumulant des actes méritoires.
Ils démontrent également leur zèle religieux en brûlant des bâtonnets d'encens ou en allumant des bougies devant les statues. Les dons d'argent au temple et autres offrandes souvent dispendieuses destinées à la vénération des statues et à l'espoir d'accomplissement de souhaits, ainsi que la récitation de syllabes sacrées et de sûtra font partie des mérites qui conduisent à la voie juste.

notion majeure de la doctrine. Si le Bouddha est l'Éveillé, le bodhisattva, aspirant bouddha, est une « lumière » qui ne demeure en ce monde que pour secourir et aider les autres êtres à quitter la voie de la souffrance. Ayant surmonté son soi et atteint la perfection, le bodhisattva souffre et compatit avec tous les êtres, et les aide à trouver leur voie du salut.

Le mahâyâna dénonce la conception individualiste d'accession au nirvâna, mais exhorte le soi parfait à conduire tous les autres êtres humains vers le nirvâna.

De ce fait, le bouddhisme tibétain qualifie le bodhisattva d'« être héroïque » et compare l'arahant, saint de l'hînayâna, à un homme qui s'est égaré dans la jungle avec sa famille mais ne peut sauver que lui-même ; mais le héros, le bodhisattva, est assez fort pour conduire sa famille entière en sécurité hors de la jungle. Le bodhisattva a une compassion sans limite ; il a certes renoncé au monde, mais non pas à ses créatures. Il a réalisé les « quatre illimités ». Cet enseignement formait les moines à ne pas différencier le soi et les autres et à compatir et partager les joies dans un sentiment de bienveillance et d'équanimité.

Le culte pratiqué dans le mahâyâna inclut la vénération de divers bodhisattvas et bouddhas considérés comme des anges apportant le salut. Une dévotion particulière s'adresse au bodhisattva de l'avenir Maitreya, et surtout à Avalokiteçvara, porteur de la souffrance infinie de toutes les créatures, à qui l'on a recours dans le malheur et qui personnifie la compassion sans limite.

Parmi les bouddhas, un culte particulier est voué à Vairocana, « semblable au soleil », considéré comme l'« être le plus haut » dans certaines parties d'Asie de l'Est, ainsi qu'au Bouddha originel, Adi-Bouddha, qui est éveillé depuis l'éternité et a créé tous les autres bouddhas pour qu'ils protègent les créatures du monde.

Le vide

Selon l'enseignement de Nâgârjuna, le bodhisattva a reconnu que toutes les choses sont vides ; la vacuité étant synonyme de « non-soi ». Cela signifie en premier lieu que toutes les choses conditionnées, toutes les choses du monde étant « vides », elles ne méritent pas d'être convoitées.

Nâgârjuna explique ce vide en tant que milieu entre des extrêmes et le nomme l'identité du oui et du non, milieu entre l'affirmation et la négation, entre l'éternité et la destruction. Le non-être et la vacuité conditionnent l'existence du monde impermanent ; en même temps, l'approche et la connaissance justes du vide permettent sa propre extinction dans le nirvâna, c'est-à-dire dans le « cela est ainsi ». La vacuité est ainsi le facteur commun de tous les contraires et contradictions et conduit à la vérité absolue.

Le *mahâyâna* utilise plusieurs synonymes pour le terme « vide » ; celui de « non-dualité » est particulièrement important. Toutes les dualités se dissolvent dans le vide ou le « cela est ainsi », par exemple la dualité entre le sujet et l'objet, entre l'être et le néant, et surtout entre le monde et le nirvâna.

Mile Fo (Budai)
Plaque en pierre, dynastie Tang, 618-907, musée de la province de Taiyuan, Chine

L'adaptation de la doctrine hindoue-bouddhique aux cultures est-asiatiques a abouti en Chine à des modifications de « l'enseignement pur », notamment dans la croyance populaire.
Maitreya (Mi-luo-fo en chinois), Bodhisattva de l'avenir, est par exemple incarné par le moine Budai au visage souriant.
Pour ne pas être reconnu, il porte un sac de mendiant et un chapelet. Ainsi il parcourt le monde et secourt les fidèles.
Son image, qui orne les halls d'entrée des temples, illustre l'harmonie, l'amour, la joie et le bien-être. Son ventre énorme dont le nombril est le centre du monde est la représentation de l'enseignement du Bouddha Gautama dans la croyance populaire chinoise.

L'assimilation du vide à «cela est ainsi» dévoile que la personne ayant reçu la connaissance laisse les choses telles qu'elles sont, sans leur attribuer de valeur subjective – un développement essentiel dans la voie vers l'extinction de l'individualité.

La délivrance dans le nouvel enseignement de la vérité

Quatre attributs, dont trois sous forme négative et un sous forme positive, caractérisent la notion de délivrance dans le mahâyâna. Les trois attributs négatifs sont «ne pas atteindre», «ne pas affirmer» et «ne pas s'appuyer» ; le positif est l'omniscience.

Ne pas atteindre signifie qu'en vertu de sa compassion sans limite pour tous les êtres vivants le bodhisattva refuse d'atteindre la délivrance ou du moins la retarde. Cependant, personne ne peut savoir quand et où il réalisera le nirvâna puisque le vide n'a pas de propriété définissable.

L'usage irréfléchi du langage présente un grand danger. Chaque propos contenant une différenciation et une assertion, la non-affirmation est une marque de véritable délivrance. Chaque assertion s'opposant au moins à son contraire renforce la dualité ; par ailleurs, une réalité isolée ne peut jamais être à l'unisson avec le nirvâna ou le vide puisque le vide signifie la suppression de la différence entre le oui et le non, entre l'assertion et son contraire.

Ne pas s'appuyer signifie abandonner l'idée d'identification aux choses conditionnées et impermanentes de ce monde, qui sont à l'origine des peurs de l'existence.

Il convient d'éclaircir l'omniscience, définie comme attribut positif. Pour la doctrine mahayaniste, le Bouddha historique est omniscient dans le plein sens du terme en tant qu'éveillé possédant une connaissance illimitée de toutes les choses. Cependant, cette omniscience n'est pas attribuée à l'homme, au Gautama historique, mais au corps illuminé, au «corps du dharma» qui figure un principe spirituel.

La pensée philosophique relative à cette notion est la suivante : si Bouddha n'avait pas été omniscient quand il a atteint l'absolu, mais avait eu une ignorance partielle des choses, il n'aurait pu être identique à l'absolu qui est la compréhension de tout.

En outre, l'omniscience signifie l'extinction du soi et le détachement de tous les liens égotistes. L'ego (je) n'atteint jamais l'omniscience parce qu'il est toujours délimité en tant que je par rapport à ce qui n'est pas je. L'omniscience ne peut être obtenue que lorsque le je perd son sens. L'omniscience n'exprime pas la connaissance de la somme de toutes les choses, mais la prise de conscience de leur totalité qui inclut autant qu'elle exclut chaque chose dans son unicité.

LE DÉVELOPPEMENT ULTÉRIEUR DU BOUDDHISME

Bhakti : le bouddhisme de la foi et de la vénération

Tandis que la foi ne jouait qu'un rôle secondaire dans l'hînayâna, Nâgârjuna différencia la voie facile de la foi, de la voie ardue de la sagesse. Le mouvement *bhakti*, terme que l'on peut traduire par foi ou vénération, dévouement, instaura la vénération de divinités, du Bouddha et de bodhisattvas qui étaient représentés sous figure humaine tandis que des peintures sensuelles évoquaient le paradis des «pays purs» (pays de Bouddha).

Le mouvement bhakti introduisit trois nouveaux aspects spirituels dans le bouddhisme :

- les mérites karmiques peuvent se transmettre ;
- la nature du Bouddha est présente dans tous les êtres vivants ;
- un grand nombre d'êtres humains ont obtenu l'Éveil.

L'enseignement de la transmission des mérites contredisait en fait la notion de karma propre à l'ancienne école bouddhique hînayâna, selon

Le dieu du Nord et de la Richesse
Thanka, XVIIIe siècle, Yonghegong, Pékin

Bouddha possède 5 453 noms participant chacun d'une typologie iconographique qui prit des formes très particulières dans la sculpture et la peinture du bouddhisme tibétain. Ces formes de représentation furent transmise selon une tradition rigoureuse. Mahasavarna Vaishravana, «Énergie du Nord», fait partie de ces forces cosmiques incarnées figurativement. Force agissante dans le monde actuel, il est représenté avec la coiffure ornementale d'un *bodhisattva* et chevauchant un lion des neiges mugissant. La main gauche tient la bannière symbolisant la victoire du bouddhisme et la main droite le mungo qui crache des pierres précieuses, grâce auquel il doit son titre de «dieu de la Richesse». Deux petits cercles pour le soleil et la lune soulignent sa position de dieu régnant sur les gardiens des directions du monde et de divinité dispensatrice de prospérité.

Jâtaka du roi Sivi
Fresque peinte, dynastie Wei du Nord, Vᵉ siècle, grottes de Magao près de Dunhuang, Chine

Les *jâtaka* sont des récits des actes méritoires du Bouddha Gautama dans ses vies antérieures avant sa renaissance en tant que Gautama dans la maison du roi Suddhodana. Les jâtaka multiples transmis au fil du temps servaient à illustrer les préceptes bouddhiques et à renforcer la notion que seule l'accumulation d'actes méritoires conduisait à la délivrance du cycle des renaissances. Les fresques montrent le Bouddha, sous les traits du roi Sivi, sauvant une colombe des griffes d'un faucon. En contrepartie, il offre un morceau de sa chair, mais il devra faire le sacrifice entier de sa personne pour obtenir la libération de la colombe.

laquelle chaque individu est responsable de son destin karmique et ne collectionne des mérites que pour son compte. Le mahâyâna commença à enseigner que les bouddhistes devaient être prêts à partager leurs mérites avec toutes les autres créatures.

Ce devoir universel s'appuyait sur un raisonnement logique : puisque le monde et le nirvâna sont supposés être identiques dans le « vide », il ne peut y avoir de différence entre ceux qui ont reçu l'Éveil et les autres. Si la compassion est sans limite, on ne peut exclure aucune créature de ses propres mérites.

Les bouddhas et bodhisattvas aident les fidèles à développer leurs vertus et les protègent des dangers. Leur soutien est également imploré pour obtenir des avantages matériels dans certaines entreprises concrètes. Faisant l'objet d'une adoration mystique – contrairement aux intentions de la doctrine bouddhique originelle –, ils deviennent des divinités avec lesquelles se créent des relations personnelles.

Pour les bhaktis, le Bouddha ne s'est pas éteint dans le nirvâna, mais mène une vie heureuse dans un paradis (pays du Bouddha).

L'idée de création d'un « pays pur » grâce au mérite karmique d'un bodhisattva souligne la croyance bouddhique en la force spirituelle d'actes méritoires.

Le croyant renaîtra dans un des « pays purs » en menant une vie pure et en s'efforçant de parvenir au statut de bouddha.

Les disciples vénèrent leur bouddha ou bodhisattva d'élection en répétant son nom dans des formules de louanges, tandis que certains exercices de méditation évoquent la beauté et la perfection des pays du Bouddha.

Les yogacarin

L'école des yogacarin se développa durant le Iᵉʳ siècle après J.-C. et domina la pensée mahayaniste à partir de 500 après J.-C. Il est souvent très difficile de saisir leurs théories car les méthodes et les effets de l'état de transe, *samâdhi*, y jouent un rôle primordial difficilement explicable.

L'école souligne la valeur essentielle de l'unité intérieure et s'appuie sur une tradition ascétique et méditative plus qu'intellectuelle.

Les yogacarin considèrent que l'absolu est la pensée, cette affirmation s'appuyant sur certains discours du Bouddha.

À l'encontre de Prajnâpâramitâ et de Nâgârjuna, ils ne croient pas que le vide (cela est ainsi) soit l'état final bien qu'ils admettent ce vide. Ils le décrivent en tant que pensée unie à la notion d'« illumination intérieure absolue ».

Cela signifie que lorsque l'esprit se trouve face à la vérité, la lumière jaillit au plus profond du soi ainsi qu'au plus profond de la réalité – il s'agit par conséquent d'une « théorie de corrélation ». Les théories principales des yogacarin englobent l'enseignement du « purement esprit », de la mémoire accumulée (conscience), des trois formes du soi et des trois corps du Bouddha.

Esprit, pensée et conscience sont synonymes dans le bouddhisme. Pour les yogacarin, tout ce qui est perceptible est « purement esprit », y compris les objets extérieurs ; les choses n'existent qu'en tant que contenu de la conscience et toutes les créations sont purement des créations de l'esprit.

Les yogacarin décrivent également le nirvâna par des termes positifs tels que « purement esprit », « purement pensée » ou « purement conscience ». Ils mettent l'accent sur la dimension de la conscience du soi qui est le « lieu » renfermant l'absolu.

Les yogacarin sont également confrontés à ce problème fondamental que l'individu ne peut pas avoir d'expérience directe de sa conscience (esprit) en qualité de sujet ; dès qu'il se tourne vers le sujet (dans un acte de la conscience) ce sujet devient objet (de sa conscience).

Le sujet final (esprit) est donc en dehors de son expérience et ne fait pas partie de ce monde, mais il transcende ses structures de conscience. Les yogacarin tentent d'approcher ce sujet ultime (esprit, absolu) par une élimination radicale de tout objet pour établir un état de transe dirigé vers l'intérieur.

Dès lors que plus aucun objet ne fait face à un sujet, le plus profond de l'être se révèle dans sa pureté ; la conception des choses est éliminée puisqu'il n'existe plus rien à concevoir en dehors de l'esprit. Les états de transe extatiques des yogacarin visent donc à un détachement absolu, sans aucune identification avec un quelconque objet.

La théorie de la mémoire accumulée signifie qu'une conscience suprapersonnelle forme la base de toutes les activités mentales. De ce fait, l'esprit connaît deux niveaux : la conscience fondamentale ou mémoire accumulée, et les consciences individuelles qui cependant ne sont différentes que dans leur fonction.

La conscience fondamentale est l'absolu immuable dans lequel les consciences individuelles impermanentes – baignant dans une sorte de fluide nutritif – mûrissent à partir des germes des karmas issus des formes d'existences antérieures. Toutes les actions et expériences du passé sont conservées dans la conscience fondamentale, ou mémoire accumulée.

Les consciences individuelles ne figurent pas des faits de nature objective, mais sont issues de la conscience fondamentale. Il serait erroné de croire qu'il s'agit là – dans le monde impermanent – de consciences individuelles autonomes.

Les yogacarin considèrent tout ce qui est sous trois aspects :

- du point de vue du « bon sens humain » qui perçoit la réalité des choses et des objets,
- du point de vue de leur dépendance réciproque et de leur relativité (comme dans le bouddhisme originel),
- du point de vue de la « véritable réalité » dont les *yogin* se font une conception intuitive et dans laquelle il n'existe plus d'objet face à un sujet.

Toutes les choses forment un « état d'être » unique, qui est purement esprit, et sont absolument indissociables.

L'enseignement des trois corps du Bouddha ouvrit la voie au tantrisme bouddhique. Les yogacarin distinguent

- le « corps apparent » du Bouddha, qui n'existe que dans la notion temporelle et dans les divers récits de la légende du Bouddha,
- le « corps des joies », qui se révèle aux bodhisattvas et vit dans les pays purs du Bouddha, et
- le « corps du dharma » d'où sont issus les deux autres corps.

C'est dans ce corps que Bouddha réalise son véritable soi et devient l'absolu.

LE TANTRISME OU BOUDDHISME MAGIQUE

Formes du tantrisme

Le tantrisme a deux objectifs : la récompense des efforts accomplis pour obtenir l'Éveil dans cette vie, *siddhi*, ainsi que des efforts accomplis pour obtenir la santé, la richesse et le pouvoir.

Il est difficile de retracer l'histoire du tantrisme, tant dans le bouddhisme que dans l'hindouisme, car ce mouvement ne fut d'abord qu'un enseignement secret, réservé à quelques initiés.

Un système codifié n'apparut que vers 500 ou même 600 après J.-C., mais ses débuts remontent au culte chthonien prébouddhique de la divinité reproductrice et des rites de fertilité. À l'instar de l'hindouisme, le bouddhisme tantrique distingue un *tantra* « droitier » plus masculin d'un tantra « gaucher » féminin.

Outre de nombreuses sectes, le tantrisme a produit deux écoles majeures : la forme gauchère vajrayâna (véhicule de diamant) et la forme droitière *mitsung* (véhicule des secrets).

Le vajrayâna découle de la divinité hindoue Indra, dieu de l'Orage, porteur du sceptre de la foudre, *vajra*, indestructible et vainqueur de toutes choses. Dans l'enseignement tantrique, le vajra est une substance surnaturelle possédant la dureté du diamant, la clarté du vide et la puissance irrésistible de la foudre.

Le vajrayâna est proche de la doctrine des yogacarin : le monde n'existe qu'en tant que notion,

Le Pays pur de l'Ouest
Détail d'une fresque peinte, dynastie Tang, 618-907, grottes de Magao près de Dunhuang, Chine

Le courant bouddhiste appelé « École du Pays pur » s'est établi à partir du IVe siècle. Il fusionna la notion d'immortalité chinoise et la légende du palais de jade de Wangmu, la reine de l'Ouest, pour créer le paradis de l'Ouest, un lieu délivré des souffrances terrestres et accessible aux croyants qui ont accumulé des mérites. Le maître du Pays pur est Amitâbha, bouddha de l'Ouest, symbole de la pureté spirituelle originelle. Maitreya, bouddha de l'avenir, et les bodhisattvas qui ont renoncé au nirvâna résident également dans le Pays pur. La peinture montre le Bouddha Amitâbha portant la coiffure ornementale des bodhisattvas. Il enseigne sous un dais dans un palais d'architecture chinoise traditionnelle.

Petite Pagode des oies sauvages
Monastère Jianfu, VIIIe siècle Sian, Chine

La Chine devint le deuxième haut lieu du bouddhisme après que l'islam eut conquis le nord de l'Inde. La notion chinoise d'inviolabilité du corps humain comme condition pour entrer dans la lignée des ancêtres s'opposait à la tradition bouddhique de la vénération des reliques. Les Chinois, qui accordaient une place capitale à l'érudition, résolurent la difficulté en conférant la qualité de reliques aux textes bouddhiques. Les reliques étaient conservées dans des pagodes construites en pierre afin d'assurer une meilleure protection que les architectures en bois traditionnelles.

« purement esprit ». Il identifie le vajra au vide (cela est ainsi) dans sa forme ultime, qui devient subjectivement visible.

Le vajra égale la réalité ultime, le dharma et l'illumination. Les adeptes du *vajrayâna* retournent à leur véritable « nature de diamant » par le biais de diverses pratiques et reçoivent un « corps de diamant ».

Le *mitsung* « droitier » est surtout connu en Chine. Cette école associe deux systèmes tantriques, chacun s'incarnant dans un cercle magique, le *mandala* : le cercle du sein maternel et le cercle du vajra, tous deux identiques au sens le plus élevé.

Le Bouddha Mahavairocana incarne l'univers, son corps étant composé de deux parties complémentaires : l'élément spirituel et passif du sein maternel (féminin) et l'élément actif et matériel du diamant (masculin).

Pratiques tantriques et méditation

Le tantrisme différencie les initiés des non-initiés, opérant ainsi une séparation rigoureuse entre enseignement ésotérique et enseignement exotérique. Les méthodes apportant la délivrance ne s'apprennent pas à partir de textes, mais découlent de la relation personnelle avec un maître, le gourou, qui prend la place du Bouddha et à qui les élèves doivent une entière soumission.

Le tantrisme a trois formes de pratique : la récitation de formules magiques, les danses et les mouvements de mains rituels, et l'identification avec les divinités par le moyen d'une méditation particulière. Les adeptes du bouddhisme ésotérique espèrent que les formules magiques (*mantra* en sanscrit) protectrices de la vie leur apporteront une aide concrète contre les maladies, les malheurs, le pouvoir des démons, etc.

Par exemple, la formule très courante au Tibet « Om Mani padme hum » (le joyau est dans le lotus) est un des dons les plus précieux d'Avalokiteçvara, le bodhisattva à la compassion sans limite. La réciter soulage la souffrance.

La méditation tantrique comprend quatre niveaux :

- saisir la notion de la vacuité et y perdre son individualité ;
- répéter et s'imaginer visuellement les « syllabes des germes », *bija* ;
- se représenter visuellement les images ou statues des divinités ;
- s'identifier soi-même à une divinité.

Tandis que le nouvel enseignement du *mahâyâna* voyait la réalité ultime dans le vide, les *yogacarin* identifiaient le vide au « purement esprit » et ne reconnaissaient aucune existence en dehors de celle de l'Esprit.

Le vajrayâna établit la vacuité sur la notion que l'être humain possède fondamentalement une nature de diamant. Dans la pensée tantrique, l'abandon de l'identité s'obtient en identifiant le soi au vide.

Les syllabes des mantras correspondent aux diverses puissances et divinités et peuvent les évoquer, d'où les nom de « germes » (syllabes faisant germer les divinités).

Le bouddhisme ésotérique énonce que les êtres humains peuvent bénéficier des forces magiques

Cérémonie bouddhique au Japon

Le bouddhisme a toujours essayé de mettre à la portée des hommes les grandes questions philosophiques. Les maîtres spirituels, les légendes sur la vie et l'Éveil du Bouddha, les cérémonies et cortèges religieux sont autant d'aides à la transmission de l'enseignement. Les principales célébrations sont l'anniversaire du Bouddha, la fête du Bain du Bouddha, la fête des Esprits affamés, la fête de l'Incarnation d'Avalokiteçvara. L'ordre bouddhique l'emportait sur les religions locales quand il s'agissait de lutter contre les épidémies, les catastrophes naturelles ou d'obtenir les faveurs des forces célestes. Dans l'existence quotidienne, les rites de la mort comprennent des pèlerinages et la récitation de sûtra par les moines, dans les maisons privées ou au temple (en échange d'argent). Ces actes méritoires aident le défunt et les donateurs à obtenir une meilleure renaissance.

divines par le biais de l'identification. Mais là aussi, c'est le vide qui relie l'être humain au divin dans la vérité, car le sujet ne peut réellement s'identifier à l'objet que dans le vide.

Philosophie tantrique et mythologie

Le tantrisme espère la délivrance en vertu d'actes sacrés puisqu'ils s'assimilent aux forces et objectifs du cosmos. Le Bouddha n'étant plus reconnu que dans son corps cosmique (corps du dharma), il devient omniprésent et non plus transcendant.

Les six éléments (terre, feu, eau, air, espace, conscience) composent le corps dharmique du Bouddha. Les actions du corps, du langage et de l'esprit sont les fonctions de ce corps. Le monde est un reflet de la lumière du Bouddha et une manifestation de son corps dharmique ; le bouddha, principe vital, est la réalité cachée derrière toutes choses.

Une évolution ultérieure des enseignements du mahâyâna et des yogacarin identifie le nirvâna et le monde dans la réalité absolue du vide. Le tantrisme soutient également le principe bouddhique de l'extinction du soi.

Le tantrisme transfère la notion de l'individu au Bouddha lui-même : il est également composé de cinq skandha (dans son corps dharmique). eux-mêmes identifiés en tant que bouddhas, appelés les cinq *Jina* (« vainqueur, conquérant »). Les cinq Jina constituent le corps de l'univers et se manifestent dans les cinq éléments, les cinq sens, les cinq points cardinaux, etc. Cet enseignement fut élargi à partir de 800 après J.-C. quand on fit naître ces cinq Jina ou Tathâgata d'un bouddha originel, l'Adi-Bouddha.

La doctrine d'un Adi-Bouddha était un enseignement secret sévèrement réservé qui aboutit au monothéisme et à l'hénothéisme auxquels s'oppose le bouddhisme originel. Le cosmos découlait d'une divinité initiale désormais appelée le « sein maternel des Tathâgata ». Le monde serait également né de ce sein maternel - une idée qui participe également du principe de création monothéiste.

Le tantrisme « gaucher »

Trois attributs principaux caractérisent le tantrisme gaucher :

- la vénération des *shakti*, divinités féminines qui s'unissent aux divinités masculines dans des actes d'amour et leur donnent des forces ;
- la croyance en une multitude de démons et de divinités effrayantes,
- l'introduction de l'acte sexuel et d'un comportement immoral ou plutôt amoral dans les pratiques menant à la délivrance.

Le Bouddha figurait à l'origine un principe purement masculin tandis que les dieux et autres résidents des pays du Bouddha étaient asexués.

Prajnâpâramitâ et Tara sont les premières divinités féminines du bouddhisme. Le culte de Tara (« la Salvatrice ») débuta vers 150 après J.-C. dans le bouddhisme populaire. Prajnâpâramitâ, dont le culte est né dans le sud de l'Inde, fut intitulée « mère du Bouddha » et placée à son côté en tant que principe féminin.

Dans sa forme bouddhiste autant qu'hindouiste, le shaktisme définit la plus haute vérité comme l'union des principes actif masculin et passif féminin, nommant le principe actif « habileté du milieu » et le principe passif « sagesse ». Seule l'union des deux principes conduit à la délivrance, de même que l'absolu signifie également l'union ultime des deux principes.

À l'instar des autres formes de bouddhisme, le tantrisme admet la domination de l'esprit sur le corps qu'il convient de contrôler par la conscience. Il professe la pratique du yoga dans le but de transformer le corps humain en un « corps de diamant », qui ainsi protégé peut suivre la voie spirituelle. Mais bien que le tantrisme mette davantage que les autres mouvements l'accent sur la forme corporelle et lui reconnaisse une vérité, son but ultime est l'approfondissement des facultés de la conscience.

ÉVOLUTION DU BOUDDHISME HORS DE L'INDE

Le chan ou zen

Tous les mouvements mentionnés ci-dessus se sont surtout développés en Inde. Or, trois écoles du bouddhisme sont nées dans d'autres pays et cultures : le bouddhisme, appelé *chan* en Chine et *zen* au Japon, l'amidisme dans les pays d'Asie orientale, et le Rnying-ma-pa au Tibet.

Le bouddhisme s'introduisit d'abord en Chine vers 50 après J.-C. Une légende raconte que l'empereur Ming-ti aurait envoyé une commission d'étude en Inde après avoir fait un rêve prémonitoire. Mais ce n'est qu'en 355 qu'un édit impérial autorisa les Chinois à devenir moines bouddhistes.

La doctrine bouddhiste se mêla toutefois aux religions locales, s'unissant par exemple au Japon et

Autel de Tsong-kha-pa
Monastère de Ganden, reconstruit dans les années 80, centre du Tibet

Le milieu et les conditions de vie extrêmement ardues du Tibet expliquent certainement les raisons pour lesquelles le bouddhisme mystique et spéculatif fut rapidement adopté par la population et prit une forme autocratique. Songtsan Gampo (617-649), fondateur de la première dynastie régnante, utilisa dès cette époque la doctrine modérée pour régler les luttes territoriales. Au XVIe siècle, les Mongols, alors maîtres du Tibet, nommèrent le grand prêtre de la secte des Bonnets jaunes (*Dge-lugs-pa*) dalaï-lama, chef spirituel et temporel du pays. Le fondateur du *Dge-lugs-pa* fut Tsong-kha-pa (1357-1419) qui réforma le monachisme tibétain, restaura la règle monastique bouddhique, le célibat et l'étude des sûtra et imposa une organisation démocratique dans les monastères. Il conserva cependant la mystique tantrique du « véhicule de diamant » et toléra des pratiques d'exorcisme. Il fonda en 1409 le monastère de Ganden où il mourut. Ce monastère fut détruit durant la révolution culturelle chinoise. Tsong-ka-pa est considéré comme une réincarnation du bodhisattva Avalokiteçvara, de même que les dalaï-lamas qui lui succédèrent. Tous sont vénérés comme des dieux. Sur l'autel, Tsong-kha-pa est entouré de ses disciples dévoués, Gyeltsab et Khedrup.

Le XIVe dalaï-lama (Tenzin Gyatso) lors d'une cérémonie

Le dalaï-lama et le gouvernement chinois se disputent l'administration civile du Tibet depuis le XVIIe siècle. C'est seulement de 1912 à 1949 que le pays a connu une indépendance relative.
Depuis son exil en Inde en 1959, le chef spirituel du bouddhisme tibétain et XIVe dalaï-lama joue un rôle politique. Il rappelle au monde du XXe siècle que le bouddhisme dans sa doctrine et son éthique peut être un modèle alternatif.

en Chine à la doctrine taoïste de l'unicité, au culte de l'empereur, à la vénération des ancêtres, ainsi qu'à la conception de la nature et des arts de l'Asie orientale.

Chan, qui correspond au mot sanscrit « dhyana », se traduit par méditation. Le chan se fonde sur la métaphysique du mahâyâna et reconnaît les pratiques de méditation de Prajnâpâramitâ et des yogacarin. Il est sans doute issu de Bodhidharma, personnage dont on ne sait s'il est réel ou légendaire (vers 520 après J.-C.), et constitua à partir de 700 une école autonome qui établit ses propres règles et formes d'organisation.

Un de ses principes majeurs fut l'introduction du travail corporel, jugé important selon la règle : « Un jour sans travail - un jour sans nourriture ». L'école chan survécut aux persécutions des bouddhistes en 845 pour devenir la première secte bouddhiste aux côtés de l'amidisme à partir de l'an 1000.

L'enseignement de ses textes – un recueil de formules énigmatiques et de paradoxes – se répandit dans toutes les cultures de l'Asie orientale. Il atteignit le Japon vers 1200 où il fut nommé zen qui signifie également méditation. Le zen, prônant la simplicité et l'héroïsme tranquille, fut largement adopté par la caste des samouraïs et exerça une profonde influence dans tous les domaines de la culture et des arts, notamment dans la peinture, l'aménagement des jardins, les arts martiaux et la cérémonie du thé. Les particularités du chan ou zen englobent quatre principes :

- un empirisme absolu,
- un refus de la théorisation,
- la soudaineté de l'Éveil,
- la portée de la doctrine sur la vie quotidienne.

La conception « élaborée » traditionnelle du bouddhisme est rejetée au profit d'un empirisme radical. Des règles telles que « Ne pense pas, agis ! » autorisent un vaste champ d'expérience et la recherche de la voie vers l'Éveil en dehors des textes. L'accent est davantage mis sur les orientations pragmatiques que sur les textes : « Le *Ch'an* signifie reconnaître sa propre nature ».

Cette conception, qui s'oppose à tout ce qui est théorisation et spéculations métaphysiques, valorise les discernements immédiats et réclame que la vérité soit exposée d'une manière claire et concrète.

Les maîtres chan sont renommés pour leurs oracles et leurs procédés originaux. Selon eux, l'Éveil constitue une révélation soudaine de la connaissance et non pas le produit d'un long mûrissement.

Cela ne veut pas dire qu'une maturation soit superflue ou que l'on puisse atteindre rapidement la connaissance, mais que l'Éveil – comme toutes les expériences mystiques – survient en dehors du temps, dans un instant intemporel appartenant à « l'éternité ». Il relève d'un acte de l'absolu, d'un phénomène indépendant et non pas d'une œuvre de l'homme ou d'un mérite karmique. Quiconque croit pouvoir atteindre l'Éveil à travers l'ascétisme ou la méditation agit comme « celui qui polit une brique pour en faire un miroir ».

Analogue à l'amidisme et à certains autres courants tantriques, le chan ne voit l'accomplissement d'une vie bouddhiste qu'au sein de la vie quotidienne et du refus de ses facteurs négatifs. Bouddha est présent partout, y compris dans les choses et événements nuisibles de la vie quotidienne ; parvenir à l'Éveil consiste également à observer et accepter ces aspects négatifs.

L'amidisme

Le terme amidisme est dérivé du nom du Bouddha Amitâbha ou Amida, être suprême en Asie de l'Est. Le culte d'Amitâbha atteignit la Chine en 150 après J.-C. où une école autonome fut fondée vers 350 : « l'École du pays pur ».

L'amidisme se répandit au Japon à partir de 950 et donna également naissance à une école appelée l'« École de la Terre du bonheur ».

En raison de la place importante attribuée au « Lotus de la loi juste » dans le mouvement, certains l'associent à l'École orthodoxe de Nichiren (1222-1282), empreinte d'un nationalisme intolérant, tandis que d'autres le classent dans le contexte du shintoïsme, la religion d'État du Japon. Au cours de son histoire, l'amidisme ne cessa de se radicaliser sur le plan sociopolitique, notamment dans la secte *Shin* (en chinois : *Shinshu*) où la morale ne compte pas face à la foi en Amitâbha dont la bonté permet à tous les êtres humains l'accès au paradis.

Le Rnying-ma-pa

Le bouddhisme atteignit le Tibet via le Bengale en 700 après J.-C. où il opéra un syncrétisme partiel avec le bon qui était la religion autochtone. L'ancienne secte ésotérique des « bonnets rouges » fut introduite au Tibet vers 770 par le prince indien Padma Sambhava.

L'enseignement de sa doctrine bouddhique - une forme du tantrisme s'appuyant sur la religion bon - se développa entre 750 et 850. Ses adeptes qui se nomment Rnying-ma-pa, « les Anciens », pratiquent un enseignement secret magique qui met l'accent sur l'inspiration. Les « bonnets rouges » furent toujours combattus par la secte plus orthodoxe des « bonnets jaunes », qui affirma sa domination au Tibet vers 1400. Son chef spirituel, appelé dalaï-lama, établit à Lhassa à partir de 1642 une dynastie théocratique, qui fut interrompue en 1959 lors de l'occupation du Tibet par la République populaire de Chine. Le XIVe dalaï-lama fut obligé de quitter le pays.

Le Rnying-ma-pa, branche du tantrisme gaucher, vénère 100 divinités protectrices (58 bénéfiques et 42 malfaisantes) et croit que la nature propre de l'esprit n'est que vide. L'enseignement du *Thod-Gyal* (le dépassement du suprême) illustre notamment la magie contenue dans le Rnying-ma-pa : sur le chemin qui conduit à la délivrance, le corps matériel se dissout en un arc-en-ciel ou se fond dans ses couleurs.

Le bouddhisme en Europe

C'est l'œuvre d'Arthur Schopenhauer (1788-1860), *le Monde comme volonté et représentation*, parue en 1818, qui a introduit la pensée bouddhique en Europe. Le philosophe allemand, qui lui-même n'avait lu qu'une traduction des Upanishad, souligne dans cette œuvre la négation de la volonté vitale et l'idée d'une souffrance universelle. En 1875, Mme Blavatsky et le colonel Olcott fondèrent la Société théosophique qui diffusa la doctrine d'un bouddhisme ésotérique.

Dès le XXe siècle, de nombreux adeptes européens du bouddhisme se rendaient dans les pays asiatiques, tandis qu'en Allemagne Paul Dahlke fondait en 1924 la première société bouddhique à Berlin.

Déclin de la doctrine

L'enseignement bouddhique participe du développement de la marche du monde interprétée comme un déclin, notamment par l'hînayâna, dont les tendances sont pessimistes. Selon le bouddhisme, la loi de Bouddha, dharma, ne peut conserver sa force et sa pureté qu'un court moment avant de dégénérer et disparaître pour se révéler plus tard de nouveau.

Ainsi, au début, l'enseignement ne devait durer que cinq cents ans, période qui fut prolongée ultérieurement à mille, mille cinq cents puis deux mille cinq cents ans.

Selon les prophéties, on ne peut atteindre une union avec le dharma que dans les premiers cinq cents ans, tandis que les trois autres périodes de cinq cents ans sont dédiées à la perfection respectivement de la méditation, de l'érudition, de la lutte et de la critique, jusqu'à ce que la bonne Loi n'ait plus lieu d'être.

Si les périodes de temps divergent, il existe une notion commune concernant le déclin et l'impossibilité d'accéder à la sagesse des débuts dans les temps suivants.

Des textes évoquent aussi l'arrivée du bouddha Maitreya (Bouddha de l'avenir) qui personnifie la bienveillance et suit des cycles indépendants. Ce principe spéculant sur une délivrance dans l'avenir se rapproche des espérances messianiques des religions monothéistes.

Moines à Chamdo, Tibet

Les moines bouddhistes se rendent fréquemment dans les régions en crise pour travailler bénévolement au retour de la paix. Modèles d'équanimité et de foi, ils montrent par leur pratique qu'une vie de partage et de bienveillance est possible même dans des situations extrêmes.
« Celui qui ne faiblit pas devant les choses du monde, mais qui s'est libéré des peines et de l'impureté, vit le plus grand bonheur » (extrait du sûtra Nipata).

LES RELIGIONS EN CHINE

La conception chinoise de l'univers prône l'harmonie universelle qui régit l'ensemble du cosmos. Elle part donc du principe que l'action combinée de tous les éléments doit être considérée comme une dynamique. L'impulsion d'une telle interaction entre toutes les forces présentes s'opère sous l'effet des deux principes de base : le *yin* et le *yang* qui, par leur antagonisme – exprimé ici comme une complémentarité –, maintiennent toutes choses en mouvement. Le principe cosmique supérieur est perçu de différentes manières : « Maître suprême » ou « Maître d'en haut », *shang-ti* pour certains, « Ciel », *t'ien*, ou également « Voie », *tao*, pour d'autres ; l'ascendant de l'empereur sur le plan cultuel revêt une importance toute particulière.
Le taoïsme considère le *tao* comme la source première et la force originelle de toute essence dont émane et à partir de laquelle se développe toute existence. Le concept du *wou-wei*, « non-agir », exhorte à la contemplation et au renoncement aux biens de ce monde.
Le confucianisme, au contraire, considéré comme une philosophie officielle, incite au respect des traditions sociales et à une participation active de chacun pour le bien de tous.

Le yin *et le* yang

CONCEPTION CHINOISE DE L'UNIVERS

L'harmonie universelle

L'universalisme est un principe métaphysique vieux comme le monde ! C'est la base de toute la pensée chinoise. Il admet que le ciel, la terre et l'homme sont les trois composantes d'un tout. Toute manifestation dans la nature (macrocosme) a son écho dans le corps humain (microcosme). L'ordre cosmique doit aussi être pris comme une loi morale dans la coexistence des hommes, ce qui s'exprime essentiellement dans la notion d'harmonie. La corrélation intérieure de toutes les composantes se veut dynamique et non statique, et la sagesse suprême consiste en la synthèse de l'univers comme un tout ordonné. Les éléments, les planètes, les points cardinaux, les saisons, etc., se retrouvent dans les différentes forces de l'être humain.
Les cinq éléments – le bois, le feu, le métal, l'eau et la terre – sont reconnus être la base de toute chose par leur mutation et leur dynamique ; ils ne sont pas représentés comme substances, mais comme une force. Chaque élément se voit associé à un des points cardinaux, une planète, un des cinq sens ou un organe du corps humain, un animal, une saison ou un moment donné dans la journée, non pas au hasard mais selon une règle établie avec précision. Leur correspondent également des vertus ou des formes de gouvernement bien déterminées. Cette démarche ne suppose pas une simple corrélation en général, mais souligne la condition réciproque nécessaire – autrement dit : « la destruction » des éléments, du fait que l'un se nourrit de l'autre. C'est ainsi que la terre absorbe l'eau, que l'eau éteint le feu, que le feu fait fondre le métal, que le métal tranche le bois, et que le bois laboure la terre. Le cosmos apparaît comme un mécanisme en perpétuelle mutation, à l'échelle de l'univers. La force motrice de cette dynamique est le fait des deux principes de base, dans leur antagonisme : le *yin* et le *yang*.

Le *yin* et le *yang*

Le yin et le yang sont les deux forces motrices antagoniques dans le cosmos et dans la nature ; on leur attribue de multiples effets. Le yang est réputé être le principe mâle, actif, qui produit et qui crée au grand jour, alors que le yin, d'essence féminine, passive, reçoit, se dévoue de façon cachée, voire obscure.
L'un et l'autre se fondent réciproquement dans un enchaînement régulier, telle l'alternance du jour et de la nuit ou celle des saisons. Ils se complètent, sont imbriqués l'un dans l'autre et suscitent par leur action complémentaire et contradictoire toutes les manifestations du cosmos.
Ces forces originelles pourvoient au mouvement perpétuel entre positif et négatif, mouvement et repos, lumière et ténèbres, chaud et froid, bien et mal, etc. Elles sont les deux aspects d'un tout et sont représentées par un graphisme circulaire dans lequel s'emboîtent en lignes incurvées une moitié noire et une moitié blanche, chacune des figures incluant visuellement l'autre principe sous forme d'un point de la couleur opposée. Cette figure a pour nom *tai ch'i*, « l'origine », « le souffle » ou « le principe qui préexiste au monde », qui fait référence à un état originel, dans lequel les forces n'étaient pas encore dissociées, antérieur à l'antagonisme du yin et du yang.
On accorde au ciel une spécificité masculine – le yang – et à la terre le yin, une nature féminine. Le ciel est esprit ; la terre a une connotation charnelle. Le ciel est dans un mouvement perpétuel ; la terre évoque le repos. Le ciel est représenté en bleu, sous forme d'une sphère ; la terre, en jaune, sous forme d'un carré. Ses quatre angles correspondent aux quatre points cardinaux, auxquels il faut ajouter un cinquième : le centre, représenté sous la forme d'un arbre de vie, ou d'une branche qui semble établir la jonction avec le ciel. Il appartient essentiellement à l'empereur, en sa qualité de responsable du culte, de veiller à ce que cette corrélation demeure.

Le principe universel suprême : *shang-ti* et *t'ien*

Dans la pensée chinoise, le cosmos apparaît comme un immense organisme vivant et ordonné. Il est difficile de définir la pensée de la Chine antique comme un naturalisme ou comme un panthéisme et de savoir dans quelle mesure on peut considérer qu'il s'agit d'une foi en un seul dieu créateur ou en un principe de création.
Le concept-clé qui régit l'ordre cosmique et assure la pérennité de l'univers est *shang-ti*, qui signifie « Maître du Ciel » ou « Maître céleste ». Si l'on en croit d'anciennes écritures, *shang-ti* était déjà reconnu comme le dieu tout-puissant, identifié à l'étoile polaire, « seigneur d'en haut » et Maître du monde. Il est décrit comme un être humain, mais n'apparaît pas en personne. Il donnerait ses ordres aux souverains et serait le créateur de toute chose. Il est impliqué dans l'ordre universel, mais ne fait l'objet d'aucune dévotion personnelle.
Dans bon nombre de textes – sans doute aussi chez Confucius – le « Maître céleste » est également

nommé *t'ien*, «le Ciel». C'est ainsi que le ciel se trouve être à l'origine de toute chose : il récompense les humains en leur accordant de la chance et de bonnes récoltes, ou les châtie en provoquant des catastrophes naturelles.

Tantôt il est nommé Dieu, tantôt il est cité comme une force du destin désincarnée. Ce n'est que plus tard, surtout sous l'influence de Confucius, que *t'ien* sera décrit comme le «père et l'éducateur» des êtres humains ; on lui attribue des forces de la nature. Cet être suprême répond à un troisième concept : le *tao*, qui signifie «la Voie», laquelle, à l'origine, est celle que tracent les constellations dans le ciel. De nombreux philosophes décrivent le *tao* comme la matière première dont émane une force magique. Chez Confucius, *tao* sous-entend la loi de l'ordre dans la nature et dans les existences des êtres humains ; pour les taoïstes, le *tao* est la loi de la nature, de la raison, qui se place au-dessus de l'individu et qui, dans le même temps, est l'être originel dont la scission bipolaire a donné naissance en tout premier lieu au ciel et à la terre.

Ce qui importe dans la pensée chinoise est la réalisation de l'harmonie universelle. Il s'agit avant tout de déchiffrer les évolutions possibles du monde et de pouvoir les infléchir favorablement. Les textes les plus connus à ce sujet se trouvent dans le *Yijing* (ou *Yi-king*), le *Livre des mutations*, l'un des cinq livres canoniques, attribué à l'empereur mythique Fu-hsi (2950 avant J.-C.). Il aurait été remanié par le roi Wen (vers l'an 1000 avant J.-C.) pour aboutir à sa version actuelle. Les structures et les changements de l'univers sont interprétés par le yin et le yang et représentés par 8 x 8 = 64 hexagrammes. La science la plus vénérée dans la Chine antique (comme en Orient ou en Inde à la même époque) est l'astrologie, en particulier l'art de prédire les périodes fastes ou néfastes (la chronomancie), pour laquelle on pratiquait une symbolique compliquée des nombres, des formes et des couleurs. L'homme est alors exhorté à conformer éthiquement ses actions à l'ordre cosmique.

Le culte des ancêtres et le rôle de l'empereur

Les Chinois s'imaginaient le monde peuplé de nombreux dieux et démons, de bons et de mauvais esprits, issus du yin et du yang. Les dieux du culte d'État sont, en principe, les puissances cosmiques, mais il existe aussi quantité de dieux locaux, de la maison et de la famille. Dans la croyance populaire il s'agissait d'attirer la bénédiction des dieux et leur protection contre les maléfices.

De tout temps, le culte des ancêtres tient une place importante. En Chine, le culte des morts se déroule selon une succession de rituels compliqués, qui débutent avec les funérailles, par le rappel de l'esprit des défunts. L'ancêtre, lui, fait encore partie de la famille et partage son quotidien.

Depuis toujours, la religion officielle se trouve placée sous l'autorité de l'État. C'est pourquoi dans la religion de la Chine ancienne il n'existe pas de clergé, les cérémonies étant célébrées par l'empereur ou par les dignitaires. Les obligations de l'empereur étaient avant tout d'ordre éthique et cultuel. Il était l'instrument propre à établir le lien entre le ciel et l'harmonie cosmique, l'art de régner et la cause de l'État étant étroitement liés à ces obligations cultuelles.

L'empereur préparait, toujours aux solstices, des offrandes destinées au Maître céleste, *shang-ti*, d'où son nom : «fils du Ciel» et unique représen-

Le dieu de la guerre, Guandi
Broderie sur soie découverte dans un temple de la province de Shaanxi (XVIIIe siècle)

Comme cela a été le cas pour de nombreuses divinités chinoises, on identifiait le dieu de la guerre à des personnages historiques connus, pour pouvoir invoquer son intervention protectrice en cas de danger ou de catastrophe. Guan Yu, général de l'époque des «trois royaumes» (221-265 de notre ère), est l'un de ces héros déifiés, le plus connu. À l'époque moderne, il se trouvait au moins dans chaque chef-lieu de province un temple à la gloire du dieu de la guerre, vénéré aussi comme dieu de la justice, les jugements étant prononcés dans l'enceinte de ces temples. Un trait spécifique de la religion populaire chinoise est d'intégrer en matière de foi des concepts bouddhistes et taoïstes ; ils s'expriment ici par les figures symboliques qui escortent Guandi mais qui, dans le même temps, se placent sous sa protection.

Un autel dans une famille
Une ferme, dans le sud de la Chine (province de Fujian)

Les fermes traditionnelles dans le sud de la Chine se composent souvent d'un seul grand espace avec un autel qui occupe la place d'honneur. Sur la table de l'autel sont disposés l'arbre généalogique de la famille et les offrandes. Le choix des divinités, dont l'image (en papier) est exposée, correspond à la tradition familiale ou à une prédilection personnelle. Il n'est pas rare d'y trouver l'effigie du «dieu du foyer et de la cuisine» entouré de son épouse et de toute sa cour. À des dates précises et en des occasions particulières, des sacrifices sont offerts au dieu. En fin d'année, son image est brûlée : le «dieu du foyer et de la cuisine» retrouve le Maître céleste pour lui rendre compte du comportement de la famille ; après le grand nettoyage du début d'année, une nouvelle image remplace la précédente : le «dieu du foyer et de la cuisine» est de retour.

Le « dieu de la ville »
Statue dorée dans un temple de village dans la province de Zhejiang (XVIIIe siècle)

Toute agglomération d'une certaine importance avait son temple « du dieu de la ville » qui servait à des fins religieuses (processions ou prières pour repousser les épidémies), mais également aux rassemblements (par exemple lors des marchés du temple). La plupart du temps, des personnages historiques ayant joué un rôle marquant dans la province tenaient lieu de « dieu de la ville ». Dans les grosses bourgades, les temples se situaient souvent en périphérie, au milieu des champs, pour mieux pouvoir assurer la protection des semailles et des récoltes.

tant du Ciel sur terre. Sur le plan cultuel, la tâche de l'empereur ou du roi se rattachait à un système divinatoire complexe, comme en témoignent des fouilles effectuées sur des hauts lieux religieux de la Chine antique et la mise à jour d'ossements divinatoires, qui permettaient de rendre les oracles.

À l'empereur revenait la charge de veiller au bonheur des hommes en propageant la « volonté divine », *t'ien-ming*, et au Ciel celle de se préoccuper de leur salut et de celui de la terre. Ce principe paternaliste était fortement marqué en Chine depuis la mise en place de l'agriculture et conférait à l'empereur des compétences chamaniques : il pouvait se fondre dans les forces de la nature et les influencer par des rites ésotériques et secrets.

En particulier, le mythique empereur Fu-hsi et les cinq « empereurs nobles » qui lui ont succédé passaient aux yeux des Chinois pour des sages notoires en mesure d'intercéder auprès des puissances divines. De ce fait, la tâche prioritaire de l'empereur concernait l'astrologie et la mise au point d'un calendrier, qui permettait de planifier l'avenir. Ainsi le cours d'une vie humaine pouvait être réglé par le ciel.

Aperçu historique des religions

Selon la tradition mythique, l'histoire de la Chine débute avec l'empereur Fu-hsi, qui non seulement aurait rédigé le *I-Ging* mais aurait lancé les bases de la culture rurale. C'est lui qui aurait institué la chasse, la pêche, l'agriculture, l'élevage d'animaux domestiques, la mesure du temps et les principes d'une gestion de patrimoine.

À Fu-hsi et aux cinq « empereurs nobles » ont succédé vingt-deux dynasties héréditaires. Au cours de la IIIe dynastie (la dynastie des Zhou), vers 1050 à 249 avant J.-C., la Chine devint un État reconnu et réglementé, avec des institutions religieuses élaborées. La dévotion à l'ancêtre impérial avait toute priorité et l'État se présentait sur un mode patriarcal, à l'image de la famille.

Après 490 avant J.-C., le pouvoir de l'État périclite rapidement, favorisant l'ascension de seigneurs locaux. L'époque des « royaumes combattants » (480/403-221 avant J.-C.) est marquée par des rivalités, un désordre anarchique et, sur le plan religieux, par de grands troubles. Cette confusion est à l'origine d'un besoin de renouveau auquel le confucianisme saura répondre, surtout lorsqu'il deviendra religion officielle.

Avec la dynastie des Ts'in (221-206 avant J.-C.) un pouvoir centralisé très bureaucratisé s'impose. Puis la dynastie Han (206 avant J.-C. à 220 après J.-C.) s'attache à protéger le confucianisme, alors que dès 61 après J.-C. le bouddhisme pénètre en Chine. Sous la dynastie des Tang (618-907 après J.-C.) la Chine connaît son âge d'or sur le plan culturel et la dynastie des Song (960-1279), qui permet à la science et à l'art chinois d'atteindre leur apogée, donne un nouveau souffle au confucianisme.

La dynastie mongole des Yuan (1260-1368) favorise le bouddhisme alors que la dynastie des Ming (1369-1644) s'efforce de progresser en tenant compte du confucianisme, du taoïsme et du bouddhisme.

L'idéal syncrétique de cette époque est celui d'une méditation, d'inspiration taoïste et bouddhiste, tendant vers un humanisme dont se réclame Confucius.

Sous la dernière dynastie, la dynastie mandchoue (1644-1911), la Chine traverse depuis le début du XIXe siècle une période de troubles politiques et religieux. La guerre civile qui s'ensuivit et le régime du Kuomintang ont bien tenté de réinstaurer

Danse du dragon
Fête du Dragon à Leshan, dans la province de Sichuan

Le symbole du dragon s'inspire des éléments mythologiques et cosmologiques. Le dragon est le symbole de la force naturelle créatrice et virile – du *yang* – et, comme tel, animal symbole de l'empereur et fils du Ciel. Il est en relation avec l'eau qui donne la fertilité, avec la pluie, les fleuves, l'est (le soleil se levant à l'horizon de la mer située à l'est), et avec la mousson d'été qui favorise la croissance. Au début de cette saison, au cinquième jour du cinquième mois (début juin), se déroule la fête du Dragon. Les danses du dragon (le dragon « joue » avec une perle) rendent hommage au poète Qu Yuan (mort en 278 avant J.-C.). La tradition de cette fête remonte à la protohistoire, lorsque le dragon était l'animal totem de la dynastie Yue.

les anciennes formes religieuses, mais le bouddhisme, plus particulièrement, n'a pu se pratiquer que de façon très discrète depuis la prise du pouvoir par Mao Tsé-toung (1946-1949). Bien que le maoïsme ait généralement réprimé la religion, il est intéressant de noter qu'il s'est parfois rapproché, à sa manière, de certains aspects de la pensée de la Chine antique.

LE TAOÏSME

Qui était Lao-tseu ?

Le nom de Lao-tseu signifie « vieux maître » ou « vieil homme sage » et désigne une personnalité qui, historiquement, reste mystérieuse et énigmatique. Il vécut, dit-on, entre 604 et 517 avant J.-C. et serait né dans le village de Chu Jen dans la province de Hu. Son nom réel serait Li Erh Tan et il aurait été archiviste du royaume auprès du roi de Tch'ou, dans la capitale de l'époque, Lo-yang. Des chercheurs modernes mettent en doute ces données ; son nom, Lao-tseu, ne serait-il pas plutôt le pseudonyme d'un philosophe du IVe siècle avant J.-C. ? Son œuvre – le *Daodejing* – est déjà signalée au IIIe siècle avant J.-C.

Nombreuses sont les légendes qui entourent sa vie et son personnage. La plus connue raconte qu'à la fin de sa vie, chevauchant sur un buffle noir vers l'ouest, bien décidé à quitter la Chine, il fut arrêté à un poste frontière. Le gardien en faction lui demanda de rédiger ses pensées. Il s'attela immédiatement à la tâche, et c'est ainsi qu'aurait été rédigé le *Daodejing*.

Le *Daodejing*

Le nom de *Daodejing* (ou *Tao-tö-king*) signifie « Le Livre (*king* ou *ching*) de la Loi universelle – ou de la Voie (*tao*) et de son effet ». Il s'agirait de l'unique trace écrite qu'ait laissée Lao-tseu. Cette œuvre compte parmi les plus originales de la pensée chinoise et se trouve être, par son sens critique et ses tendances mystiques, l'un des textes de langue chinoise les plus traduits en Occident.

Il comprend 81 courts versets ou chapitres, certains versifiés, qui véhiculent les pensées sans enchaînement rigoureux, sous forme d'aphorismes, d'images poétiques, et dans une langue imagée. Les chapitres 1 à 37 donnent des définitions du *tao*, les chapitres 38 à 81 celles du *Té*, « l'effet du *tao* », traduit parfois par « la vertu du *tao* », et du rapport entre *tao* et *Té*. C'est pourquoi le titre de l'œuvre est très exactement : « Le Livre du *tao* et du *Té* ».

Lao-tseu
Quingyuan Shan près de Quanzhou, dans la province de Fujian

Le développement religieux du taoïsme vers un culte ésotérique dans un premier temps, puis populaire, permit à Lao-tseu, le maître légendaire et fondateur du taoïsme, d'accéder, à titre posthume, à la notoriété des divinités supérieures (*T'ai Tsong Lao-tseu*). La sculpture se trouve sur le site d'un temple taoïste (détruit) et montre le dieu Lao-tseu en « vieil homme sage », chauve, avec une barbe ondoyante et des oreilles démesurément longues, signe de sagesse. Cette statue de 5 m de haut et de 7,3 m de large est l'un des rares exemples de sculptures taoïstes.

L'enseignement

Au centre de la pensée de Lao-tseu : le concept du *tao*, qui est la source originelle et éternelle de toute création, source à laquelle on s'adresse comme à une force qui régit l'univers. Dans le même temps, le *tao* est aussi la Loi universelle et la « Voie » éthique qui guide les bonnes actions. Il est le Tout et l'Unique et le principe le plus élevé de monde naturel et moral. On peut le traduire par « Voie », « Vie », « Dieu », « Loi » ou aussi « Ordre naturel » ; mais il est dit aussi « l'Innommable », « l'Indéfinissable ». On peut le concevoir comme une loi universelle ou comme la volonté divine ; mais ce n'est pas un idéal statique. C'est une force motrice. Si l'on considère le *tao* comme un absolu, il faut alors admettre le principe d'une non-identification. Pourtant, dans certains passages du *Tao-tö-king*, il est nommé : « Dieu » ou « Déesse mère ». Lao-tseu, ou l'auteur, avait dû vouloir exprimer par là un attachement à l'imagerie de la Chine antique. Cet aspect indéfinissable en tant qu'autorité cosmique et éthique se trouve repris dans de nombreux paradoxes, devenus par la suite les effets de style préférés de l'école taoïste. Le *tao* est le principe créateur du monde ; tout découle de lui. Du non-être transcendantal a été créé l'être, le *tao*, unité indissociable ; cette unité a engendré la dualité du yin et du yang. Du dualisme de ces principes s'est dégagé le « souffle de vie », auquel on doit l'harmonie des deux forces antagoniques. Cette trinité du yin, du yang et du « souffle de vie » engendre la multiplicité, les « dix mille êtres ».

C'est ainsi que le *tao* est l'origine de toutes les créatures, les nourrit de sa force et les parachève par son action. Du fait que le *tao*, unique et global, se projette dans la multiplicité, des contrastes, qui

Graphisme de la mutation du Yijing
ancienne forme du signe *yi*, « mutation », selon une gravure sur pierre.
Dynastie des Song, 960-1279

Le graphisme «shou» (longue vie)
Calligraphie d'un maître anonyme, sans doute du XVIIe siècle
Gravure sur pierre

La quête d'immortalité – ou pour le moins de longue vie – remonte au tout début de la culture chinoise. Elle est liée au culte des ancêtres ainsi qu'à l'idéal taoïste de non-intervention dans le déroulement des événements. Le culte de l'âge (et de ce fait celui de la santé, de la diététique et de la sagesse) place le graphisme «shou» et le dieu de longue vie, Shouxing, au cœur de la culture populaire, d'autant plus qu'il y avait unanimité entre toutes les écoles philosophiques et religieuses.

Ermitage dans un paysage imaginaire
Gravure sur pierre, sur une stèle.
Dynastie des Han orientaux (25-220).
Temple de Confucius à Qufu, dans la province de Shandong

n'existaient pas auparavant, apparaissent dans le monde : le bien et le mal, le lourd et le léger, le long et le court, le haut et le bas, avant et après, etc. Chacun conditionne l'autre. Ce qui veut dire que, dès sa genèse, chacun dépend de son contraire. Il en va de même pour les vertus humaines. L'éthique taoïste part du principe que cette antithèse vérifiable dans le monde prouve la rupture entre le monde, l'homme et leur unité naturelle originelle. C'est pourquoi l'homme doit se détacher des aspirations de ce monde et ne viser qu'à se libérer de tout lien terrestre y compris social. Le *tao* apparaît comme l'unique immuable par rapport aux mutations du monde ; l'homme doit se fondre entièrement dans le *tao* et en lui, chercher à s'élever.

L'idéal taoïste est un idéal de quiétude. Le comportement du sage imprégné des leçons du *tao* tend vers un concept du «non-agir», *wou-wei*. L'action se réduit à une simple mais véritable présence, et au renoncement à toute entreprise matérielle à court terme. Le *wou-wei* est le principe, placide et doux, auquel en dernier ressort rien ne peut résister et qui finit par s'imposer ; il ne s'agit pas d'une simple absence d'action, mais d'un comportement délibéré de non-intervention dans le cours des événements et l'art de se sentir en harmonie avec l'action du *tao*. L'immortel (*hsien*), qui se retire du monde pour se fondre dans le *tao*, personnifie l'idéal du taoïsme. À une activité orientée vers une présence concrète fait face une intériorisation contemplative, la tranquillité apaisante et conciliante de la retenue.

L'aspiration du taoïsme rejoint celle du confucianisme. Son idéal ne vise pas seulement à la sagesse de chacun mais elle se met au service d'une réhabilitation de la morale dans la société, dans l'État et, en fin de compte, dans le monde entier. Tout le mal sur terre provient du fait que les hommes se sont détournés des règles naturelles et morales. L'idéal politique du taoïsme consiste (contrairement à celui du confucianisme) en un scepticisme à l'égard de toute action politique. La seule valeur qui importe est un petit royaume, dans lequel les gens vivraient paisiblement, sans guerres ni contacts avec les peuples voisins. Dans l'esprit du taoïsme, le bon souverain ne règne en fait pas en agissant et en imposant sa puissance, mais en sage, par son exemple éthique ; lui aussi laissera le *tao* faire son œuvre, tranquillement.

L'école de Lao-tseu

Les phrases laconiques et obscures de Lao-tseu ont été développées, commentées et systématisées par ses adeptes, en particulier par son successeur, Lieh-tseu (du latin Licius ; IVe siècle avant J.-C.), dont on sait peu de chose. Il rédigea le «Vrai classique du vide parfait», ou «le Vrai livre de la source de l'origine», plus connu sous le titre de «Livre de Lieh-tseu»), qui développait un taoïsme métaphysique empreint de cosmologie.

Selon lui, le *tao* est le créateur de l'origine ; lui-même ne fut pas créé, et, tout en étant l'«immuable», est en perpétuelle transformation. De cette unicité originelle sont nées les forces du yin et du yang, dont découlèrent les cinq éléments, qui finalement sont au nombre de neuf – et qui eux-mêmes forment le cosmos.

La faculté ininterrompue de mutation du monde se trouve décrite dans une étrange doctrine de la métamorphose, très moderne par endroits. Lieh-tseu affirme être parvenu, après de longues méditations, à supprimer les différences du moi et du non-moi – une pensée que le bouddhisme reprendra à son compte, bien plus tard, en Chine. Par son penchant marqué pour le mysticisme, Lieh-tseu a ouvert la voie au taoïsme populaire qui s'est manifesté ultérieurement.

Le taoïsme populaire

Lao-tseu faisait peu de cas de l'aspect magique de la religion, mais au fil du temps, le merveilleux est devenu un thème favori dans ses écoles. L'attrait exercé sur les populations religieuses par ce taoïsme modifié a conduit au développement d'un taoïsme populaire, à tendance plus religieuse et magique que philosophique. Au cœur de cette tendance s'exprime la foi en la réalisation d'un élixir de vie éternelle. Il se crée alors une sorte d'Église taoïste, avec à sa tête un «Maître céleste» (*t'ien-shi*). Ces maîtres célestes forment leur propre dynastie et sont connus en Europe sous le nom de «papes taoïstes». La dynastie des maîtres célestes avait son siège, de 1016 à 1930, sur le mont Long-hu (le mont du dragon et du tigre), dans la province de Kuang-hsi. Le maître céleste était respecté en sa qualité de supérieur ecclésiastique, entouré d'une hiérarchie de prêtres, avec des moines et des prêtres séculiers qui se consacraient principalement à la divination et aux prévisions du temps. Bon nombre de maîtres célestes se firent une réputation en fabriquant des talismans et en organisant des cérémonies d'incantations, ce qui fut à l'origine d'innombrables légendes sur leurs dons mystérieux. Avec le temps, une hiérarchie taoïste des dieux se mit en place, avec à sa tête, «la trinité des trois purs» ; elle se compose du dieu du ciel, *Yuhuang*, du *tao* incarnant le souffle de l'origine, le *T'ai ch'i* et de *Lao-tseu* déifié. Le panthéon taoïste est complexe et rigoureusement hiérarchisé ; il reprend à son compte une large part du culte chinois voué à l'empereur, tel le culte de l'empereur de Jade en sa qualité de maître céleste, et celui du «grand empereur», le maître de la terre, auxquels d'innombrables dieux sont soumis. Trois dieux de la chance viennent en aide aux hommes qui leur font confiance et dans le monde du dessous, dont les enfers sont décrits avec force détails, règnent les dix « rois des enfers ». Une foi très prononcée en un au-delà s'est développée, encouragée par les moines qui exhortaient à une ascèse dans cette vie. L'idéal des moines, inspiré du « non-agir créatif » (*wou-wei*), était vécu comme une méditation du *tao* et le concept de *wou-wei* a donné lieu alors à de nombreuses interprétations : c'est ainsi qu'il était également présenté comme un « vide » et comparé à l'idéal de *nirvana* du bouddhisme. Certaines tendances laissèrent entendre que le *tao* serait toujours plus fort que la déesse mère et établirent une relation avec une mystique de la nature très nettement exprimée. La quête d'immortalité se traduisait par la recherche du champignon magique, supposé procurer l'immortalité. Des forces magiques interviendraient aussi de manière à créer un équilibre entre le yin et le yang.

La richesse de la littérature taoïste a donné naissance, en 471 de notre ère, à un canon du taoïsme qui comportait 1 200 stances. Le canon de 748 en avait déjà 7 300 et depuis 1444, année de la dernière refonte du canon taoïste, celui-ci – avec ses 5 318 stances – est le plus important canon religieux du monde.

Pins et grues

Gravure sur pierre d'un artiste anonyme (XVIIe/XVIIIe siècle)

Le pin est l'arbre chinois par excellence. Du fait qu'il supporte le froid sans perdre son feuillage, il passe pour être le symbole de la constance, de la pérennité, de la longévité. Déjà dans les *Entretiens* attribués à Confucius, la portée traditionnelle symbolique du pin est clairement énoncée : « Par son immuabilité, il prolonge vos vies ». Il en va de même pour les grues, dont la symbolique de longévité renvoie au rapport père-fils. Lorsque l'oiseau chante, le fils lui répond. Lorsqu'un prêtre taoïste meurt, il se réincarne en un oiseau (une grue) et monte au ciel. Les expressions telles que « grues du ciel » ou « bienheureuse grue » indiquent bien les merveilleuses qualités attribuées à la grue, en tant qu'animal symbole de la sagesse. La combinaison de ces deux symboles exprime à quel point la quête de la sagesse et de la longévité était forte.

LE CONFUCIANISME

Qui était Confucius ?

Le nom de Confucius est le nom latinisé de *K'ung fu-tse*, qui signifie « maître Kung, originaire de Fu ». Ce sont les missionnaires catholiques, qui faisaient parvenir en Europe leurs rapports sur la Chine, qui mentionnèrent son nom et le rendirent populaire en Occident. Le nom de naissance de Confucius était *Ch'iu*, « la colline », et à l'âge adulte il devint *Chung-ni*, « Ni moyen ». Il est né aux environs de 551 avant J.-C. à Tsche-fo, une ville de province dans la région de Lu (aujourd'hui : Shandong), dans une famille noble bien que désargentée. Il reçut une bonne éducation et fit preuve très jeune d'un grand intérêt pour les traditions spirituelles de la Chine. Il exerça la fonction d'enseignant à la cour d'un prince mais se vit contraint, à la suite de nombreuses querelles avec les autorités en place, de changer de lieu de résidence à plusieurs reprises ; son activité principale consistait à être enseignant et conseiller. En l'an 501 avant J.-C., il se vit confier la charge de responsable d'un district, puis devint ministre de la Justice du prince de Lu. Il démissionna en 496 pour entreprendre avec ses élèves un voyage de treize ans de province en province. En 483, il fut invité à revenir, avec les honneurs, dans sa patrie, la principauté de Lu, où il mourut en 479 avant J.-C.

Il était perçu comme un être impartial, doux et digne, respectueux, mais conscient de sa propre valeur. Il ne manifestait aucun intérêt pour les sortilèges et la magie et, comme un sage, menait une vie d'humilité et de chasteté sans pour autant se faire passer pour ascète. Sa grande préoccupation était de rétablir les principes de l'ordre ; il suivit des études d'histoire, qui sont à la base de sa recherche d'un renouveau de la culture et de la moralité.

Immédiatement après sa mort, il fut promu « éducateur de l'État » par les conservateurs et les fonctionnaires de Chine. On lui conféra les plus hautes marques de reconnaissance nationale : en 174 avant J.-C., le premier empereur de la dynastie Han vint s'incliner sur sa tombe ; en 120 avant J.-C., un premier temple fut érigé en son honneur et en 555 de notre ère, chaque préfecture de Chine disposait d'un temple à la gloire de Confucius. En 1086 lui fut décerné le titre d'empereur et, en 1906, Confucius fut élevé par décret de l'empereur au rang des divinités du Ciel et de la Terre.

Oratoire où s'élevaient les prières en faveur des récoltes à l'emplacement de l'autel céleste (début du XVe siècle). Reconstruction à l'identique de 1889, Pékin

Le rôle prépondérant de l'impérialisme chinois s'appuie sur une tradition bien ancrée qui voulait que la plus haute instance religieuse et laïque s'identifie au personnage régnant, au « fils du Ciel ». Sa qualité de souverain lui conférait le titre de Prêtre suprême, le seul autorisé à adresser, au nom de l'État et du peuple, les prières aux divinités de la nature (le Ciel, la Terre), aux dieux des champs et des céréales, au soleil et à la lune, au protecteur de l'agriculture, à la planète Jupiter, aux ancêtres impériaux et à Confucius lui-même ; il était qualifié pour apporter les offrandes de rigueur (aliments, soie, jade, entre autres). L'emplacement de l'autel céleste (temple du Ciel) était le lieu de dévotion le plus sacré du royaume. À deux reprises dans l'année (au nouvel an et au début du printemps), l'empereur venait prier le Seigneur tout-puissant, Shang-li, pour obtenir des récoltes abondantes.

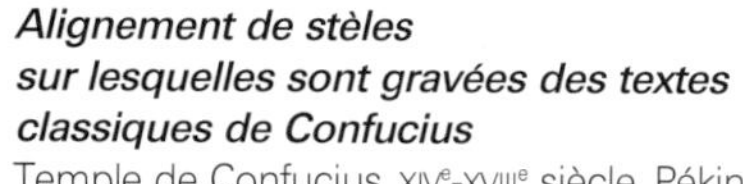
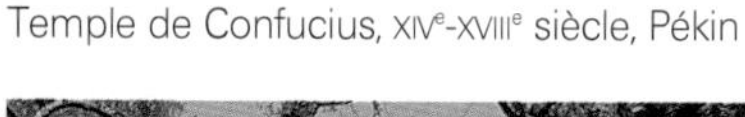

Alignement de stèles sur lesquelles sont gravées des textes classiques de Confucius
Temple de Confucius, XIVe-XVIIIe siècle, Pékin

Les textes du confucianisme

Confucius est l'auteur d'ouvrages plus spécialement consacrés à une philosophie de la morale et au civisme. Les textes de base du confucianisme sont dus aussi bien à sa plume qu'à celle de ses élèves proches, et comprennent quelques œuvres posthumes. L'enseignement de Confucius repose sur ces cinq livres canoniques, qu'il aurait personnellement rédigés :

- le *Yijing*, ou *Yi-king*, le « Livre des mutations », de l'initiative, semble-t-il, de l'empereur mythique Fu-hsi ;
- un recueil de chants, le *Shijing*, le « Livre des odes », qui renferme 305 chants anciens ;
- le *Chou-king*, le « Livre des documents », un recueil de décrets et de sentences dus à différents souverains ;
- le *Ch'un-ch'iu*, « Printemps et Automne », une chronique de la vie dans sa province d'origine, Lu, rédigée d'une plume critique et au jour le jour par Confucius ;
- le *Li-ki*, le « Livre des rites », qui traite des diverses pratiques religieuses et sociales et s'inspire de l'école de Confucius.

S'y ajoutent quatre livres classiques : *Lun-yü*, un recueil d'entretiens de Confucius avec ses élèves ; *Ta-hsüeh*, « Le grand enseignement », un traité de morale, dont Confucius serait en partie l'auteur ; *Chung-yung*, « Chemin du juste milieu », une description de l'harmonie intérieure à laquelle accède le sage qui aurait été rédigée par l'oncle de Confucius, Tsu-ssu (Kung Ki), lui-même un grand maître du confucianisme ; des notes sur le philosophe Mengzi (372-289 avant J.-C.), le penseur le plus connu du postconfucianisme. Sans oublier une très riche littérature de commentaires.

Le confucianisme ne se présente pas comme un système doctrinaire, mais privilégie la forme du discours et de l'anecdote.

L'enseignement

L'éthique de Confucius, développée plus tard par Mencius, part du principe que l'homme est bon par nature et que tout le mal n'est engendré que par un manque de discernement.

Éduquer l'homme à la vertu et à l'harmonie est donc le commandement suprême. Les saints et les sages de l'histoire doivent être pris en exemple, d'où le devoir de respect dû aux parents et aux ancêtres. Le confucianisme fixe pour but l'amour de la vérité, la bonté, la générosité ; il préconise d'entretenir de bonnes relations familiales et élève les formules de courtoisie au rang d'obligation. Il tend vers un certain idéal fait de mesure, sans ascèse, et place la « règle d'or » (c'est-à-dire la réciprocité dans les rapports) au-dessus de tout. L'homme doit prendre en considération l'ensemble des éléments et leurs interdépendances ; il ne doit jamais perdre de vue l'intérêt supérieur de la collectivité et de l'État.

Le confucianisme développe cette très haute éthique sans se réclamer de commandements ou de révélations d'origine divine ; c'est pourquoi il lui a souvent été reproché, sur un plan religieux, de développer une éthique autonome, sans fondement métaphysique. Confucius n'était cependant pas hostile à la religion : c'était un aristocrate conservateur, qui souscrivait strictement aux rites traditionnels (et religieux). Il ne défendait pas la thèse de certaines représentations de la foi et ne se prononçait pas sur un au-delà ou sur une vie après la mort – mais il était très attaché au culte des ancêtres. Il s'interdisait toute spéculation sur les choses transcendantales et se référait au principe supérieur, non pas de *shang-ti*, « Maître suprême » mais de *t'ien* « le Ciel ». Il laissait donc à chacun le libre choix d'imaginer ce principe supérieur personnifié ou non.

En revanche, il attachait une très grande importance à l'harmonie cosmique. Le confucianisme n'imposant pas comme un dogme une conception d'un dieu ou d'une nature divine, beaucoup ne le reconnaissent pas comme une religion, mais plutôt comme une philosophie officielle ou une éthique. Néanmoins, par les cultes et les rites et par la vénération portée à Confucius, il est devenu en Chine une forme de religion. Confucius croyait en la force des pratiques rituelles qui épanouissent le cœur des hommes. La pensée chinoise fait la distinction entre *chia*, « la philosophie », et *chiao*, « la religion », tout en soulignant les liens qui les unissent. Les Chinois reconnaissent en Confucius le *Ju* « l'instruit, le littéraire » ; il est l'expression de la culture spirituelle de la Chine.

L'enseignement de Confucius dans le domaine social s'appuie sur le concept du *jen* que l'on peut traduire par « humanité » et qui se compose de cinq préceptes : dignité, générosité dans les opinions, fidélité, dans le sens de loyauté, zèle et charité. Ce qui importe est l'accomplissement par l'homme de ses devoirs sociaux et politiques dans une convivialité élaborée au sein de l'État. La sincérité (droiture, franchise) des cœurs va de pair avec le désir de se perfectionner. Les vertus requises sont la mesure, l'équité, la probité. Le respect des rites, *Li*, régule l'ordre social par une corrélation entre les ancêtres, très présents, et le contexte historique.

L'école du confucianisme

Le plus grand interprète et artisan du développement de la pensée de Confucius fut Mencius (ou Mengzi ou Mong-tseu). Il mena une vie assez comparable à celle de Confucius. Reconnu aujourd'hui comme le « second sage » du confucianisme, Mencius s'attacha à développer la théorie selon laquelle l'homme est bon par nature, l'amour d'autrui et la loyauté (la prise de conscience de son devoir) étant en lui innés. Il plaçait la bonté en principe premier de l'autorité.

Très tôt, le confucianisme s'est imposé en Chine comme un soutien idéologique au culte rendu à l'empereur et à l'État ; il manifestait parfois une extrême intolérance à l'égard du taoïsme de Lao-Tseu, et plus tard envers le bouddhisme. Son but était de s'imposer comme l'unique doctrine philosophique officielle de la Chine, une « religion d'État ». Plus tard, les pensées taoïste et bouddhiste influencèrent le confucianisme, qui devint plus métaphysique et spéculatif. Il était admis que dans l'homme luttaient les forces du bien (l'immatériel) et celles du mal (le matériel). De fait on admettait que l'homme puisse être à la fois esprit et matière.

Le confucianisme a connu de nombreuses réformes et interprétations, en particulier par les écoles du néoconfucianisme qui dispensaient « l'enseignement des principes » et « l'enseignement de la pensée », permettant d'accéder à la sagesse, et celui de « l'étude des choses » conduisant à l'inspiration. Bon nombre de juristes et de professeurs de droit public devenus célèbres sont issus de ces écoles.

En Europe, le terme a longtemps désigné l'ensemble de la philosophie officielle en Chine, du fait de la position de monopole acquise par le confucianisme.

Par son culte officiel et l'importance accordée aux offrandes faites au Ciel par l'empereur, le confucianisme présentait des caractéristiques religieuses. À la veille de la guerre civile, il s'est formé en Chine, en 1910, une Église confucéenne indépendante. Le confucianisme, en tant que représentation d'un idéal de vie dépouillé mais réaliste, faisait et fait encore autorité auprès d'une population de Chinois émigrés, surtout aux États-Unis, dans les pays du Sud-Est asiatique, et également au Viêtnam et en Corée. Il existe également dans plusieurs écoles une variante japonaise particulière du confucianisme, qui s'harmonise bien avec la religion d'État et avec le culte rendu à l'empereur au Japon. Aux yeux de beaucoup de Chinois, Confucius apparaît comme le garant d'une pérennité de la culture chinoise.

D'autres penseurs, sages et philosophes de renom se sont fait une belle réputation en Chine, à certaines époques, sans jamais pouvoir accéder à l'importance que prenaient globalement le confucianisme et le taoïsme. En pénétrant en Chine, le bouddhisme adopta de nombreux aspects de la religion chinoise traditionnelle qui n'appartenaient pas à son patrimoine spirituel, comme par exemple le culte des ancêtres et des morts, ainsi que le culte rendu à l'État ou à l'empereur. Le Bouddha *Amithaba (Amida)* est très vénéré en Chine car il est associé à l'ancien courant de la pensée chinoise qui prônait un ordre universel moral. Bon nombre de penseurs, dont l'éclectisme ne fait aucun doute, se sont attachés, à différentes époques, à parvenir à une synthèse des grands systèmes religieux et philosophiques de la Chine.

Confucius
Buste idéalisé, sculpture sur pierre, dynastie des Tang (618-907)
Musée régional de Taiyuan, province de Shanxi.

On ne possède du « maître Kung » aucun portrait historique comparable à celui-ci. Bien que les sciences politiques et la morale confucéennes aient connu au fil des siècles une orientation plus volontiers tournée vers les couches populaires, par le biais des « cent écoles », leurs normes, fondées sur une manière de penser noble, tendant vers un comportement éthique irréprochable, semblaient inadaptées au plus grand nombre. Sous la dynastie des Han (206 avant J.C. à 220 après J.C.) s'amorce une réflexion qui aboutit à un retour aux enseignements de Confucius, retenus comme doctrine officielle. La vénération du maître dans sa province de naissance, Qufu, de même qu'à l'Académie impériale, prend dès lors des allures de cérémonies officielles. Depuis, Confucius est représenté le plus souvent dans une posture digne, vêtu de la robe d'un dignitaire de la Cour ou d'un chancelier, dont la barbe atteste le grand âge et la grande sagesse.
La statue monumentale (plus grande que nature) de Taiyuan doit dater, sans doute, du IXe siècle, époque déterminante pour la renaissance du confucianisme (désignée aussi par néoconfucianisme).

LES RELIGIONS AU JAPON

Le shintoïsme, religion originelle du Japon, peut être considérée comme une religion animiste prônant un culte esthétique de la nature. Jusqu'à nos jours, la pensée japonaise est marquée par sa doctrine qui inclut une vénération pour les événements, personnages et actions remarquables, par le mythe d'Amaterasu, la déesse solaire dont la lignée aboutit à celle de l'empereur, ainsi que par le culte des âmes et des ancêtres. Le shintoïsme occupe une place pragmatique dans la vie quotidienne et joua un rôle très variable dans l'histoire du pays en raison de son ignorance des dogmes et de son syncrétisme intégrant des influences diverses. Religion d'État de 1868 à 1945, il fut déterminant dans la vie politique du pays.
Le bouddhisme se répandit au Japon dès le VIe siècle. Il prit des formes particulières qui fusionnèrent fréquemment avec la pensée nippone. Aujourd'hui, le bouddhisme japonais est très engagé au sein du Mouvement de la paix dans le monde.

LE SHINTOÏSME

Origine de la religion et culte des ancêtres

Les religions archaïques de Chine, du Japon et de Corée présentent de nombreux points communs tels que le culte des ancêtres, des éléments du chamanisme et la vénération des forces magiques de la nature.
Ces religions croient que l'âme reste en relation avec le corps charnel ou demeure près de lui après la mort et revient sous forme de démon ou de fantôme pour tourmenter les vivants si ceux-ci ne les apaisent pas par des offrandes et des invocations.
Ces notions sont étroitement liées à l'agriculture qui était un élément vital du pays. La terre était cultivée par des paysans sédentaires dépendants des cycles et des forces de la nature qu'il s'agissait d'influencer favorablement ou de dominer en usant de magie et de rites. Pour ce faire, les prémonitions climatiques et la géomancie jouaient un rôle essentiel tandis que des actes rituels – dont est issu le théâtre nô au Japon – étaient périodiquement accomplis.
Les hommes cherchaient à posséder la force magique qu'ils croyaient être à la base de tout accomplissement exceptionnel. Ils croyaient que les chamans et plus tard l'empereur, auquel furent attribués les fonctions de grand prêtre, étaient capables de maîtriser les énergies de la nature. Aujourd'hui encore, l'empereur japonais, le *tennô*, récite des prières tourné en direction des quatre points cardinaux, durant une cérémonie qui a lieu la nuit du nouvel an, afin de rétablir l'ordre de l'univers et d'assurer la prospérité de l'année qui commence. Traditionnellement, le pouvoir des empereurs de Chine et du Japon était moins de nature politique qu'éthique puisqu'ils avaient les fonctions de gardiens de l'ordre cosmique.
L'être humain et l'univers étant tous deux issus de l'union sexuelle des dieux, hommes, dieux, et forces de la nature ne se différencient pas dans leur nature propre, mais dans leur degré de puissance. Par conséquent, les rites de magie pratiqués la nuit du nouvel an japonais sont destinés à suspendre le temps et à reconstruire le cosmos – deux actions que les hommes sont capables d'accomplir.
Les rites du culte des ancêtres, souvent différents selon les régions, visent des résultats immédiats : écarter les dangers, obtenir le bonheur et la prospérité et guérir les maladies.
Pour que les ombres des morts (des ancêtres) soient bien disposées envers les humains, des offrandes de nourriture leur sont faites et leurs noms sont évoqués au cours de cérémonies cultuelles périodiques, tels les repas rituels qui servent à conserver et renouveler le lien avec les ancêtres. Dans la croyance japonaise, ils habitent les montagnes en hiver, viennent dans les rizières au printemps pour surveiller les récoltes et retournent dans les montagnes après avoir reçu leurs offrandes.

Shinto : la notion et les mythes

Le shintoïsme peut être décrit comme une religion animiste. Son nom, qui signifie littéralement « voie des dieux », ne fut toutefois appliqué à la croyance existant au Japon qu'à partir du VIe siècle

Cérémonie shintoïste
Prêtres durant une cérémonie d'offrandes devant le sanctuaire d'Isé

Le sanctuaire d'Isé, dédié à la déesse du soleil Amaterasu, est le lieu national du culte shintoïste au Japon. Le miroir octogonal, « source originelle du cœur pur », est conservé dans le temple intérieur qui se dresse au milieu d'une forêt de cèdres. Selon la tradition, les objets cultuels sont renouvelés et les soixante-cinq bâtiments du sanctuaire rasés tous les vingt ans pour être reconstruits par chaque génération. La légende relate que la déesse du soleil Amaterasu aurait exprimé elle-même le désir de vivre à Isé, le « pays des vents divins », et aurait également conseillé les bâtisseurs du sanctuaire. Les sanctuaires shintoïstes d'Isé et d'Izumo sont des modèles caractéristiques de l'architecture traditionnelle japonaise.

Grand prêtre japonais

Le shintoïsme est aujourd'hui principalement un culte de la pureté comprenant de nombreux tabous qu'il s'agit de ne pas enfreindre, notamment dans les choses concernant la mort. Avant chaque cérémonie, le prêtre accomplit de nombreux rites de purification physique et spirituelle (*misogi, haraï*) afin de restaurer la « pureté de l'âme » initialement présente dans la nature humaine. Durant la cérémonie, les dieux sont salués et traités comme des invités d'honneur ; il s'incarnent également dans les objets cultuels (*shintai*) devant lesquels sont placées les offrandes rituelles : branches de l'arbre sakaki, symboles des prémices, donc de l'essence divine, bols de riz et d'alcool de riz (*sake*). Les cérémonies s'accompagnent fréquemment de danses cultuelles (*kagura*) et de prières rituelles (*norito*). La plupart des fêtes shintoïstes ont une origine agraire.

après J.-C., afin de la distinguer de la « voie du Bouddha », référant au bouddhisme qui commençait à se répandre dans le pays. Le shintoïsme, qui constitue la base de la vie spirituelle japonaise, est profondément enraciné dans la conscience nationale.

Le mythe archaïque de la création du Japon aide notamment à comprendre cette identité nationale et l'importance de l'empereur dans la religion. Une divinité originelle donna naissance au couple divin Izanagi et Izanami et leur ordonna de créer et organiser le monde (le Japon en étant le centre) ainsi que d'ériger la colonne céleste ou axe de l'univers qui relie le ciel à la terre.

Le pays est issu de l'union sexuelle du couple de divinités qui incarne la dualité des principes du monde – analogue au *yin* et au *yang* chinois. Alors qu'Izanagi se purifiait dans le fleuve, son œil engendra Amaterasu, déesse du soleil, qui serait la première ancêtre de la dynastie impériale encore régnante aujourd'hui. Son arrière-petit-fils est le légendaire Simmu Tennô, premier souverain du Japon, dont l'empereur actuel est un descendant direct.

Le shintoïsme considère que l'univers est formé par le jeu d'énergies indestructibles apparaissant en un changement constant dans les phénomènes naturels et que ceux-ci sont des divinités qu'il convient de vénérer pour obtenir leurs faveurs. Leur nombre infini ne cesse d'augmenter, puisque les ancêtres ainsi que les grands héros de la culture et de l'histoire deviennent également divins. Robert Koch, par exemple, découvreur du bacille de la tuberculose, fait partie du panthéon shintoïste. Le culte comprend des offrandes, notamment de mets et de fruits, ainsi que la récitation de prières, *norito,* pour obtenir de bonnes récoltes, la protection contre les maladies et la paix dans la maison.

Le shintoïsme ne connaît pas d'au-delà qui serait un monde de récompenses ou de punitions. Il n'a ni système dogmatique ni doctrine, mais se pratique selon un culte rituel dont la nature représente la notion centrale. Il s'agit de réaliser l'« harmonie » grâce à un profond attachement intérieur pour la nature, une grande sensibilité notamment envers sa beauté esthétique. L'objectif est de ne jamais lui nuire quelles que soient les circonstances : « Le caractère sacré de la nature et de la vie constitue le fondement du shintoïsme » (Thomas Immoos).

Les êtres puissants et invisibles que l'on vénère sont appelés *kami*. Ce mot japonais ancien qui signifie divinité ou essence divine ne désigne pas seulement des êtres mais aussi des forces ou des principes, et peut être également traduit par « le plus haut ».

Chaque divinité, ombre ou phénomène naturel possède une âme renfermant deux énergies contraires, l'une bienfaisante qui s'oppose à l'autre, malfaisante, qu'il s'agit d'amadouer par la pratique du culte.

À l'origine, le shintoïsme ignore la notion de révélation ou de puissance transcendantale, mais fonde sa croyance sur la puissance humaine. Par conséquent, les rites et les coutumes servent surtout à maîtriser l'existence et à augmenter ses propres capacités, ce qui peut expliquer l'importance de la productivité dans la société japonaise.

Sanctuaire sur l'île Miyajima

Une notion majeure du shintoïsme est la croyance en des millions d'êtres divins (*kami*) occupant le ciel et la terre. Tout ce qui est remarquable, beau ou de nature exceptionnelle est nommé divin ; en bref, tout ce qui éveille un sentiment de profond respect. De ce fait, les beautés naturelles, les montagnes, la mer, les hommes, les animaux et les plantes peuvent devenir des divinités. Ces dieux sont vus comme des esprits qui habitent les sanctuaires ou s'y rendent pour y être vénérés. Un symbole des sanctuaires shintoïstes est constitué par les portes (*torii*) dont les plus simples consistent en deux piliers supportant une poutre. Chaque temple possède au moins une porte à l'entrée, mais on en trouve fréquemment plusieurs sur le chemin bordé de lanternes qui mène au lieu sacré.

Le shintoïsme est une religion très particulière. Ne possédant pas d'éthique propre, elle s'appropria plus tard, en grande partie, celle du confucianisme.

Par ailleurs, outre la vénération de la nature, ses notions originelles comprennent l'observance de la pureté cultuelle et son reflet dans l'âme humaine grâce à la valeur capitale qu'est le *makoto*, la sincérité intérieure. La pureté, élément essentiel de la vie, fait du shintoïsme une véritable « religion de la purification ».

Outre l'absence d'éthique – ce qui ne signifie pas absence de moralité –, toutes les spéculations métaphysiques laissent le pas à un sens de l'esthétique et à un fonctionnalisme pragmatique. Au travers de la pureté intérieure, le shintoïsme recherche la simplicité dans la vie et l'harmonie avec la nature. Il ne renferme pas de notion définie d'une vie après la mort hormis le rite des offrandes de nourriture aux disparus.

L'archaïque et le moderne se côtoient étroitement au Japon – ce que la pensée européenne comprend difficilement. Par exemple, la construction des édifices les plus avant-gardistes s'accompagne toujours de cérémonies religieuses traditionnelles. Dans cette « religion de l'optimisme national », les gens prient autant pour une terre fertile et la disparition du mal que pour obtenir des succès financiers et professionnels.

Par son travail, l'homme peut participer à l'action des forces divines sur le monde. L'éthique du travail et le nationalisme japonais – qui fut parfois excessif – sont profondément enracinés dans le shintoïsme, de même que la loyauté inconditionnelle – beaucoup moins aujourd'hui – à la maison impériale.

Lieux de culte et sanctuaires

Les lieux de culte originels n'étaient que des espaces carrés, marqués par des piquets en bambou entre lesquels on tendait des cordes de paille. Les dieux s'installaient dans un arbre ou une pierre sur ces espaces.

L'emplacement sacré, reconstruit avant chaque fête, était le plus souvent situé sur une montagne puisque les dieux descendaient du ciel. Au fil du temps, les croyants aménagèrent des emplacements permanents dont les premiers furent des enceintes en pierre, *wakura*, précédées d'une place destinée aux danses rituelles.

Plus tard on construisit des édifices tels que des sanctuaires pour abriter les objets de culte – miroir, sabre et pierres taillées qui symbolisaient la présence divine.

Cette évolution aboutit à l'édification au cœur de l'endroit sacré d'un « saint des saints », *honden*, qui personnifie la présence divine et devant lequel sont déposées les offrandes. Les prêtres pratiquent le culte dans un bâtiment plus vaste situé juste devant le honden. Les grands sanctuaires possèdent également un autre bâtiment réservé aux danses rituelles.

L'ensemble est souvent entouré d'une haie servant à délimiter l'espace profane tout autour de l'emplacement sacré, où l'on pénètre par un portail en bois formé de deux piliers. Ce portail est appelé *torii*, c'est-à-dire « maison des oiseaux » car, selon la croyance, il est le lieu de repos des esprits des morts qui entrent dans les corps des oiseaux.

Le premier lieu de culte shintoïste est le sanctuaire d'Isé qui fut également le centre spirituel du shintoïsme dans l'histoire du Japon.

Il est dédié à la déesse solaire Amaterasu, première ancêtre de la famille impériale.

Rites et célébrations shintoïstes

La fête principale du shintoïsme est appelée *matsuri* (de *matsu*, « attente de l'arrivée des dieux »). La matsuri a pour objectif de renouveler la force vitale qui circule entre les hommes et les dieux. Les dieux apparaissent durant la célébration et prennent possession des acteurs qui jouent dans le drame cultuel issu des danses rituelles.

Le scénario décrit les espoirs mis dans la nature pour l'année à venir et comprend cinq actes :

- purification rituelle,
- appel aux dieux,
- offrandes propitiatoires,
- union des hommes et des dieux,
- départ des dieux.

Le sens de cette célébration est de renouveler les forces vitales des dieux, des hommes et de la nature par le retour rituel aux origines. Les rites importants de nouvel an célébrés dans l'est de l'Asie participent du même esprit ; ils appellent au renouvellement de la vie et du cosmos, au Japon notamment à travers la prière « prémonitoire » de l'empereur.

Chaque fête shintoïste commence par l'aménagement d'un endroit sacré : quatre pieux en bambou sont plantés dans la terre et reliés par des cordes en paille sur lesquelles voltigent des bandes de papier blanc découpées selon un cérémonial établi. Le papier blanc symbolise la présence divine, ce qui explique pourquoi le mot « kami » signifie aussi bien divinité que papier. L'endroit sacré, nommé *niwa*, « jardin », est le plus souvent situé dans une clairière qui, avec la forêt et le chemin, constitue une des notions majeures du shintoïsme.

Aux quatre pieux en bambou symbolisant les points cardinaux (comme dans la pensée chinoise) s'ajoute un cinquième pieu de signification très importante. Planté au centre de l'endroit sacré, il représente la colonne céleste ou axe de l'univers, d'où son nom *yama* qui signifie montagne. Cet endroit, symbolisé également par l'« arbre de vie », *matsu*, est réuni à la source de la montagne car la vie prend sa source au point culminant de la montagne qui devient la montagne de l'univers.

Durant la célébration, la montagne ou l'arbre deviennent le siège des dieux ; ils évoquent également l'axe de l'univers érigé par le couple de dieux créateur : comme dans la pensée chinoise, l'axe du monde relie le ciel et la terre. Les danses et le drame cultuel sont interprétés autour de ce milieu sacré. Puisque la source de vie appartient à la montagne du monde, et donc à l'axe de l'univers, le shintô originel est étroitement uni au culte de la montagne et de l'eau. L'eau est l'élixir de vie et symbolise la fluidité, la potentialité, l'énergie purifiante et la nouvelle création.

La célébration de la matsuri évoque également les deux principes antagonistes dans la nature – équivalents aux yin et yang chinois – dans une manifestation appelée *Agon*, qui comprend divers jeux, courses, compétitions de nô et luttes au cours desquels s'affrontent les différentes corporations organisatrices de la fête. Dans cer-

Jeux de compétition
Festival Jidai à Kyôto

Les jeux rituels entre les corporations (*za*) qui consistent souvent en courses entre les chars richement décorés de deux parties adverses sont un élément traditionnel du shintoïsme.
Ces compétitions (*kenka-matsuri*) se déroulent selon des règles transmises par la tradition. L'enjeu est de savoir auquel des deux groupes, luttant pour les faveurs d'un même dieu, la volonté divine accordera la victoire.
La suspension symbolique de l'ordre et du temps terrestres joue un rôle capital dans ces célébrations.
Les premiers textes shintoïstes écrits au VIIIe siècle relatent déjà des combats entre les divinités. C'est ainsi que Susanoo, dieu violent de l'orage, enferme la déesse solaire bienveillante Amaterasu dans une caverne dont elle ne sortira qu'avec l'aide de « huit cents myriades de dieux » pour répandre de nouveau la lumière du soleil sur la terre.

Samouraïs en 1870
Photographie historique

À partir du XIIIe siècle, les membres de la caste héréditaire des guerriers devinrent les vassaux des princes puissants auxquels ils vouaient une soumission absolue. Leur code d'honneur rigoureux (*Bushidô* : Voie du guerrier), marqué par la transmission religieuse et historique, soutint jusqu'au XIXe siècle le système féodal de clans qui formait l'État japonais.

taines régions, une course téméraire entre deux chars décorés d'insignes rituels conduits par des jeunes gens constitue l'une des épreuves.

Les acteurs des drames cultuels et du théâtre nô portent les célèbres masques japonais personnifiant diverses divinités. Ce sont toujours des hommes, et ils interprètent également les rôles féminins. Les plus anciens masques nô japonais datent du VIIe siècle ; symboles des dieux, ils sont souvent conservés dans les sanctuaires. Les dieux invisibles se manifestent dans des masques très expressifs. Ceux-ci ne servent donc pas à dissimuler, mais au contraire à conférer une apparence visible aux dieux ou aux esprits des morts. Ils incarnent le sacré, l'essence divine, dans le drame cultuel.

L'histoire du shintoïsme

Le shintoïsme est né d'une fusion des usages autochtones japonais et des concepts d'émigrants venus du continent asiatique et des îles des mers du Sud.

Les coutumes shintoïstes sont mentionnées pour la première fois dans la période Yayoi (250 avant J.-C.-300 après J.C.).

Plus tard, un peuple nomade d'Asie centrale introduisit les symboles majeurs du shintoïsme au cours de l'époque Yamato (300-710 après J.-C.). Il s'agit des trois « trésors sacrés » : le sabre, le miroir du soleil et les joyaux d'Amaterasu.

C'est au cours de cette période que la dynastie impériale s'affirma au sein d'une population qui était organisée en clans et c'est à la même époque que furent construits les sanctuaires d'Izumo et d'Isé. Des notions issues du confucianisme et du taoïsme intégrèrent le shintoïsme tandis que s'instauraient les rites autour de la maison impériale qui devint gardienne du culte shintoïste à partir de 645. Les idées chinoises, notamment la polarité yin-yang exprimée au Japon par la lumière et l'ombre, prirent une place primordiale dans le shintoïsme.

Au Xe siècle, le shintoïsme était devenu un système religieux élaboré avec des mythes, des rites, une organisation de prêtres et trois mille cent trente-deux sanctuaires placés sous l'administration impériale. L'empereur assurait de plus en plus la fonction de chef spirituel alors que les princes de la maison impériale et plus tard les shoguns augmentaient leur pouvoir dans le gouvernement du pays. Les cinquante volumes de l'*Engishiki* consignant la tradition shintoïste furent écrits à cette époque.

À partir du Xe siècle, le shintoïsme subit un profond changement avec l'expansion du bouddhisme. Les moines bouddhistes reprirent de nombreux sanctuaires shintoïstes et donnèrent une nouvelle interprétation à la religion sans pour autant la réfuter ou la détruire. Les divinités shintoïstes furent identifiées aux bouddhas et bodhisattvas tandis que se développait le *Ryôbu-shintô* (shintoïsme à deux aspects) qui assimilait le bouddha cosmique Vairocana à la déesse solaire Amaterasu.

À partir du XIIIe siècle, les prêtres shintoïstes traditionnels entreprirent une résistance massive, dont le centre fut le sanctuaire d'Isé, pour libérer le shintoïsme originel des influences religieuses étrangères.

Au XVe siècle, le shintoïsme yoshida considérait que le shintoïsme était la source de toutes les religions, et que les pensées confucianiste, taoïste et bouddhique en découlaient. Le culte d'un dieu central, qui s'était déjà ébauché, prit corps : ce fut la divinité Taigen Sonjin, le « Dieu sublime ». C'est au cours de cette période de troubles politiques et religieux que Kitabatake Chikafusa (1293-1354) avait écrit son ouvrage célèbre sur le règne du dieu-empereur, *Jinno-shoto-ki*, qui établissait les bases d'une conscience nationale unifiée et d'une idéologie politique fondée sur le shintoïsme.

À l'époque Edo (1600-1867), les tendances nationalistes conduisirent à une synthèse du shintoïsme et du confucianisme dont les conséquences furent le culte de l'État et de l'empereur ainsi qu'une nette démarcation entre le shin-

Masque nô
Masque de la gueule du lion porté dans le théâtre nô

Issu des drames cultuels interprétés devant les sanctuaires, le nô est le théâtre classique du Japon : sa langue, son langage mimique et sa musique suivent des règles rigoureuses. Tout l'art du nô se réalise dans l'unicité acteur-parole-geste-musique-costume. Le monologue prédominant évoque le tourment intérieur de l'homme. Les décors sont réduits à la plus simple expression pour ne pas détourner la concentration. Tous les rôles, y compris féminins, sont incarnés par des hommes et suivent des schémas très précis. Outre les simples mortels, les personnages du nô incluent des dieux, des démons, des prêtres et des moines. Il existe plusieurs écoles traditionnelles de théâtre nô, institutions hautement considérées qui s'attachent au développement de son esprit philosophique et religieux.

toïsme et le bouddhisme et taoïsme. L'« âme du Japon » n'admettait désormais plus aucune influence étrangère, notamment celles provenant de Chine. Ce développement aboutit à une politique délibérée d'isolement.

Lorsque l'empereur reprit les rênes du gouvernement durant l'époque Meiji (1867-1912), le shintoïsme fut la base spirituelle de la modernisation opérée à l'intérieur du pays et de l'expansion militaire et économique vers l'extérieur.

Le sanctuaire Kashikodokoro fut édifié en 1869 dans le palais impérial où l'empereur agissait en qualité de grand prêtre du shintoïsme national. L'État japonais fut assimilé à la « famille impériale » unissant la nation, le peuple, l'empereur et les dieux. Ces notions marquèrent l'impérialisme nippon à partir de 1890 ; les Japonais étaient appelés à régner sur le monde – du moins dans l'espace asiatique – en vertu de la volonté divine. Le culte shintoïste national exigeait une loyauté et un esprit de sacrifice absolus à l'égard de l'empereur et de la nation, ce qui contribua au despotisme japonais en Asie et à la catastrophe de la Seconde Guerre mondiale. En raison de ses connotations négatives, les autorités d'occupation interdirent le shintoïsme comme religion d'État en 1945.

Formes du shintoïsme

On peut identifier quatre formes fondamentales du shintoïsme.

- Le shintoïsme populaire (*minkan shintô*), pratiqué dans les villages et à l'intérieur des foyers. Les phénomènes naturels et les cycles agraires y jouent un rôle prépondérant de même que les « lieux », terre, eau, montagne et forêt. Le culte, destiné notamment à chasser les démons et obtenir une terre féconde, est pratiqué différemment selon les régions.
- Le shintoïsme des sanctuaires (*jinga shintô*), appelé aujourd'hui shintoïsme national, est une religion à l'organisation rigoureuse qui s'imposa durant l'époque Meiji lorsque le rétablissement du pouvoir impérial renforça le culte. Des 218 sanctuaires nationaux et 110 000 sanctuaires régionaux édifiés jusqu'en 1945, il en existe encore environ 80 000 aujourd'hui.

Ces sanctuaires, qui bénéficiaient du soutien de l'État, affirmaient un nationalisme prononcé. À partir de 1945, le shintoïsme national, « religion officielle », se développa également en un « shintoïsme académique » (*fukko shintô*) qui possède une doctrine élaborée et se préoccupe de recherches littéraires.

***Moines bouddhistes zen jouant du* shakuhachi *(flûte en bambou) et demandant l'aumône* (komuso)**

Depuis la fin de la Seconde Guerre mondiale, les bouddhistes japonais sont surtout engagés dans des œuvres sociales caritatives et des mouvements en faveur de la paix. Les aumônes collectées servent à soutenir des projets sociaux tels que hôpitaux, écoles et jardins d'enfants. Bien que de formes très différentes, les sectes et écoles bouddhiques japonaises sont unies dans leur profond pacifisme et leur amour du prochain pragmatique.

- Le shintoïsme d'État (*kokka shintô*), qui provient du shintoïsme des sanctuaires, était étroitement lié au shintoïsme impérial (*koshitsu shintô*). Le tennô y était vénéré en tant que descendant de la déesse solaire Amaterasu et des ancêtres impériaux. On obéissait aux dieux en montrant une loyauté absolue envers l'empereur et la nation. Le shintoïsme d'État, à la croyance fortement monothéique, mettait l'accent sur la divinité de l'empereur puisqu'il était issu de la lignée directe de la déesse du soleil.

La célébration shintoïste dite « matsuri » fut associée au terme *matsurigoto* qui signifie « régner ». Le shintoïsme ne s'apparentait plus à une religion, mais était un véritable « culte national » professant la pureté éthique et la sincérité du « cœur intègre ».

Édifié à Tokyo après la mort de l'empereur Meiji (1912), le sanctuaire Meiji prit une importance politique aussi considérable que celle du sanctuaire Yasukuni où l'on commémore aujourd'hui les soldats japonais morts durant la Seconde Guerre mondiale. Rendu en partie responsable de la tyrannie que le Japon avait fait subir aux pays asiatiques dans les années 30 et 40, le shintoïsme d'État fut interdit en 1945 par les puissances alliées qui imposèrent en outre la séparation de l'État et de la religion. Depuis les années 50, le shintoïsme national est redevenu un courant religieux qui aspire à une vie d'« harmonie » dans le respect de la nature et des dieux.

- Le shintoïsme sectarien (*shûha shintô*) comprend aujourd'hui treize sectes reconnues et une centaine de sous-sectes issues du shintoïsme populaire depuis le XIXe siècle. Ces sectes, en grande partie ésotériques, furent fondées par des

Temple de Zenkoji à Nagana

À l'opposé des sanctuaires shintoïstes, les temples bouddhiques sont richement décorés, notamment de précieuses images cultuelles et statues du Bouddha. Le bouddhisme japonais s'appuie sur l'aspect pragmatique de la pensée religieuse depuis que le prince Shotoku l'introduisit dans le pays au début du VIIe siècle. Le culte bouddhique au temple sert surtout la vie terrestre ; il comprend des pratiques de guérison (bouddha guérisseur) et des prières adressées à « Kwannon la Compatissante » pour implorer de bonnes récoltes ou des succès professionnels. Les cérémonies pratiquées en public par les moines ont intégré maintes coutumes populaires, ce qui a modifié la doctrine originelle. Le bouddha archaïque Vairocana, le bouddha Amida qui conduit à la délivrance, et Yakushi, médecin des âmes et des corps, occupent le haut du panthéon bouddhique japonais.

personnages charismatiques (fréquemment d'origine paysanne) durant les temps de crise. Il en est de même des « nouvelles religions », nées après la Seconde Guerre mondiale, qui occupent une place importante dans le Japon actuel.

LE BOUDDHISME AU JAPON

Le bouddhisme zen

Le bouddhisme apparut au Japon au VIe siècle (538) et fut vite adopté par la maison impériale et la noblesse. Il s'adapta rapidement à la religion autochtone pour devenir une composante de la religion officielle d'État. La plupart des bouddhistes japonais étaient de grands érudits qui jouissaient d'une haute considération. À partir du VIIIe siècle, le bouddhisme se divisa en plusieurs écoles dont les deux principales, Tendaï et Shingon, entrèrent en rivalité.

L'école Tendaï fut fondée par Saichô ou Dengyô Daishi (767-822) qui était très proche de la pensée chinoise. Il reprit la théorie du vide élaborée par Nâgârjuna dans le bouddhisme mahayaniste ainsi que l'enseignement du Sûtra du lotus (la Loi sublime) d'origine chinoise.

Kôbô Daishi (774-835), fondateur de l'école Shingon, introduisit le bouddhisme tantrique au Japon et enseigna des pratiques magiques dans son école ésotérique. Il reprit l'enseignement des trois corps du Bouddha et propagea la vénération du bouddha cosmique Vairocana.

L'amidisme, apparu au XIe siècle au Japon, se partageait en quatre écoles qui se nommaient « écoles de la Terre pure ». Leur enseignement qui professait que l'accès à la « Terre pure » pouvait se réaliser dans la vie terrestre et non pas seulement après la mort, était très proche de la pensée japonaise.

Vers la fin du XIIe siècle, le bouddhisme se répandit dans toutes les couches de la société japonaise et devint un mouvement populaire, grâce notamment à l'amidisme.

Le bouddhisme zen est la voie de la méditation qui mène à la délivrance obtenue grâce aux forces personnelles de chacun. Sa théorie de l'Éveil, issue de l'école Tendaï, en fit la religion de la caste des guerriers, en vertu de ses préceptes préconisant la discipline corporelle et spirituelle, le courage du sacrifice et le mépris des souffrances physiques. Ainsi, le bouddhisme zen fut très tôt associé au *Bushidô* « la voie du guerrier ».

Le zen constitue davantage une technique de méditation et une « attitude » qu'une doctrine dogmatique. Il s'appuie sur la force du silence, le recueillement, la concentration et la maîtrise de toutes les passions, et refuse les spéculations et la magie.

Le zen, qui se définit comme la forme pure du bouddhisme, a pour idéaux la simplicité et la droiture. Son enseignement fut notamment développé par les maîtres Eisai (1141-1215) et Dogen (1200-1253), pour lesquels le zen était une façon d'atteindre à l'Éveil sous la conduite d'un maître grâce à l'autodiscipline.

Les pratiques de méditation, *zazen*, ont pour objectif de réaliser l'Éveil soudain, *satori* ; cette métamorphose existentielle, décrite comme « mort et renaissance », repose davantage sur l'empirisme que sur le dogmatisme. Le zen use fréquemment de contradictions et de paradoxes

Kwannon, la Compatissante

La divinité féminine Kwannon, très vénérée dans le pays, est identifiée au Japon et en Chine au bodhisattva Avalokiteçvara qui retarde son accès au nirvâna pour aider les autres êtres vivants à atteindre la délivrance.

Cérémonie du feu bouddhique

Comme le culte du shintoïsme interdit tout contact avec les cadavres, impurs puisque putrescibles, les services funéraires et les cérémonies d'enterrement sont pratiqués par les moines bouddhistes qui obtiennent ainsi des revenus. Les cimetières sont également le plus souvent situés autour de temples bouddhistes. La fête annuelle de l'*Obon*, qui a lieu en août, a pour objet la vénération des ancêtres et des défunts. Les moines bouddhistes y prient pour les âmes bien que le bouddhisme originel ne connaisse pas le principe de l'âme. Lors de l'Obon, des feux sur les collines ou devant les maisons invitent les âmes des ancêtres à revenir dans leurs foyers, où leurs retrouvailles avec leurs descendants sont fêtées durant deux jours et se terminent par une cérémonie solennelle d'adieu.

pour souligner son scepticisme envers ce qui est purement intellectuel. Le but à atteindre est la libération du soi qui permet de s'ouvrir à la Loi sublime de l'univers : l'éveillé peut alors recevoir le « cœur du Bouddha », cœur du monde, dans son propre cœur.

Nichiren

Nichiren Daishonin (1222-1282), personnage controversé qui fit l'amalgame entre nationalisme et bouddhisme japonais., fut un réformateur dynamique et agressif qui chercha à débarrasser le bouddhisme Tendaï de ses aspects mystiques et magiques.

Il croyait qu'il avait atteint la boddhéité et voyait dans le Sûtra du lotus la clé de la délivrance, dont la voie était moins la méditation que la récitation de son propre titre : « Soleil Lotus ».

Nichiren développa la doctrine d'une révélation apocalyptique, et qualifia son époque d'ère de la décadence. Chaque mot du Sûtra du lotus possédant une âme au pouvoir magique, *kotodama*, il constitue en soi-même un bouddha.

Nichiren s'opposa avec virulence et intolérance à toutes les autres écoles bouddhiques et réclama que l'État poursuive et détruise ses adversaires. Impliqué dans les conflits de son temps, il fut condamné à mort, mais ensuite gracié et banni. Par ses tendances nationalistes extrêmes, il conféra au Japon le rôle d'émissaire dans l'histoire du monde. L'école de Nichiren devint le troisième courant principal du bouddhisme japonais aux côtés de l'amidisme et du zen.

Les religions dans le Japon actuel

Aujourd'hui, les bouddhistes japonais – aux côtés des autres bouddhistes d'Asie de l'Est et du dalaï-lama tibétain – occupent une position prépondérante au sein du mouvement œcuménique prônant le dialogue entre les religions ainsi que dans le Mouvement de la paix mondiale.

Une multitude de sectes dites « religions nouvelles » se créèrent dès la fin du XIXe siècle, mais se développèrent plus intensément après la Seconde Guerre mondiale. Leurs doctrines, fondées sur des éléments modifiés du bouddhisme et du shintoïsme, sont également influencées par le christianisme et autres religions. Leurs fondateurs et fondatrices, s'identifiant à des prophètes charismatiques, prétendent donner une interprétation nouvelle à la vérité originelle.

LE JUDAÏSME

Le judaïsme, religion choisie ou héréditaire, a pour principe fondamental l'alliance du dieu unique (Jahvé) avec les hommes qu'il a créés et à qui il a donné ses commandements. L'Alliance divine conclue avec Noé puis avec Abraham conduisit à l'alliance avec Moïse à qui Dieu confia la Torah – la Loi et les doctrines fondamentales du judaïsme. Peuple élu, les Juifs ont une obligation particulière de suivre les commandements divins. Dieu parle aux hommes par la voix des prophètes. Ce lien dialogique entre l'homme et Dieu imprègne la vie quotidienne et le cycle des fêtes religieuses de l'année juive ; il réconforte et fortifie dans les temps mouvementés et les épreuves que l'histoire a infligés aux Juifs. Une croyance messianique profonde et la promesse divine de la Terre sainte déterminent la pensée historique juive.

DIEU ET SON PEUPLE : RÉVÉLATION ET ALLIANCE

La tradition de l'Alliance

La création du monde n'apparaît en fait que comme un événement introduisant l'Alliance de Dieu avec les hommes, au départ avec Abraham et les patriarches. Dieu établit un dialogue personnel avec les hommes qu'il a créés et définit sa présence réelle (Jahvé : « Je suis celui qui suis »). Le judaïsme comprend cette Alliance sous une forme très active : l'homme n'est pas seulement un objet passif de la grâce ou du dessein divin, il est appelé à participer et à prendre ses responsabilités. Il doit travailler à son Salut en menant une vie digne qui lui permette d'y accéder.

Toute la Création repose sur ces deux pôles : Dieu et l'homme. Cette tradition dialogique de l'Alliance touchant à la rencontre sans cesse répétée entre Dieu et l'homme implique que le judaïsme n'a pas besoin d'intermédiaires, d'intercesseurs particuliers auprès de Dieu comme c'est le cas pour le christianisme avec Jésus et pour l'islam avec Mahomet.

Dieu a choisi Abraham, patriarche d'une famille, pour conclure l'Alliance (Genèse 17, 1-8) et le peuple juif se considère comme descendant d'Abraham. Plus vaste, l'Alliance avec Moïse englobe le peuple entier d'Israël (Exode 6, 2-8). Mais le père de l'humanité étant Noé, survivant du Déluge, l'Alliance a finalement été conclue avec tous les hommes ; tous peuvent donc obtenir la délivrance à condition de suivre la Loi.

L'Alliance est indissoluble, même si l'homme ne répond pas toujours aux exigences divines. Puisque Dieu a préparé la voie en libérant le peuple d'Israël de l'esclavage égyptien pour le conduire en Terre promise, les Juifs se croient soumis à un jugement plus sévère quant à leur foi et plus durement punis pour leurs fautes que les autres peuples. Ainsi l'Alliance est due au mérite des ancêtres qui ont eu la foi – notamment Abraham et ses descendants – et constitue autant une haute distinction qu'une charge et un devoir.

L'élection

Depuis les temps de la Bible, cette doctrine de « peuple élu » constitue un mystère. Elle l'est aussi et peut-être même davantage pour le judaïsme, car cette élection ne découle pas de mérites innés du peuple d'Israël, mais uniquement de la volonté insondable de Dieu. Dieu, créateur de toutes choses, est le Créateur et le Père de tous les hommes, mais si l'on considère l'Alliance et l'élection, il est aussi, en tant que dieu de l'Ancien Testament, le dieu d'un peuple, celui d'Israël, qu'il a librement choisi.

L'élection est comprise dans le sens d'« affinité » avec Dieu ; elle n'accorde pas une place privilégiée au peuple d'Israël, et exige au contraire de lui une obligation particulière d'observer les commandements divins.

C'est ainsi que le malheur vécu par les Juifs depuis l'Exil (70 après J.-C.) est associé à l'idée d'élection dans la tradition juive. Le peuple d'Israël n'a pas plus péché que les autres peuples, mais a été plus durement châtié pour ses fautes. En revanche, sa culpabilité provient d'échecs au cours de l'histoire et non pas du péché originel comme dans le christianisme.

Sortie des animaux de l'arche de Noé
Gravure sur cuivre en couleurs, XVIIe siècle

Le premier livre de la Bible relate le déluge que Dieu fit s'abattre sur la terre pour punir les hommes qui lui avaient désobéi. Il ordonna à Noé de construire une arche pour lui et les siens et d'emmener des couples de chaque espèce d'animaux. Dieu conclut avec Noé et sa descendance une alliance qui garantit l'ordre de la Création et dont l'arc-en-ciel est le signe. L'humanité reçut un nouveau départ qui n'était pas un retour au paradis originel, mais le début des temps historiques.

LA NOTION JUIVE DE DIEU

L'Unique – Jahvé

Le propos central de la notion divine juive est l'unicité absolue de Dieu. Le verset le plus explicite à ce sujet est le *Schema Israël* (Deutéronome 6, 4 : « Écoute, Israël ! L'Éternel est notre Dieu, l'Éternel est un »), qui est la profession de foi et la prière principale du judaïsme.

Dans « Écoute Israël » se révèle également le Dieu dialogique de l'Alliance, qui communique personnellement avec son peuple et l'exhorte à écouter (non pas à voir).

Un des noms de Dieu est « l'Éternel », qui traduit son ubiquité ; Jahvé est début et infini : « Je suis le premier et je suis le dernier » (Esdras 44, 6). Il n'est pas seulement le Créateur qui a tout créé à partir de rien (début) mais aussi le Rédempteur à la fin des temps et le meneur omniprésent de l'histoire.

Un commandement interdit de représenter Dieu sous forme d'image. À l'origine, il fut dicté par le besoin de se protéger contre l'iconolâtrie païenne. Ce commandement devait empêcher l'utilisation et l'appropriation de Dieu au moyen de l'image (idolâtrie), c'est-à-dire empêcher que quelqu'un puisse intervenir dans sa puissance créatrice.

Les hommes peuvent s'adresser à Dieu, mais on ne peut le restreindre à un nom : définir Dieu par un nom serait délimiter son essence absolue. Outre l'appellation Jahvé (JHWH), Dieu est également évoqué par Jéhovah (« Seigneur »), Adonaï, El et Élohim.

Dans le judaïsme, l'unicité de Dieu vient de la parole même de Jahvé et n'a pas de connotation philosophique. Abraham fut le premier à reconnaître un dieu unique dans un environnement polythéiste.

Le péché fondamental contre Dieu comprend son reniement, l'adoration d'autres dieux ou idoles, ainsi que l'adoration de toute représentation figurative de Dieu, illustrée notamment dans l'histoire de « la danse du Veau d'or » (Exode 32).

Dans l'histoire biblique, le monothéisme résulte d'une évolution. De nombreux passages de l'Ancien Testament décrivent le combat de Jahvé contre les dieux des peuples de l'ancien Orient, notamment contre le dieu babylonien Baal et les dieux égyptiens (voir Exode 12, 12, où Jahvé annonce son châtiment contre les dieux d'Égypte).

Ce n'est qu'avec le prophète Ésaïe et la réforme cultuelle du roi Josias à la fin de l'Exil babylonien que le monothéisme, introduit par Moïse, prend le pas sur les pratiques d'adoration des idoles.

Le péché originel/ Ève et Adam chassés du paradis
Gravure de livre, vers 1360, Darmstadt, Hessische Landesbibliothek

L'histoire du paradis et du péché originel décrite dans la Genèse illustre la tentation toujours actuelle que subit l'être humain d'écouter d'autres voix que celle de Dieu et de ne pas lui faire confiance : après avoir été incitée par le serpent à rejeter les ordres de Dieu, Ève goûta au fruit défendu de l'arbre de la Connaissance, puis incita Adam à en manger.
Le couple réalisa alors qu'il était nu et confectionna des pagnes en feuilles de dattier. Dieu les chassa du paradis (jardin d'Éden) et toutes les choses perdirent leur perfection et leur immortalité.
Mais en même temps, Dieu arma l'humanité pour une vie nouvelle.
Devant le paradis, il plaça les chérubins et la lame flamboyante d'une épée pour garder l'arbre de vie.
Aujourd'hui encore, le paradis est une métaphore désignant une situation idéale.
L'expulsion du paradis et le désir de réparer cette perte sont un motif fréquent de la littérature.

La notion de Dieu « Élohim », trouvée dans l'Ancien Testament, est employée au singulier comme au pluriel – il n'existe tout simplement plus d'autre idée de Dieu. La revendication de l'universalité de Dieu découle obligatoirement de ce monothéisme : Dieu se montre sous plusieurs formes tout en gardant sa nature absolue et son indivisibilité. C'est un Dieu exigeant, qui apporte les commandements éthiques aux hommes et réclame leur observance. Un culte sacrificatoire, dépourvu d'éthique (comme pour les dieux païens), ne suffit pas à accomplir ses commandements.

La théologie juive n'a que peu de dogmes fondamentaux. Au XIIe siècle, le philosophe Moïse Maimonide les rassembla en treize articles de foi :

- Dieu a créé et gouverne tout ce qui existe ;
- Dieu est un et unique ;
- Dieu est esprit et ne peut être représenté ;
- Dieu est éternel ;
- Lui seul peut être prié ;
- toutes les paroles des prophètes sont vérité ;

Moïse annonce les dix commandements
Panneau de Misrah, huile sur toile dans un cadre en bois néogothique, vers 1900
Vienne, collection Judaika de Max Berger

Les deux panneaux montrent Moïse recevant les dix commandements de Dieu sur le mont Sinaï. Le Décalogue constitue le cœur de la croyance et des pratiques juives. Il illustre l'Alliance entre Dieu et Israël.
Dans la pensée juive, cet événement représente la révélation absolue de l'Alliance avec Dieu, car tout le peuple d'Israël était alors rassemblé au pied du mont Sinaï quand Moïse révéla les dix commandements divins.

- Moïse fut le plus grand des prophètes ;
- la Loi lui a été donnée par Dieu ;
- nul homme n'a le droit de la modifier ;
- Dieu connaît toutes les actions et toutes les pensées des hommes ;
- Il récompense ceux qui accomplissent ses commandements et punit ceux qui les transgressent ;
- Dieu enverra le Messie annoncé par ses prophètes ;
- l'âme est immortelle et les morts ressusciteront.

L'IMAGE DE L'HOMME DANS LE JUDAÏSME

L'homme reconnu par Dieu

L'image juive de l'homme repose sur ce verset de la Bible : « Dieu a créé l'Homme à son image » (Genèse 1, 27). Or, cette « création selon l'image de Dieu » est difficile à saisir puisque l'homme n'a pas le droit de se faire une image de Jahvé.
Mais les versets 7-8 au chapitre 2 de la Genèse indiquent également que Dieu forma l'homme de la poussière du sol et lui insuffla son souffle, de même qu'il créa deux sexes, mâle et femelle (Genèse 2, 21-25).
Pour éviter l'anthropomorphisme, on tend à traduire « à l'image de dieu » par « ressemblance » ou « ombre ».
L'anthropologie théologique du judaïsme définit l'homme comme étant « reconnu par Dieu » (l'« homme reconnu », Schalom Ben Chorin), à savoir l'homme en « situation dialogique » (Martin Buber, Franz Rosenzweig) ou en « corrélation » avec Dieu (Hermann Cohen).

Le Jugement de Salomon
Giorgione, vers 1505, Florence, Galerie des Offices

Le roi Salomon était le deuxième fils de David et de son épouse Bathseba. Il s'empara du trône aux dépens de son frère aîné Adonias après un coup d'État qui eut lieu du vivant de David. Salomon, renommé pour sa sagesse, aurait rédigé quelques livres de la Bible. Le premier Livre des Rois relate le célèbre « jugement de Salomon » : deux femmes avaient mis au monde un fils, mais un seul survécut. Comme toutes deux prétendaient en être la mère, le roi Salomon ordonna de couper le bébé en deux. La vraie mère se révéla en préférant renoncer à l'enfant plutôt que de le voir mourir.

Le personnalisme de Dieu et de l'homme garantit la situation dialogique.
Le fait d'être prêt et disponible intérieurement pour recevoir Dieu en soi est très important. L'homme doit suivre l'ordre juste de la Création divine dont il est une part. Il doit faire ses preuves en tant que « partenaire de Dieu » dans la Création en agissant selon les règles morales de Dieu. Il est certes exposé au mal dans sa vie et dans le monde et y succombe souvent dans des situations historiques concrètes – dont la première fut le meurtre d'Abel par son frère Caïn –, mais étant à l'image de Dieu, l'homme est foncièrement bon ; il est aimé de Dieu et doit être conduit au salut. L'idée de péché originel de l'homme n'existe pas dans le judaïsme.
Bien que le Créateur soit tout-puissant et omniscient, l'homme est responsable de ses actes : il a la possibilité et la capacité de faire des choix, il a donc toute liberté d'action. L'homme possède le raisonnement et la capacité de comprendre l'ordre éthique du monde et d'agir selon ses lois. Tous les hommes étant à l'image de Dieu et tous étant ses enfants (ses créatures), les droits d'un individu ne doivent pas empiéter sur ceux des autres.
L'homme a le devoir d'être actif et de façonner le monde selon les préceptes divins ; ainsi, on accorde une grande valeur au travail (corporel) ; mais les moments de repos et de recueillement sont également accordés (sabbat, jours fériés).
L'homme est reconnu, évalué et jugé d'après ses actions. Le comportement humain doit se baser sur le principe fondamental de l'imitation de Dieu, *Imitatio Dei*, ce qui ne signifie pas vouloir être comme Dieu, mais vivre selon les commandements divins. Le péché est une rébellion contre Dieu et l'ordre divin. Dans le judaïsme, il représente un avilissement de la véritable nature humaine.
Une punition ne sert pas en premier lieu à châtier, mais à remémorer la véritable nature de l'homme. Le mot hébreu pour repentir, *teshuwah*, signifie littéralement « retour », c'est-à-dire le retour de l'homme à sa véritable nature. Dans l'Ancien Testament sont consignées de nombreuses situations qui décrivent des rébellions irréfléchies contre Dieu et les châtiments qu'elles provoquèrent.

La souffrance

Dans l'aspiration juive à accéder à la compréhension de Dieu, nulle chose n'est plus caractéristique que la célèbre question de théodicée

demandant pourquoi les justes et les pieux de ce monde doivent aussi souffrir.
Un exemple probant en est l'histoire de Job, dont Dieu éprouve la foi. Si le croyant n'assimile pas ses souffrances à un châtiment direct de ses fautes, il a besoin de l'aide de Dieu pour les supporter.
La prière hassidique qui énonce : « Dieu, ne me dis pas pourquoi je souffre car je ne suis pas digne de le savoir, mais aide-moi à croire que je souffre pour toi » montre bien que la souffrance n'est ni fortuite ni dénuée de signification, même si son sens nous reste souvent caché. La souffrance représente un mystère particulier dans la croyance juive : Dieu récompense et châtie toujours selon sa volonté, laquelle n'est pas forcément accessible à l'homme.
La souffrance qui s'abat sur les hommes est une conséquence de la liberté éthique dont ils disposent. En effet, étant capables de discerner le bien ou le mal ils sont libres dans leurs actions. La souffrance peut être punition, épreuve ou expiation du juste. La punition est la forme la plus rationnellement explicable ; l'épreuve est décrite dans le sacrifice – non consommé – d'Isaac (Genèse 22) et dans le livre de Job. Dans le judaïsme, la souffrance en tant qu'expiation du juste représente une explication collective du destin du peuple d'Israël.
Cependant, le judaïsme moderne a intensifié son interrogation sur le sens de la souffrance après les tourments vécus au xxe siècle (déportation, extermination, Auschwitz, holocauste, etc.).

Les prophètes

Les prophètes sont les annonciateurs choisis par Dieu pour propager sa vraie parole. Le mot hébreu *nabi* signifie « celui qui appelle » sur ordre de Jahvé, c'est-à-dire que le prophète est « appelé » par Dieu pour révéler et transmettre son message au peuple auquel il s'adresse en son nom.
La tradition rabbinique distingue les « trois grands prophètes » – Esaïe, Jérémie et Ézéchiel – des douze « petits prophètes » (dodécaprophètes). La hiérarchie théologique juive leur accorde en effet une place primordiale en plaçant directement après la Torah les textes sur les prophètes, qui incluent une grande partie des derniers livres de l'Ancien Testament, y compris les grands récits bibliques.
Pour le judaïsme, le don de prophétie est une preuve particulière de la Grâce divine ; les prophètes sont plus que des voyants ou des devins car il sont remplis de l'esprit de Dieu. Leurs expériences décrites dans l'Ancien Testament dévoilent que la plupart furent choisis d'une manière soudaine et inattendue. Abraham est considéré comme le premier prophète (Genèse 20, 7).
Le prophète place toujours la communauté ou le peuple devant une situation qui exige de lui une prise de décision : il s'agit d'accepter ou de refuser la parole de Dieu et d'en subir les conséquences éventuelles. Le contenu des prophéties englobe la revendication de la profession de foi d'Israël à un dieu unique, Jahvé, la confirmation de l'Alliance entre Dieu et les hommes et la désapprobation de la dissolution morale et de l'idolâtrie.
Grand nombre de prophètes ont des visions apocalyptiques signifiant l'imminence d'un terrible châtiment divin et utilisent un langage comminatoire. Ils apparaissent dans des situations historiques concrètes et exigent une action immédiate de la communauté. Dans ce cas aussi, le judaïsme souligne la liberté de l'homme : en effet, les prophètes n'auraient pas à exhorter les hommes pour un retour à leur véritable nature humaine s'ils n'avaient pas le choix d'accepter ou non la parole de Dieu qu'ils lui transmettent.
Les prophéties sont souvent associées à l'histoire du salut juif sous forme de promesses transmises comme l'instauration d'un temps nouveau du salut dans les livres d'Esaïe et de Jérémie.

Moïse

Moïse est la figure première du judaïsme car c'est lui qui a transmis la Loi (Torah) et soustrait le peuple d'Israël de la servitude égyptienne.

Temple de Salomon à Jérusalem
Maquette, xxe siècle

Au xe siècle avant J.-C., le roi Salomon fit ériger le premier Temple de Jérusalem sur la colline Moria au nord-est de la ville, emplacement choisi antérieurement par le roi David. Les travaux de construction de l'édifice magnifique entouré de jardins et du palais qui le jouxtait au sud durèrent sept ans. Le hall d'entrée avec ses colonnes précédait la salle principale où se trouvaient la table des pains, dix chandeliers et un autel. Cette salle donnait sur le saint des saints avec l'Arche d'alliance et les chérubins. Après la destruction du Temple par Nabuchodonosor en 588 avant J.-C., le deuxième édifice construit au début du vi^e siècle avant J.-C. avait une architecture plus simple ; il fut transformé plusieurs fois, la dernière sous le roi Hérode le Grand, et finalement détruit par les Romains en 70 après J.-C.

Panneau de Misrah
Aquarelle attribuée à Naum Gutman, vers 1900, Vienne, collection Judaika de Max Berger

Les croyants se tournent vers l'est pour faire leurs prières. Dans les maisons, un panneau accroché au mur indique cette direction. Ce panneau est une œuvre très artistique sur parchemin. En règle générale, les panneaux de Misrah montrent des psaumes calligraphiés, entourés de divers symboles et ornements.
Misrah qui signifie « est » en hébreu, désigne également le mur oriental de la synagogue.

Aucun des prophètes qui apparaîtront après lui n'apportera de nouveaux enseignements qui ne soient d'ores et déjà consignés dans la Loi de Moïse, la Torah (Sab. 104 a). Maimonide l'appelle « Père de tous les prophètes avant et après lui ».
De nombreux récits de la tradition juive relatent la vie et la légende de Moïse. Toutes les prédictions ultérieures découlent de ses prophéties consignées dans les cinq livres mosaïques (Pentateuque). Bien qu'il soit le grand législateur du judaïsme, la tradition ne cesse de souligner qu'il n'a fait que transmettre les commandements divins.
Moïse a tout du personnage charismatique : il est prophète, annonciateur, juge, chef d'armée, guide de son peuple dans le désert, libérateur et législateur. Les fonctions de prêtre et prédicateur sont déléguées à son frère Aaron. La tradition juive le nomme notamment « Rabbejnu » – notre maître ; plus tard, elle lui prêtera également des traits philosophiques.
L'interdiction juive de l'iconolâtrie date également de Moïse. Selon Martin Buber, l'importance de Moïse réside surtout dans sa « politique théocratique », c'est-à-dire l'établissement du règne de Dieu dans et sur une communauté qui devient son peuple par cette alliance.

LA TORAH

Enseignement et Loi

La Torah est la Loi de Dieu apportée par Moïse au peuple d'Israël et consignée dans le Pentateuque.
Mais la Torah n'est pas seulement la Loi, elle est l'« Enseignement » ou l'« Enseignement écrit » (pour la distinguer de l'« enseignement oral » rabbinique venu s'ajouter plus tard). Croire et se référer à la Torah constitue une part essentielle de la croyance juive.
Parmi les rares « dogmes » du judaïsme s'inscrivent la croyance en une origine divine et la certitude que la Torah est issue de l'esprit de Moïse, bien qu'elle soulève deux points de controverse parmi les exégètes juifs.
Tandis que les Juifs rigoureusement orthodoxes affirment que la Torah a été transmise en entier à Moïse et que Moïse est le seul à l'avoir révélée, l'exégèse biblique critique observe les ruptures temporelles et stylistiques et soutient que la Torah peut très bien provenir d'un seul esprit, celui de Moïse, mais que dans ce cas, elle a été transmise par le biais de plusieurs rédacteurs. Ainsi l'exégèse critique distingue la sainteté du texte, qu'elle admet autant que les groupes orthodoxes, du processus d'élaboration littéraire. Les sources du Pentateuque sont la Genèse, l'Exode, le Lévitique, les Nombres et le Deutéronome.
La Torah est la révélation absolue et immuable de la Loi de Dieu. Cette conviction fut professée à une époque ultérieure du judaïsme afin de bien délimiter la croyance juive et de la distinguer du christianisme et de l'islam, tous deux issus de la Torah.
Sans mettre en doute la Loi, certains exégètes juifs s'interrogent sur le caractère éternel des commandements de la Torah, notamment en ce qui concerne les normes de comportement, comme l'habillement, la nourriture, le mariage. Ils se demandent s'il ne vaudrait pas mieux les interpréter temporellement.
Les textes rabbiniques postbibliques s'appliquent à présenter une codification et une exégèse des doctrines religieuses dans des conditions de vie modifiées. Cependant, il faut retenir que les écrits ultérieurs (le Talmud rassemblant la Mishna et la Gemara) n'ont jamais été consi-

dérés comme une nouvelle Torah, mais uniquement comme une interprétation de la Torah originelle.
Le Talmud ne cesse de souligner l'immutabilité de la Torah, y compris celle des nombreuses prescriptions rituelles et cérémonielles ; « Vous ne devez rien ajouter... et rien changer » (Deutéronome. 4, 2). Cette immutabilité se manifeste également dans le respect pour les caractères et la calligraphie utilisés dans la Torah. Ses rédacteurs ont reçu un long enseignement et ont dû observer certains rites de pureté ; en outre, aucune faute n'est admise lors de sa lecture.
À chaque fois que les communautés juives ont été obligées de s'enfuir, elles ont sauvé les rouleaux de la Torah, leur bien le plus précieux.
Dans la tradition rabbinique, la Torah est un « instrument de purification » offert aux hommes. Selon la tradition (Rabbi Simlai), Moïse a reçu 613 commandements dont 248 positifs ordonnant certains actes et 365 négatifs énonçant des prohibitions diverses. Le chiffre 613 est chargé d'une valeur symbolique : il est la somme des 365 jours de l'année et des 248 parties du corps humain définies par le judaïsme. Les 613 ordonnances ou prohibitions du Talmud constituent la base de la profession de foi et correspondent aux 613 lettres du Décalogue (les dix commandements).
Dans la tradition rabbinique, la Torah représente « l'ordre de la Création » et la totalité d'une tradition sacrée. La « Torah écrite » est donc toujours complétée par la « Torah orale » (le Talmud ou tradition orale).
Les textes incitent à l'observance stricte des commandements, même et surtout, dans des conditions difficiles telles que la diaspora et les persécutions. Il s'agit de les transposer dans la vie avec conviction et non pas de s'y soumettre servilement. Il est dit que Dieu serait prêt à pardonner n'importe quelle faute, mais pas celle qui consisterait à négliger l'étude de la Torah.

Le judaïsme, une religion prônant l'étude

L'étude est un devoir religieux et un idéal pour tous, qui n'appartient pas seulement aux exégètes. Judaïsme et instruction (religieuse) sont étroitement liés.
Le devoir majeur des parents, surtout du père, est de transmettre les connaissances et les traditions aux enfants (notamment aux fils). Le maître joue un rôle capital dans le judaïsme, de même que le rabbin en tant que professeur de religion dans les écoles de Talmud.
L'enseignement est obligatoire dès l'enfance. L'étude est surtout consacrée à la Torah, mais aussi à des matières profanes qui lui sont associées, tel l'hébreu. La sortie d'Égypte représente également une libération linguistique, l'hébreu étant considéré comme la langue de Dieu et de la Création, la langue originelle avant que n'advienne la confusion des langues babyloniennes. De ce fait, la promesse divine annonce que l'hébreu redeviendra la langue originelle sacrée, commune à tous, à la fin des temps.
Les textes, notamment les Septante grecques, furent traduits très tôt, suite à la diaspora, mais

Panneau ornemental de la Torah
Argent, en partie doré, 1806, Vienne, collection Judaika de Max Berger

Le rouleau de parchemin de la Torah est conservé dans la synagogue à l'intérieur d'une armoire spéciale fermée par un rideau. La Torah est protégée par un manteau souvent richement orné, une plaque ornementale et une couronne. Une main en argent sert à suivre les lignes des textes durant la lecture. Il est interdit de toucher le rouleau avec ses doigts car la plus petite altération d'une seule lettre rendrait la Torah inutilisable.

Deux étudiants de la Torah
Peinture de Mané-Katz, Huile sur toile, 1943, collection privée

L'étude, l'instruction et l'éducation occupent une place majeure dans le judaïsme. Apprendre et comprendre les commandements des textes saints (Torah) est un devoir sacré auquel est soumis chaque Juif. Dès leur plus jeune enfance, les enfants apprennent les rudiments de la lecture et de l'écriture ainsi que les prières et les textes sacrés récités à la synagogue durant le sabbat. Le terme « Torah » désigne à l'origine l'enseignement et l'initiation et englobe bien plus que la Loi. La Torah signifie l'ordre divin de la Création et du monde. L'étude de la Torah et du Talmud (la tradition orale ultérieure greffée sur la Torah) inclut donc l'étude des lois et des contextes du monde existant.

Bar-mitzva
Gravure à l'eau-forte *Ben Ary*, Vienne, collection Judaika de Max Berger

Les garçons atteignent leur majorité religieuse à treize ans et ont alors le droit et le devoir d'obéir et de suivre tous les commandements.
Une fête solennelle célèbre l'événement. Pour la première fois, le bar-mitzva (fils de la Loi) a le droit de porter les phylactères (*tefillin*) prescrits pour certaines prières (voir image) et de réciter les bénédictions sur la Torah durant le service religieux. Aujourd'hui, une fête appelée bat-mitsva est également célébrée pour les filles.

l'hébreu occupa de nouveau une place importante à partir du Moyen Âge.

L'obligation de suivre la Loi

Selon une prescription de Dieu à Abraham, les garçons juifs sont circoncis le huitième jour après leur naissance pour sceller et confirmer l'Alliance avec Dieu. Ils atteignent la majorité religieuse à treize ans, celle des filles étant fixée à l'âge de douze ans. Cette majorité est célébrée par la « bar-mitzva » (fils de la Loi), ou « bat-mitzva » (fille de la Loi).
Lors de la « bar-mitzva », le garçon est présenté aux anciens de la communauté et peut désormais donner lecture de la Torah dans la synagogue. La fête pour la fille est issue de la réforme du judaïsme au XIXe siècle. La célébration de la majorité religieuse est un témoignage public de l'adhésion à la Torah et du désir sincère de suivre les commandements de Dieu.
Les prescriptions de la Torah pour la vie quotidienne s'appellent *halacha* (terme dérivé du mot hébreu *halak*, « aller, montrer la voie »).
La portée des commandements de la Torah dans la vie quotidienne et la possibilité de les concilier avec la politique et la législation des différents pays constituent deux points délicats. Le problème du degré d'intégration des Juifs dans la société civile et politique s'est accentué dès la Révolution française et le Code Napoléon, époque à laquelle les Juifs obtinrent leurs pleins droits de citoyens dans les pays européens.
Au XIXe siècle, les groupes juifs orthodoxes et conservateurs redoutèrent qu'une assimilation extensive ne cause préjudice à la conception juive de la Loi. L'émancipation politique des Juifs exacerba la question de l'intégration et provoqua diverses tentatives de définir l'identité et la tradition juives.

La synagogue

La fonction de la synagogue en tant que centre religieux de la communauté juive ne s'est établie qu'après la diaspora. Jadis, ce centre était le Temple de Jérusalem, qui fut détruit en 70 après J.-C. Le mot grec « synagogue » signifie tout d'abord réunion ou communauté, et maison de réunion dans un sens plus large.
Si à l'origine la synagogue était donc l'endroit où l'on se rassemblait, elle est aujourd'hui un lieu voué principalement au culte, c'est-à-dire à la lecture de la Torah.
Les rouleaux de la Torah sont toujours manuscrits ; ils sont enroulés autour de deux baguettes en bois, protégés par un châle et un tube et conservés dans une armoire spéciale. Le bord supérieur des baguettes est décoré d'ornements en argent, *rimmonim*, en forme de grenades ou de couronnes qui illustrent la dignité royale des textes.
La lecture de la Torah se fait à un pupitre surélevé, le *bima*. Les rouleaux y sont portés en une procession solennelle, puis déroulés et lus en hébreu par des hommes, la lecture publique de la Torah étant traditionnellement réservée au sexe masculin. Aujourd'hui, ce sont les officiants, et non le rabbin, qui jouent un rôle majeur dans la célébration du culte.
À l'origine, tout homme ayant intensément étudié la Torah, reconnu par la communauté en tant que propagateur de la Loi, avait le titre de rabbi. Ce n'est qu'à partir du Moyen Âge que s'instaura la fonction particulière de rabbin qu enseigne, juge et officie dans les mariages, les enterrements et les circoncisions à l'intérieu d'une communauté.

La prière

Selon la croyance juive, Dieu entend la prière des hommes et y répond toujours, même si sa réponse est rarement celle à laquelle les hommes se seraient attendus.
La prière est un échange avec Dieu ; elle exprime la sollicitation et la reconnaissance, et doit contenir une profonde conviction. Elle est récitée à des moments fixes et en certaines occasions, selon des règles établies (il y a ici une analogie avec l'islam).

Il y a trois moments de prière : le matin, l'après-midi et le soir. La base de la prière du matin et du soir est la lecture de « Écoute, Israël… » (Deutéronome 6, 4-9 et 11, 13-21 ; Nombres 15, 37-41), à laquelle s'est ajoutée la *tefilla* (bénédiction) depuis l'époque rabbinique.

La prière individuelle complète les prières rituelles. Dans le judaïsme, prier est un acte venant du cœur, le cœur étant davantage siège du raisonnement et de la connaissance que des émotions. Dans la prière, l'homme transcende son monologue avec Dieu en un dialogue avec son interlocuteur divin.

LA VIE JUIVE

L'année juive, les fêtes et le sabbat

Le calendrier juif est un calendrier lunaire de 354 jours qui s'adapte à l'année solaire par l'inclusion d'un mois bissextile. Il prévoit sept années bissextiles en dix-neuf ans.

Aux temps bibliques, l'année commençait aussi bien au printemps (*Pessah*) qu'en automne (fête de la récolte). Plus tard, le début de l'année juive fut fixé au 1er tischri, entre le 6 septembre et début octobre.

Depuis le Moyen Âge, l'ère juive commence avec la Genèse, l'an 5000 correspondant à l'an 1240 de l'ère chrétienne. L'année débute par les « jours redoutables », dix jours de pénitence entre le 1er et le 10 tischri, jour de la Purification (*Yom Kippour*).

Rosh ha-Shana (le début de l'année) est mentionné pour la première fois dans la *Mishna*. Le nouvel an juif est considéré comme le jour où toutes les créatures de la terre passent en jugement devant le trône de Dieu et rendent compte des péchés commis durant l'année.

Le jour de la Purification est décrit en détail dans la Bible. C'est un jour de repentir, de mortification et d'expiation, un jour de jeûne et de repos absolus au cours duquel les hommes doivent servir Dieu comme des anges.

À cette occasion, la synagogue est décorée en blanc et les fidèles portent fréquemment des tenues blanches. La liturgie comprend la lecture de textes du jugement divin, des confessions de péchés et des prières implorant le pardon de Dieu (*selichot*). L'office se termine par la *neïlah* (prière de fermeture) et la sonnerie d'une corne de bélier, *choffar*, qui évoque la trompette du Jugement dernier.

La solennité de la fête des Tabernacles ou *Soukkot*, appelée aussi fête des Tentes, commence peu de temps après le Yom Kippour, dure sept jours et est suivie de la fête de Réjouissance de la Loi (*Simchat Torah*). La tradition veut que les croyants résident pendant sept jours dans une cabane qu'ils ont construite sur leur balcon ou dans leur jardin pour célébrer la protection de Dieu durant le séjour dans le désert.

Cette fête a un caractère d'allégresse, tout comme la Pentecôte (*Shabouot*), qui était à l'origine la fête des Prémices et est célébrée sept semaines après Pessah, et qui rappelle le don des Tables de la Loi à Moïse sur le mont Sinaï.

Pessah, qui est à l'origine du jour de Pâques chrétien, est célébré en souvenir de la sortie d'Égypte et incluait, aux temps bibliques, un pèlerinage au temple de Jérusalem. C'est aujourd'hui une fête familiale comprenant de nombreux rites. À l'origine fête du Printemps (le mot hébreu *passach* signifie « bondir, agneau bondissant »), Pessah dure sept jours durant lesquels les croyants sacrifient un agneau et ne mangent que du pain sans levain (*matza*). Tous les produits fermentés doivent être ôtés des demeures, et il est d'usage de procéder à un grand nettoyage de la maison avant Pessah. Les repas pascals comprennent de nombreux rites tels que la consommation de pain azyme et d'herbes amères et la lecture des psaumes Hallel (Psaumes 113 à 118).

La fête des Lumières, *Hanoukka*, célébrée au solstice d'hiver, remonte à l'époque de la révolte des Maccabées et commémore la nouvelle dédicace du Temple de Jérusalem (164 avant J.-C.) que le roi syrien Antioche IV avait profané en 167 avant J.-C. Pendant la fête qui dure huit jours, des chandeliers à huit branches illuminent les fenêtres et rappellent le miracle de la petite cruche d'huile qui aurait brûlé pendant les huit jours de la dédicace du Temple.

La fête de *Pourim* évoque l'aide divine reçue par Esther pour sauver ses compatriotes. En instaurant un jour de jeûne, l'épouse juive du roi perse mit en échec le complot du vizir Hamman qui voulait exterminer la population juive (livre d'Esther).

Pourim est célébrée par des cortèges masqués, des jeux, des échanges de cadeaux, et des festins au cours desquels sont dégustés les traditionnels gâteaux de graines de pavot appelés « oreilles d'Hamman ».

Le sabbat (samedi) constitue une des grandes traditions du judaïsme. Le septième jour de la semaine juive est un jour de repos sacré.

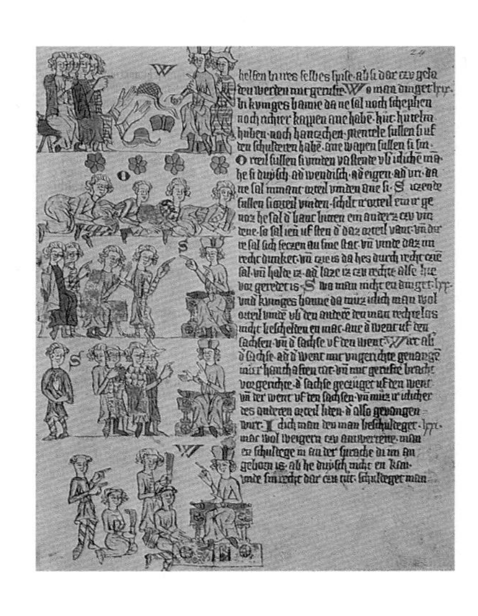

Juifs dans l'Europe médiévale
Extrait de *Sachsenspiegel*, Heidelberg, gravure de livre, vers 1300/1315, parchemin

C'est au VIIe siècle, dans des régions dominées par l'islam, qu'apparaît pour la première fois la coutume d'obliger la population de religion différente à porter des insignes spéciaux sur leurs vêtements pour se distinguer des autres.
Le pape Innocent III introduisit cette coutume pour les Juifs occidentaux en 1215. Les insignes différaient selon les régions, mais l'un des plus courants était le chapeau pointu, à l'origine pièce de vêtement juif, qui devint un véritable stigmate. À partir du XVe siècle, les hommes devaient porter des rouelles jaunes sur la poitrine et les femmes des fils bleus dans leurs coiffures. Ces signes vestimentaires furent abolis sous le despotisme éclairé du XVIIIe siècle.
À partir de 1940, le national-socialisme ordonna le port de l'étoile jaune de David dans le cadre des mesures d'exclusion et de persécution de la population juive.

Chandelier Hanoukka
Georg Wilhelm Marggraff, vers 1776, argent massif martelé et gravé, Berlin, Stadtmuseum Berlin, Jüdisches Museum

Les chandeliers à huit branches utilisés durant la fête de Hanoukka rappellent le miracle qui se produisit lors de la nouvelle inauguration du Temple de Jérusalem en 164 avant J.-C. La quantité d'huile dont on disposait était à peine suffisante pour éclairer le Temple durant un jour. Or, le chandelier ne s'éteignit pas durant les huit jours qu'il fallut pour fabriquer de la nouvelle huile. À Hanoukka, la fête des Lumières, les fidèles célèbrent ce miracle en allumant une bougie tous les soirs durant huit jours.

Mariage juif traditionnel
Photographie actuelle prise en Israël

À l'instar du dimanche chrétien et du vendredi islamique, il consacre le repos de Dieu après la Création, mais est également associé à la délivrance d'Israël du joug égyptien. Les activités interdites et celles tolérées durant le sabbat ont fait l'objet de controverse jusqu'à nos jours.
L'importance du sabbat repose moins sur l'obligation d'oisiveté que sur le recueillement intérieur et la conscience de la tradition. Le sabbat est un symbole nourricier du judaïsme. Le repas sabbatique, préparé la veille, est un moment solennel à la fin de la journée qui se termine par des bénédictions (*Habdala*).

Maison, tradition vestimentaire et nourriture cascher

Un rouleau de parchemin est fixé sur le chambranle droit de la porte d'entrée de la maison juive. Les versets 13 à 21 du chapitre 11 du Deutéronome et le texte de « Écoute, Israël. » (Deutéronome 6, 4-9) sont inscrits sur le parchemin appelé *mezouza* (textuellement, chambranle) qui appartient à la plus ancienne tradition juive.
Des Juifs d'Europe orientale, notamment de la très rigoureuse communauté hassidique, portent encore un cafetan noir et une toque de fourrure, le *streimel*. Les Juifs pieux revêtent un petit châle, le *taleth*, pendant la récitation des prières. Pour certaines prières à la synagogue ou à la maison, les hommes portent des phylactères (tefillin, de l'hébreu *tefilla* signifiant prière), qui sont deux petites boîtes de cuir noir contenant des passages de la Bible et fixées autour du bras gauche et de la tête au moyen de lanières. Tous les hommes juifs pratiquants mettent une calotte, *kippa*, au moins durant les services religieux. Dans les groupes orthodoxes, les hommes portent une longue barbe et des papillotes – cheveux longs sur les tempes – (selon Lévitique 19, 27) pour souligner l'éternité des commandements de Dieu.
La Loi hébraïque n'autorise que la nourriture cascher (permise), qui à l'origine était destinée à distinguer le peuple juif des autres. Elle établit une distinction entre animaux purs et animaux impurs et interdit tout particulièrement la consommation de porc, sans doute, à l'origine, pour des raisons d'hygiène (trichine). On ne peut se nourrir que d'animaux « purs » afin de garder sa pureté devant Dieu.
Il est également strictement interdit de mélanger viande et lait et de consommer du sang, car le sang est la source de la vie – il était même autrefois considéré comme le siège de l'âme.
C'est pourquoi les animaux doivent être entièrement saignés. Ils sont tués selon des règles strictes – section à un endroit précis du cou – pour leur éviter des souffrances, Dieu n'ayant prévu à l'origine qu'une nourriture végétarienne pour les hommes (Genèse 1, 29).
Les prescriptions dictent également de refuser les mets qui n'ont pas été préparés de manière cascher et de ne pas partager des repas avec des non-juifs, mais ces deux règles ne sont pratiquement plus de mise aujourd'hui. D'autres rites importants comprennent le lavage des mains avant le repas, la bénédiction des mets récitée par le père de famille, et une prière de remerciement à la fin du repas.

Les rites autour de la naissance, la mort et les funérailles

L'enfant reçoit en plus de son prénom usuel, un prénom hébraïque spécifique, avec lequel il sera appelé à la Torah et dont il sera nommé lors de toutes les cérémonies religieuses jusque dans sa commémoration funèbre dans la prière des défunts.
Huit jours après la naissance d'un garcon, la circoncision (B'rith Milah : « alliance de la circoncision ») est pratiquée en présence de dix membres de la communauté, autrefois de toute la communauté, par un circonciseur instruit à cet effet et très estimé : le Mohel. La circoncision se justifie comme réception dans l'alliance de Dieu selon l'idéal d'Abraham (Genèse 17, 10 et suiv. ; Lévitique 12, 3) et est accompagné d'oraisons, de souhaits de prospérité et de rites de bénédictions.
Le repos des morts est une chose sacrée dans le judaïsme. Les morts ne devant pas être profanés, l'autopsie est en fait interdite, bien que cette règle ne soit plus aujourd'hui observée. Seul l'ensevelissement dans la terre est admis puisque l'homme « retournera à la poussière » dont il provient (Genèse 3, 19). L'enterrement a traditionnellement lieu le jour de la mort ou le lendemain (selon Deutéronome 21, 23), mais cette règle n'est plus rigoureusement suivie de nos jours. Lors des funérailles, les proches du défunt déchirent une pièce de vêtement - aujourd'hui un ruban symbolique - en signe de deuil et récitent le *kaddish*, une prière araméenne implorant le salut du disparu. La période de plein deuil dure sept jours et comprend de nombreux rites funèbres célébrés à des moments précis.

Récompense et châtiment

Le judaïsme a développé la notion de justice divine en tant que système de récompense et châtiment – Dieu étant juste, mais aussi juge – qui fut reprise plus tard par le christianisme et l'islam.

Une telle conception devait conduire à l'idée d'un au-delà, à peine exprimée dans les anciennes parties de la Bible, bien qu'elle repose sur l'annonce de Dieu à Moïse qu'il « effacera de son livre » tous ceux qui pèchent contre lui (Exode chap. 32, 33).

Le judaïsme est conscient des problèmes qu'entraîne la diversité des idées de salut pour les justes – paradis, arrivée du Messie et jouissance de son royaume, résurrection des morts, récompense dans la vie terrestre.

À cela vient s'ajouter l'idée primordiale de vie en Terre promise. L'image idéale d'une récompense juste des actions accomplies dans la vie terrestre repose sur un espoir que démentent de nombreuses expériences terrestres : le juste souffre tandis que le pécheur est heureux. Mais cette image se nourrissant de la certitude que Dieu éprouve les cœurs, le judaïsme accepte le « juste souffrant » sur la terre.

L'au-delà et la résurrection

La croyance en une vie après la mort, lien permanent du juste avec Dieu, s'est développée au fil du temps. L'ancienne littérature juive ne systématise ni ne dogmatise l'attente d'un au-delà, pas plus qu'elle ne définit précisément la matérialité de la résurrection.

L'idée de résurrection est associée à l'entrée dans un royaume messianique. Si elle est entendu « matériellement », à savoir une vie en Terre promise, on croit à une résurrection corporelle. Des courants moins prosaïques admettent davantage les satisfactions spirituelles de la résurrection.

Une autre controverse est de savoir si tous les hommes auront droit à la résurrection ou si les pécheurs et les maudits en seront écartés. Les textes de la Bible divergent à ce sujet.

À l'origine, le judaïsme n'admet pas de prédestination double. Les pharisiens ne croyaient qu'en la résurrection des justes ; le Talmud cite des groupes qui en seront écartés : les arrogants et les ignorants, les hommes d'avant le Déluge, le clan des Korah et certains individus. Dans la littérature rabbinique, ceux qui dénient la résurrection subiront le même sort.

ESCHATOLOGIE ET ESPOIR MESSIANIQUE

Espoir de la délivrance

Le judaïsme associe étroitement la fin des hommes et du monde au messianisme sans pour autant les situer simultanément. L'eschatologie se fonde sur la théorie selon laquelle Dieu étant le premier et le dernier, l'histoire se déroule entre la Création et la fin des choses. Dieu a libéré le peuple d'Israël de la servitude égyptienne et le conduira à la délivrance.

Le judaïsme est une religion historique par excellence ; l'histoire devient histoire sainte sous la direction de Dieu. À ce compte, le judaïsme ne sépare pas l'histoire profane de l'histoire sainte (au contraire du christianisme).

À la reconnaissance de Dieu en tant que premier se greffe l'espoir de Dieu en tant que dernier. L'espoir messianique est au centre de la religion juive. La foi donne la force d'espérer et le Juif croyant peut être défini comme « homme qui espère ».

Cependant, il est difficile de fixer le « début » de l'ère messianique dans l'histoire. La relation entre l'arrivée du Messie et le fait que l'homme soit prêt à cet événement a toujours préoccupé les penseurs juifs du XXe siècle, notamment Ernst Bloch, Walter Benjamin et Gerscom Scholem.

Les textes de Schmarjahu Talmon distinguent un « messianisme restauré » s'orientant sur un « âge d'or » au début de l'histoire d'Israël – le royaume du roi David – d'un « messianisme utopique » qui attend un royaume universel de paix, d'amour et de justice, n'ayant pas encore de bases historiques. Les deux positions peuvent se fondre, par exemple dans l'enseignement d'un « futur prince de la paix ».

Depuis le XIXe siècle, le messianisme restauré est présent notamment dans le sionisme, tandis que le messianisme utopique s'inscrit surtout dans différentes variantes du socialisme et du communisme avec de fortes composantes de salut (déjà chez Karl Marx, mais particulièrement chez Léon Trotski, Rosa Luxemburg, Gustav Landauer, Kurt Eisner, Ernst Bloch, etc.).

Support du judaïsme postbiblique, le messianisme repose sur des révélations bibliques. La tradition talmudique distingue deux figures (types) de messies : Ben Joseph, messie souffrant et Ben David, le fils de David, messie triomphant ; Ben Joseph étant le prédécesseur de Ben David. Le Messie délivrera de toutes les souffrances et du mal.

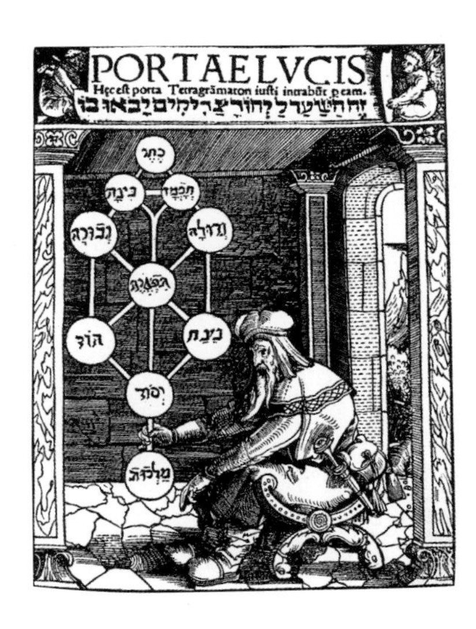

Arbre Sefer (Kabbale)
Extrait de *Paulus Ricius*, Porta Lucis, gravure sur bois, Augsbourg, 1516

Depuis le XIIIe siècle, la Kabbale désigne la mystique juive, dont l'objectif est l'unicité avec Dieu, la connaissance des dernières choses cachées. Chaque phrase ou signe de la Bible recèle un sens que l'on découvre à l'aide des lettres et des chiffres. L'idée centrale est l'enseignement des dix sphères du monde (*Sefer*), fréquemment figurées par un arbre ou une forme humaine. Dans la Kabbale, les dix sphères de l'arbre Sefer figurent les dix nombres originels ou puissances de création (*buch bahir*), à savoir les dix forces émanant de Dieu dont les interactions dans un ordre précis définissent tous les événements du monde. Cependant ces forces peuvent être positivement influencées grâce à la foi et à l'obéissance à la Torah.

Tombe du rabbi Löw dans l'ancien cimetière juif de Prague

Masada, vue aérienne de la fortification
Photographie prise en 1980

L'ancienne fortification de Masada s'élève sur la rive occidentale de la mer Morte et est aujourd'hui un symbole d'Israël. C'est ici que les recrues de l'armée israélienne prêtent serment ; on y célèbre également des fêtes communautaires de bar-mitzva.
En 70 après J.-C., les troupes romaines détruisirent la ville sainte de Jérusalem ainsi que le Temple et chassèrent la population. Selon les rapports de Flavius Josèphe, plus de neuf cents hommes, femmes et enfants se réfugièrent dans le fort Masada et opposèrent une résistance acharnée durant trois ans. Ils choisirent de se donner la mort plutôt que de subir la captivité quand les Romains parvinrent finalement à pénétrer dans la fortification.

La délivrance doit être un événement entièrement concret et perceptible – après l'arrivée du Messie, l'histoire ne peut plus se poursuivre avec des guerres, des injustices et des souffrances. Selon Schalom Ben Chorin, le judaïsme attend l'arrivée et non pas le retour du messie (Jésus-Christ dans le christianisme).
Dès le XIXe siècle, le messianisme juif se retrouva dans le sionisme, le socialisme et le marxisme sous une forme très sécularisée, sans pourtant perdre complètement son « contenu ».
Le messianisme juif doit se révéler dans le royaume qu'il apporte ou auquel il conduit ; c'est ainsi que Moses Hess (1812-1875) qualifia de « sabbat de l'histoire » l'arrivée des jours messianiques. Des penseurs tels que Hermann Cohen (1842-1918) et Walter Benjamin (1892-1940) classèrent également le messianisme dans une catégorie historico-philosophique.
L'eschatologie et le messianisme sont liés parce que le judaïsme relie également l'histoire tout court et l'histoire sainte. Le « royaume de Dieu » (Martin Buber) doit être un royaume visible. Le royaume du Messie est vu comme le royaume d'un « roi oint » (*Ha-Melech Ha-Maschiach*), indépendamment du fait que les rois historiques d'Israël – hormis peut-être David – n'étaient pas des êtres idéaux.
Le messianisme est un point vraiment crucial de la croyance juive, mais ne s'attache pas particulièrement à une figure historique spécifique (comme Jésus-Christ), ce qui est déjà vérifiable dans les textes juifs qui donnent différents noms au messie.

L'HISTOIRE DU PEUPLE D'ISRAËL

Les temps bibliques

L'histoire d'Israël est indissociablement liée à l'espace et à l'histoire du Proche-Orient, et notamment de la Palestine. Elle est marquée par la culture de la Mésopotamie (entre le Tigre et l'Euphrate), les civilisations évoluées de la « demi-lune fertile » (hittite, sumérienne, babylonienne, assyrienne, etc.), tout en ayant un lien particulier avec l'Égypte et la région du Nil.
En outre, le désert a marqué la culture des tribus nomades qui constituaient Israël dans les premiers temps. L'histoire de ce peuple migrateur, très souvent poursuivi, compte de multiples ingérences des puissants royaumes voisins d'Égypte, de Babylonie et d'Assyrie.
La future création d'Israël est en relation avec l'histoire du Déluge. Noé, après le déluge, devint le père d'une nouvelle humanité. Son fils aîné Sem est considéré comme l'ancêtre d'Abraham et le père des peuples sémitiques, qui lui doivent leur nom, et dont font également partie les Arabes.
Les petits-fils d'Abraham, Jacob et Ésaü, sont les pères de différentes tribus tandis que les douze fils de Jacob devinrent les chefs des douze tribus d'Israël.
Il est difficile de fixer historiquement la « période des patriarches », mais c'est à cette époque que le peuple devint sédentaire et renonça à l'adoration de diverses divinités locales pour une croyance en un dieu unique appelé Jahvé.
L'histoire de la vente de Joseph, fils de Jacob et de Rachel, par ses frères jaloux, à des Égyptiens, documente les liens avec l'Égypte. Le séjour en Égypte – Joseph y avait installé Jacob et toute sa famille, s'acheva avec la sortie du peuple d'Israël conduit par Moïse.
Cet événement, de même que le Décalogue et la Terre promise (livre de l'Exode), est étroitement lié à l'« identité » du peuple d'Israël. Dieu renforça l'Alliance et devint lui-même « sédentaire » sur le mont Sinaï.
La tribu de Lévi occupa un rang majeur dans la mesure où on y recrutait les prêtres, les lévites. Les tribus d'Israël s'assurèrent des territoires en occupant la Cisjordanie et la Jordanie orientale (Palestine), dont ils chassèrent ou soumirent les tribus locales. Le Livre de Josué narre l'épisode de l'entrée en Terre promise. Josué, successeur de Moïse, effectua le partage des territoires entre les douze tribus.

Le combat ultérieur contre les Cananéens est toujours décrit comme la victoire de Jahvé sur des dieux ennemis. En effet la religion cananéenne était constituée de cultes agraires locaux, comprenant le sacrifice des premiers-nés royaux et des pratiques orgiastiques.
Le Livre des Juges relate la vie du peuple d'Israël divisé en douze tribus. Certaines furent dirigées par de grands personnages, dont le plus charismatique est le cinquième juge, Géidéon, vainqueur des Madianites dont les incursions ravageait le territoire des Juifs.
Les tribus difficiles à organiser culturellement se transformèrent en un royaume unique sous les grands rois Saül, David et Salomon.
Saül, chef d'armée, fut désigné roi par Jahvé (la volonté divine) et par acclamation du peuple, à savoir les tribus.
David, son successeur, qui aurait régné quarante ans, de 1004 à 964 avant J.-C., est le roi idéal, l'organisateur qui stabilisa et réunit un royaume divisé en deux parties (le royaume nord d'Israël et le royaume sud de Juda), et fit de Jérusalem la capitale et le centre religieux des Hébreux.
Le règne de son fils Salomon (v. 964-926 avant J.-C.) marque l'apogée de la puissance d'Israël. Il est le roi de la paix et de la justice qui créa des relations économiques avec les royaumes voisins, construisit une flotte, des places fortes et le Temple de Jérusalem. Il mit également sur pied une administration, avec douze préfets collecteurs d'impôts.
Les troubles et les luttes intérieures qui suivirent son règne, décrits dans le Livre des Rois, provoquèrent la scission de son royaume en deux parties, chacune avec ses dynasties propres : le royaume de Juda au sud et le royaume moins stable d'Israël au nord.
Tous deux furent parfois gouvernés par des souverains incompétents (monarchie héréditaire), ce qui entraîna l'apparition de nombreux prophètes annonciateurs de mauvais présages, et tous deux furent finalement victimes de la politique d'expansion de l'Empire assyrien, dont l'armée occupa Israël en 733 avant J.-C.
Israël devint de fait une province assyrienne et perdit toute autonomie en 722 avant J.-C. Cependant Juda parvint à conserver son indépendance en dépit de pressions assyriennes constantes. La fin du VIIe siècle avant J.-C. vit le début du déclin de l'Assyrie et l'essor de Babylone.
Après avoir été délivré du danger assyrien durant la période de restauration sous le roi Josias (640-609 avant J.-C.), Juda fut finalement conquis, ainsi que sa capitale Jérusalem, en 587/586 par le roi babylonien Nabuchodonosor (605-562 avant J.-C.) qui déporta les Juifs en Babylonie.
Au cours de cet exil le judaïsme connut une grave crise d'identité durant laquelle les prophètes ne cessèrent d'exhorter à garder la croyance en Jahvé.
La domination perse, qui commença à s'établir à partir de 538 avant J.-C., amena la libération des Juifs qui purent rentrer dans leur pays et

Pogrom : pillage dans la ruelle des Juifs à Francfort, 1614
Extrait des *Chroniques* de Johann Ludwig Gottfried, gravure sur cuivre colorée de Matthäus Merian, Francfort, 1619 ; couleurs restaurées

L'histoire relate les nombreuses fausses accusations formulées contre les Juifs. En Allemagne, cela provoquait l'expulsion des quartiers misérables où ils étaient obligés d'habiter. Dans divers pays d'Europe, ils furent accusés arbitrairement de meurtres rituels et de profanations d'hostie ainsi que de propager la peste et d'empoisonner les fontaines. Il fut souvent dit qu'une des prescriptions religieuses du Talmud incitait au meurtre des chrétiens. Il suffisait qu'un enfant chrétien disparaisse, et c'était la « preuve » de cette accusation. Les Juifs étaient également rendus responsables des problèmes économiques. La gravure montre le pillage du quartier des Juifs à Francfort en 1614, après que des corporations les eurent accusés de délit d'usure.

Theodor Herzl (1860-1904)
Portrait réalisé vers 1900

Theodor Herzl, journaliste et écrivain hongrois, est le fondateur du sionisme. Après l'affaire Dreyfus en France, il acquit la conviction que les Juifs devaient se constituer en nation et créer leur propre État. Son ouvrage *l'État juif* est à la base de la création du mouvement sioniste. Président de l'organisation internationale sioniste, il négocia sans relâche au niveau politique, posant ainsi les bases du futur État d'Israël, créé en 1948.

obtenir l'autonomie religieuse malgré la souveraineté territoriale perse. Le Temple de Jérusalem, détruit par Nabuchodonosor, fut reconstruit et inauguré en 515 avant J.-C.

Les chefs religieux Néhémie et Esdras restaurèrent la croyance orthodoxe et un nouvel ordre des choses dans la communauté.

L'Ancien Testament ne fait presque pas mention de l'époque de la domination montante des Grecs et d'Alexandre le Grand, mais le peuple juif s'imposa entre les Perses et les Égyptiens tandis que le pays était divisé en deux provinces administratives (Jérusalem)-Juda et Samarie.

De la disparition des lignées royales résulta un accroissement du pouvoir des grands prêtres qui fondèrent leurs propres dynasties, ce qui entraîna une certaine inflexibilité des lois.

Au partage de l'empire d'Alexandre en 323 avant J.-C., Israël se trouva pris entre les luttes rivales de la dynastie égyptienne des Ptolémées et de la dynastie syrienne des Séleucides. Les troubles de ce temps sont décrits dans le Livre de Daniel.

Les Séleucides finirent par occuper le pays et la ville de Jérusalem. Les Juifs conservèrent leur autonomie religieuse et culturelle jusqu'à ce qu'Antioche IV Épiphane (175-164 avant J.-C.) tente par la force d'helléniser la culture et la religion juives (interdiction de sacrifier à Jahvé dans le Temple).

Cela provoqua le soulèvement juif dit « révolte des Maccabées » du nom de la lignée dirigeante de grands prêtres menés notamment par Judas Maccabée. Après être sortis vainqueurs des combats (168-164 avant J.-C.), les Juifs restaurèrent leur culte.

En 142 avant J.-C., les grands prêtres et les chefs (plus tard rois) de la dynastie des Hasmonéens (jusqu'à 40 avant J.-C.) établirent leur domination sur le peuple juif tandis que l'ensemble de la région se transformait peu à peu en provinces soumises à la souveraineté romaine.

Les Juifs se retrouvèrent impliqués dans les guerres et les révoltes qui assombrirent cette époque. Ces troubles favorisèrent l'apparition de nombreuses visions apocalyptiques qui perdurèrent jusque dans l'apocalypse de Jean (Nouveau Testament). De nombreuses sectes se formèrent, dont celle des esséniens de Qumran.

Le point culminant de cette période fut le règne d'Hérode le Grand (37-4 avant J.-C.) et de ses successeurs, avec l'assentiment de Rome. À la suite d'insurrections contre les lourds prélèvements d'impôts et les exigences religieuses de Rome (obligation d'offrandes à l'image de l'empereur), Titus envoya une expédition punitive (70 après J.-C.) qui détruisit une grande partie de Jérusalem, le Temple, et provoqua le début de la dispersion des Juifs dans tous les pays (la diaspora). Le dernier grand soulèvement de Juda contre la domination romaine fut conduit par Bar-Kokheba entre 132 et 135 après Jésus-Christ.

Les temps postbibliques

Le judaïsme postbiblique est spirituellement marqué par les préoccupations avec l'hellénisme, le christianisme, le gnosticisme et plus tard l'islam, toutes ces religions s'influençant mutuellement.

Les apocryphes juifs et les textes apocalyptiques furent écrits aux Ier et IIe siècles tandis que l'espoir de l'arrivée proche du messie stimulait la révolte de Bar-Kokhba.

La tradition rabbinique (Michnah, Talmud babylonien) assura la cohésion spirituelle des Juifs de la diaspora. Il existait de forts ressentiments antijuifs dès l'Antiquité, autant chez les Grecs que chez les Romains. On leur reprochait leur autonomie culturelle ainsi que le radicalisme de leur monothéisme. Si une grande partie des Juifs vivaient encore au Proche-Orient vers la fin de l'époque antique, beaucoup avaient déjà émigré en région méditerranéenne et dans le sud de l'Europe.

En Europe, les Juifs subirent à différentes époques l'intolérance croissante et le zèle missionnaire des chrétiens. Les ghettos juifs apparurent dans les villes dès la fin du Moyen Âge.

En revanche, dans les régions alors islamiques, notamment en Espagne, ils étaient traités avec tolérance, pouvaient exercer des fonctions publiques (il y eu un « Juif de cour » officiel à Cordoue dès le Xe siècle), étaient des médecins et des savants respectés et participaient activement au discours philosophique de l'Islam médiéval. Leur exégète le plus éminent, Moïse Maimonide, (1135-1204) contribua notamment à systématiser et à formuler la croyance judaïque.

Le peuple juif d'Europe et du Proche-Orient fut durement opprimé depuis l'époque des croisades jusqu'à la fin du XIe siècle. Dans plusieurs villes d'Europe centrale, la population juive subit toutes sortes de persécutions allant des pogroms aux rançonnements en passant par des conversions forcées.

Le texte pontifical de 1205 déclarant les Juifs « esclaves éternels » en expiation du meurtre de Jésus-Christ fut suivi de nombreuses mesures discriminatoires. En raison de leur exclusion des fonctions publiques et de nombreuses professions (corporations), les Juifs de l'Europe médiévale travaillaient surtout comme marchands ou prêteurs sur gages ou à intérêts. Les grandes communautés juives d'Espagne subirent également des persécutions accrues à partir du XIVe siècle, notamment après l'expulsion des Maures en 1492. Un nombre important de Juifs espagnols fut obligé d'émigrer au Maghreb et en Orient.

Entre le XVIe et le XVIIIe siècle, le judaïsme connut toute une série de mouvements messianiques issus de la kabbale mystique médiévale et dirigés par des chefs charismatiques dont le plus connu est le « messie » Shabbetaï Zevi (1626-1676) originaire de Smyrne.

Des disciples et adeptes de Zevi propagèrent le « sabbatianisme » en Europe occidentale, surtout en Pologne et dans l'empire habsbourgeois. Le mouvement piétiste du hassidisme naquit au XVIIIe siècle en Europe orientale et constitua ses propres communautés au sein du judaïsme. Ce mouvement fut combattu par les rabbins orthodoxes, mais exerça néanmoins une forte attraction parmi la population juive d'Europe orientale.

Depuis la fin du XVIe siècle (jusqu'au XVIIIe siècle), un « Juif de la cour » s'occupait des finances de la maison royale autrichienne et de quelques principautés allemandes. Dans quelques pays d'Europe occidentale, le siècle des Lumières apporta l'égalité légale et civique aux Juifs, grâce notamment au Code Napoléon. Mais, après le congrès de Vienne de 1815, l'émancipation légale et l'intégration des Juifs firent l'objet d'une opposition – qui s'exprima tout d'abord par le biais de publications, pamphlets antisémites et théories racistes – à laquelle se joignirent nombre d'universitaires et d'intellectuels conservateurs allemands et français. L'émancipation n'arriva jamais en Europe orientale et le XIXe siècle vit de nombreux pogroms dirigés contre la population juive, particulièrement dans les régions polonaises et russes.

Divers partis politiques en Allemagne, Autriche et France se firent les porte-drapeau de l'antisémitisme. Dès le tournant du siècle, l'antisémitisme fut notamment alimenté dans ces pays

Juifs devant leur étal à Lodz
Photographie prise en 1915/1916 durant l'occupation allemande de la Pologne lors de la Première Guerre mondiale

Le développement rapide de l'industrie textile à Lodz est notamment dû aux Juifs qui y émigrèrent au milieu du XIXe siècle. Ils fondèrent de petites entreprises ou des magasins et travaillèrent également dans le tissage manuel. Le judaïsme est-européen constituait une culture individuelle dans de nombreuses villes de Pologne telles que Varsovie, Lodz, Lublin, Kaunas, Riga, Wilna, etc. Cette culture fut détruite par l'occupation allemande alliée à l'antisémitisme autochtone durant la Seconde Guerre mondiale.

Porte d'entrée du camp d'extermination Auschwitz-Birkenau
Photographie prise en 1945

Auschwitz, le plus grand camp de concentration et d'extermination, est devenu le symbole de la politique de destruction des Juifs pratiquée par le national-socialisme allemand. L'usine de la mort, unique dans l'histoire de l'humanité, ne fut construite, sans cesse agrandie et modernisée, que pour éliminer des vies humaines. La destruction systématique de millions d'être humains commença ici en 1942. Jusqu'à six mille personnes par jour périrent, asphyxiées par le zyclon B, dans des chambres à gaz qui imitaient des salles de douches. Elles venaient de tous les pays d'Europe occupés par les troupes allemandes. Aujourd'hui, Auschwitz-Birkenau est un monument du souvenir qui rappelle les crimes qu'une nation commit au XXe siècle contre les Juifs.

Mur des Lamentations à Jérusalem
Côté occidental du mur de la place du Temple, érigé vers 20 avant J.-C.

Le mur ouest, appelé également mur des Lamentations, est l'unique vestige de l'enceinte du Temple bâti sous Hérode. Depuis le XVIe siècle, il est un centre de réunion où les croyants viennent prier, mais aussi se lamenter de la destruction du Temple en 70 après J.-C. Le mur des Lamentations, où se célèbrent également des fêtes religieuses importantes telles que la bar-mitzva, est devenu un symbole national après la guerre des Six Jours de 1967. Le gouvernement israélien fit raser les maisons environnantes et transforma les alentours du mur en un lieu saint.

par l'assimilation du judaïsme au bolchevisme (communisme) et par le mythe d'une « juiverie financière » et d'une « conspiration juive internationale ». La haine des Juifs atteignit toute son horreur durant le Reich allemand nazi d'Adolf Hitler, entre 1933 et 1945.

De larges campagnes antisémites furent délibérément lancées (notamment par le biais de la revue *Der Stürmer*) afin de préparer le peuple allemand à accepter l'exclusion et la persécution des citoyens juifs.

À la discrimination ciblée du début (boycott économique depuis 1933, lois raciales de Nuremberg en 1935) succédèrent les pogroms (Nuit de cristal en 1938) et l'extermination systématique des Juifs après la déclaration de la Seconde Guerre mondiale.

Dès 1939, la population juive avait été systématiquement recensée dans les pays d'Europe de l'Est occupés par les Allemands et condamnée à l'anéantissement dès la déclaration de guerre contre l'URSS en 1941.

L'extermination des Juifs (appelée la solution finale dans la terminologie nazie) fut décidée et organisée à la conférence de Wannsee en janvier 1942 par les SS et divers appareils policiers du gouvernement.

Deux mois plus tard commençaient la construction des camps d'extermination sur les territoires de l'Est, dont les noms (Auschwitz, Majdanek, Sobibor, Treblinka) sont devenus les symboles de l'horreur, ainsi que la destruction des derniers ghettos juifs à l'Est (Varsovie, Wilna, etc.).

La déportation de la population juive des pays occidentaux occupés vers les camps d'extermination de l'Est commença également en 1942 et se poursuivit jusqu'à la fin du régime national-socialiste (fin 1944 à mai 1945).

La Terre promise

Les textes de la Torah ne cessent de revenir à la promesse que Dieu fit à Abraham et ses descendants de leur donner le pays de Canaan. La Terre sainte est appelée « nombril du monde » dans la littérature rabbinique, bien que la Bible relate déjà que ce pays était habité par d'autres peuples. Le judaïsme avance deux arguments en réponse à ce problème :

- les tribus vivant dans le pays ont tant péché qu'elles l'ont profané ;
- aucun peuple n'a de droit de propriété sur le pays puisque la terre n'appartient qu'à Dieu – qui n'a donc fait que le « prêter ».

La notion de Dieu « résidant » en Terre sainte est tout autant que l'élection du peuple d'Israël un mystère du judaïsme. La religion juive fusionne élection et Terre promise.

La terre resta sainte et promise même après la destruction du Temple et la diaspora. De nombreux Juifs y restèrent et se soumirent au joug de diverses puissances étrangères (Séleucides, Romains, Arabes, croisés), mais ils considéraient que vivre en Terre sainte faisait partie des devoirs religieux à accomplir, au même titre que les commandements de la Torah. La nostalgie et le désir ardent de retrouver la Terre promise sont une constante dans les Écritures saintes judaïques.

L'Exil (Galsut)

Dans les temps bibliques, le peuple d'Israël dut quitter la Terre sainte pour être conduit en captivité babylonienne, mais même en terre étrangère, Dieu n'abandonna pas son peuple. Cette certitude de ne pas être abandonné de Dieu permet à tous les Juifs d'accepter une vie en exil. Après le deuxième grand bannissement en 70 après J.-C., les croyants restèrent persuadés que si Dieu les laissait souffrir en terre étrangère, ce serait pour les reconduire en Terre promise après les épreuves.

L'exil a toujours été considéré comme une épreuve de la foi du « serviteur éprouvé de Dieu », élu pour subir ce lourd destin afin d'expier non seulement les péchés de son peuple, mais ceux de toute l'humanité. Les Juifs exilés ont pour devoir de rester fidèle à Dieu et de ne jamais oublier la Terre promise. Dans de nombreux documents sur l'exil, des talmudistes et autres exégètes énoncent des craintes au sujet des Juifs de la diaspora quant aux risques de s'intégrer dans la culture de leur pays d'exil, de perdre leur identité et de douter du retour en Terre promise.

Le retour :
mouvement sioniste et État d'Israël

Né au XIXe siècle, le sionisme fut la réponse à l'échec de l'émancipation civique des Juifs. Il est aussi un mouvement révolutionnaire, actif notamment en Europe orientale, destiné à lutter contre la passivité et le fatalisme des communautés juives de ces régions devant les attaques antisémites et les pogroms.

L'idée naquit d'un État d'Israël où les Juifs pourraient profiter enfin de leurs réalisations économiques et sociales. Par ailleurs, le sionisme mettait l'accent sur une homogénéité juive, indépendante des nationalités d'origine.

Le mouvement juif d'émigration effectua un travail préparatoire, ainsi que des pionniers juifs qui avaient acheté des territoires en Palestine dès le milieu du XIXe siècle pour fonder des colonies agricoles. Le mouvement s'amplifia après les pogroms de 1881/1882 en Russie.

L'écrivain Theodor Herzl (1860-1904) fut la figure prédominante du sionisme. Il organisa le premier congrès sioniste à Bâle (1897), conçut un programme de colonisation de la Palestine et négocia même avec les Ottomans l'achat de la Palestine, mais sans succès.

En 1917, la déclaration Balfour du gouvernement britannique, qui stipulait l'établissement d'un foyer national juif en Palestine, renforça politiquement les efforts sionistes.

La colonisation juive du pays se transforma en problème aigu durant et après la Seconde Guerre mondiale, lorsque les pays arabes et la Grande-Bretagne qui avait un mandat sur la Palestine tentèrent de contrôler, voire d'empêcher l'immigration juive.

Cela incita le jeune mouvement kibboutzim à intensifier le développement du pays. Après des conflits sanglants, l'ONU vota en 1947 un plan de partage de la Palestine entre les Juifs et les Arabes, mais il n'aboutit pas.

En mai 1948, David Ben Gourion, président du comité exécutif de l'Agence juive en Palestine, proclamait la création et l'indépendance de l'État d'Israël qui jusqu'à nos jours tente d'obtenir la reconnaissance de sa souveraineté par ses voisins arabes et de mettre en place une politique de dialogue.

Mémorial de Yad Vashem

En août 1953, le gouvernement israélien vota la création d'un mémorial national pour les héros et les millions de victimes de la Shoah. Yad Vashem renferme une bibliothèque, des archives et un musée. Le nom Yad Vashem vient d'un verset du livre d'Esaïe (56, 5) : « Je leur donnerai dans ma maison et dans mes murs un monument et un nom. »
Une allée bordée d'arbres conduit au mémorial. Chaque arbre honore un « juste dans les peuples » qui a conservé son humanité et aidé les persécutés dans les temps de terreur.

Ierusalem civitas sancta
Gravure de Sebastian Münster, vers 1550, extrait de sa *Cosmographia universalis*

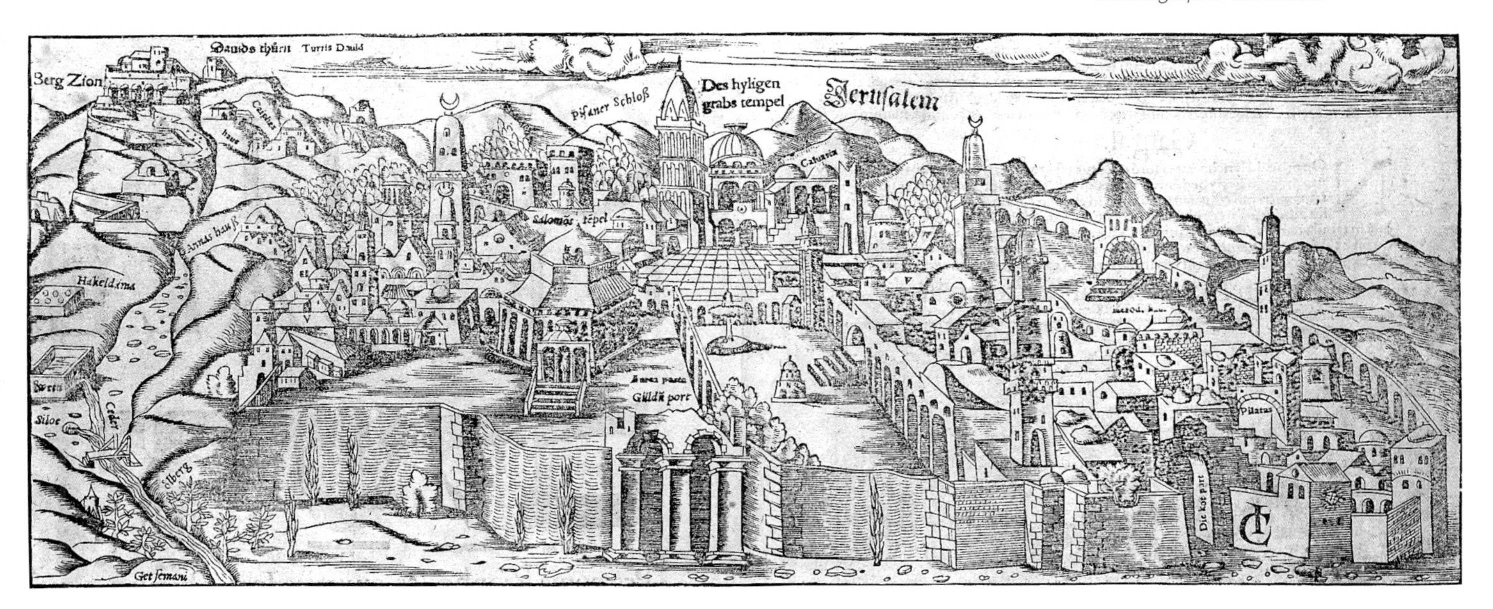

LE CHRISTIANISME

Première des grandes religions universelles par le nombre de ses fidèles, le christianisme s'est, par une œuvre missionnaire d'envergure, étendu à tous les continents. Si l'image de Dieu est celle du judaïsme, la foi en Jésus-Christ, fils de Dieu et fils de l'homme, et son acte de salut unique dans l'histoire en sont le point central ; le dogme de la Trinité n'a pu se faire accepter définitivement qu'après de longs débats. La Pentecôte qui réunit les apôtres est l'acte fondateur de l'Église chrétienne qui, pendant le Moyen Âge, a acquis, grâce à l'institution de la papauté romaine, un pouvoir unique – tant spirituel que séculier. La Réforme a provoqué un renouvellement intérieur de la religion, mais aussi un éclatement des Églises chrétiennes, aujourd'hui de plus en plus marquées par la forte conscience de soi de la chrétienté extra-européenne.

LE CONCEPT CHRÉTIEN DE DIEU

Dieu le Père

En ce qui concerne les bases du concept de Dieu, le christianisme présente de fortes similitudes avec le judaïsme (et l'islam), du fait de l'adoption de l'Ancien Testament dans son canon d'écrits. Dieu s'est révélé et nommé à lui-même : « Je suis celui que je suis. » Il est le créateur de la totalité, y compris de l'homme, avec lequel il a conclu une alliance ; il a transmis ses commandements aux hommes et il est le maître de l'histoire et de la justice.

Mais à la différence du judaïsme, Dieu le Père ne cesse, dans le Nouveau Testament, de reconnaître en Jésus-Christ son fils (par exemple : Matthieu 3, 17 ; Marc 1, 11 ; Luc 3, 22). De même, Jésus-Christ, mourant sur la croix, remet son esprit entre les mains du Père et, lors de la Résurrection, témoigne de Dieu le Père, dieu de la vie.

L'Évangile selon saint Jean et celui de l'apôtre Paul traitent en particulier des divers aspects de la révélation de Dieu à soi-même et associent Dieu le Père au fait christologique.

Les penseurs chrétiens, notamment depuis la Tradition patristique et le Moyen Âge jusqu'au début des temps modernes, problématisent en Dieu le Père, qui était au commencement, la question de l'unité divine (le monothéisme en dépit des deux autres personnes divines : Jésus-Christ et le Saint-Esprit), la question de la révélation et de la prédestination par Dieu de l'avenir du monde, ainsi que l'idée de la toute-puissance divine unique et le problème de la théodicée : jusqu'où Dieu dans sa toute-puissance est-il aussi responsable du mal ? Le mal (personnifié) apparaît comme une création de Dieu – Lucifer, l'ange déchu, victime de son propre orgueil –, en même temps qu'il est aussi un « partenaire » et un ennemi, voire un rival de Dieu dans l'organisation du salut : Satan est capable d'influencer la liberté humaine et de séduire l'homme, l'entraînant à se détourner de Dieu, voire à faire le mal.

Dieu le Fils (Jésus le Christ)

Il nous faut d'abord, avant de considérer les réalités historiques de Jésus, jeter un premier regard sur les fonctions divines du Christ. Jésus-Christ est la figure centrale et, comme son nom l'indique clairement, le « centre » du christianisme. Son existence est directement liée au salut de la Création et à la rédemption des hommes. Dans le Sermon sur la montagne, il transmet à ses partisans une nouvelle éthique, la religion de l'amour qui, tout à la fois, remplit et remplace l'ancienne religion (hébraïque) de la Loi.

Comment fallait-il comprendre la personne de Jésus-Christ en tant que Dieu ? Est-il « né » dès le début en Dieu le Père ? Est-il la Parole de Dieu (*logos*) de tout temps avec Dieu, comme il est dit dans le prologue de l'Évangile selon saint Jean ? Ou bien n'est-il qu'un homme exceptionnel quasiment « adopté » par Dieu ? Quoi qu'il en soit, Dieu s'incarne en Jésus-Christ sous une forme humaine (« Et le verbe s'est fait chair », Jean 1, 14) et

Adoration des Rois mages
Rogier Van der Weyden, vers 1455, panneau central du retable des Rois mages, Munich, Ancienne Pinacothèque, détail

La naissance du Sauveur fut, dans les parties les plus anciennes du Nouveau Testament, réinterprétée comme un processus mystique et surnaturel (l'Immaculée Conception) et transformée en miracle. Dans cette légende s'intégrèrent divers thèmes centraux du message chrétien : la parole adressée aux pauvres et aux sans-droits (les circonstances de la naissance, l'étable et la crèche) ; l'annonce à la communauté et son témoignage (l'annonce faite aux bergers) ; la prétention du message à l'universalité (l'adoration des Mages) ; les persécutions (le massacre des Innocents à Bethléem).
Avec l'apparition au Moyen Âge finissant du culte marial, l'art chrétien fit des « événements de Bethléem » l'un de ses motifs centraux.

reprend volontairement à son compte les souffrances de l'existence humaine ; amplement incompris, il finit par être exécuté et assume par sa mort et sa résurrection les péchés de l'humanité : Jésus « nouvel Adam » ou « dernier Adam » ? L'unicité historique du salut détermine la conception chrétienne de l'histoire dans sa totalité. Outre des faits rationnels et historiques (Jésus-Christ prédicateur charismatique), la christologie contient aussi toute une série de pensées hautement spéculatives, messianiques et ascétiques.
L'ambition personnelle de Jésus de préparer l'accession à un royaume divin de justice dans l'au-delà (« Mon royaume n'est pas de ce monde ») devait tout d'abord décevoir le messianisme plus politisé d'un environnement juif spirituellement impatient, et qui attendait la venue d'un roi issu de la maison de David.
Le christianisme primitif associa les anciennes attentes ainsi transcendées à la résurrection (physique) de Jésus d'entre les morts, et la communauté chrétienne crut à une approche apocalyptique imminente du royaume de Dieu, croyance qui ne fut que peu à peu abandonnée.
La mort de Jésus sur la croix représente le Fils de l'Homme, « serviteur souffrant de Dieu » ou « fils souffrant de Dieu », image qui renvoie aux modèles juifs de l'Ancien Testament du juste souffrant (Job).
Dès l'origine, les premiers chrétiens choisirent la croix comme signe de reconnaissance et – chose difficilement compréhensible pour le monde environnant – transformèrent ainsi l'instrument d'une mort ignominieuse en « signe de victoire ».
L'adoration de la croix et des scènes de la crucifixion donna peu à peu naissance au culte de Marie, la mère de Dieu, « génitrice divine » et, plus tard, « mère aux sept douleurs » ; culte qui absorbait également des représentations des divinités mères et de la pureté des mystères orientaux. On peut considérer cela comme une émancipation de l'élément féminin à l'intérieur du concept divin chrétien, par ailleurs fortement masculinisé.

Le Saint-Esprit

Le Saint-Esprit est des trois personnes du dieu unique celle qui est la plus difficile à comprendre, tout en étant cependant reconnaissable à ses œuvres. Pour la doctrine catholique du Père et du Fils (*filioque*) et pour la doctrine orthodoxe qui, elle, ne part que du Père, le Saint-Esprit est dans la vie des chrétiens et de l'Église l'élément vraiment créateur. Il fonde l'ordre et la tradition, mais agit aussi en même temps de manière révolutionnaire.

La crucifixion
Matthias Gothardt Grünewald, vers 1513-1515, vue extérieure du polyptyque d'Issenheim, Colmar, musée d'Unterlinden

La mort sur la croix est au centre de la doctrine chrétienne. Il s'agit d'un message libérateur et donc de joie. Elle représente les souffrances et les supplices que Jésus a subis pour racheter les péchés des hommes (la Passion). Du dernier repas pris avec les apôtres (la Cène) et de la nuit de veille dans le jardin de Gethsémani, en passant par l'arrestation, les outrages, la condamnation pour blasphème et le port de la croix, le chemin de la Passion s'achève sur le douloureux abandon de Jésus sur la croix. À ce moment le fils de Dieu révèle sa nature d'homme. La réflexion sur le sens principal de la mort sur la croix fut un des points de départ de la Réforme. Grünewald complète sa représentation du Crucifié, célèbre pour son expressivité, en y joignant Marie-Madeleine accompagnée du « disciple qu'il aimait » (Jean 19, 26), ainsi que l'agneau des sacrifices de la symbolique de l'Ancien Testament et Jean-Baptiste qui, montrant le Messie, est sans doute représenté sous les traits du peintre.

Il est l'esprit vivant et « qui rend vivant » (Paul), et dont l'activité apparaît pour la première fois clairement à la Pentecôte, lorsque le Saint-Esprit incite les disciples désespérés après l'ascension de Jésus à partir répandre l'Évangile. Cet événement marque aussi la naissance de l'Église, qui fonde son pouvoir de cohésion et de dispersion sur terre, la force des sacrements et la continuité de son développement sur le Saint-Esprit.
La part révolutionnaire du Saint-Esprit s'est révélée pratiquement dans l'œuvre de tous les mystiques chrétiens, de Joachim de Flore et des confesseurs franciscains extrêmes, en passant par Savonarole et Thomas Müntzer, aux réformateurs et saints ultérieurs, qui se sont référés à son action. Ceux-ci comprennent la révélation du Saint-Esprit dans une continuité charismatique de la mission des prophètes qui ne cesse de se heurter à une activité du Saint-Esprit contrôlée par l'Église et plutôt conservatrice en matière de tradition, de permanence et d'offices religieux.

La Sainte Trinité : spéculation et dogme

Dans le Nouveau Testament déjà les premières professions de foi nomment la triade Père, Fils et Saint-Esprit (Matthieu 28, 19 ; IIe épître aux Corinthiens 13, 13 ; épître aux Romains 1, 3), sans que l'unité divine y soit clairement formulée. La doctrine d'un dieu unique en trois personnes n'y apparaît donc pas encore ; cependant, les témoignages du Nouveau Testament sur la révélation, surtout ceux de Jésus lui-même, vont tous dans

Autel de la Résurrection
Hans Memling, vers 1485-1490, Paris, musée du Louvre

La croyance en la résurrection de Jésus-Christ après sa mise au tombeau est le fondement qui permit au christianisme primitif de reconnaître en Jésus de Nazareth le messie tant attendu depuis la prophétie de l'Ancien Testament et de le considérer comme le fils de Dieu fait homme. Il n'avait certes pas établi le royaume de Dieu sur terre, mais il avait, par sa victoire sur la mort, mis fin à la servitude des hommes qui croyaient en lui, une servitude faite des angoisses de la vie et de la peur de la mort. Les diverses hypothèses émises afin de trouver des explications naturelles à la disparition du cadavre ne purent entamer cette croyance, même si elles contribuèrent à enjoliver les récits de la Résurrection (la garde du tombeau). La victoire sur la mort, et donc la défaite du pouvoir des lois de la nature sur les hommes, confère au Christ la toute-puissance, la maîtrise du temps et de l'espace, de la nature et de la psyché (le Pancrator si populaire dans l'église d'Orient).
Memling entoure le tableau du Christ ressuscité et triomphant de scènes de légendes hagiographiques. La foi et l'acte salvateur et libérateur du Christ sont particulièrement manifestes dans le martyrologe, chez ses héritiers.

la même direction, celle de l'unité de la révélation : Dieu se révèle par le Christ dans l'Esprit saint. Le premier christianisme juif ne connaissait encore aucune doctrine explicite de la Trinité.
Outre la pensée de Paul, des spéculations gréco-hellénistiques provenant essentiellement de la pensée néoplatonicienne (Plotin, Proclus) sont entrées dans les formulations ultérieures du dogme trinitaire. Les commentaires des premiers Pères de l'Église sur ces questions furent complexes et souvent objets de controverse. Une question essentielle, discutée avec une extrême pertinence, fut celle de la position du Christ : était-il désormais vraiment Dieu ou un simple demi-dieu, et sa divinité ne menaçait-elle pas l'unité et la transcendance de Dieu le Père ?
C'est ainsi que les adoptants, par exemple, admettaient que Jésus n'avait été à l'origine qu'un homme d'exception qui, lors de son baptême, avait été « adopté » par Dieu comme son fils. Les ariens déclenchèrent une grave crise d'orientation au sein de la jeune Église : leur chef Arius affirma que Jésus ne participait pas de la nature unique de Dieu le Père, mais était simplement d'une nature semblable (*homoiousios*). En revanche, après d'âpres luttes, le dogme chrétien de l'égalité de nature (*homoousios*) de Dieu le Fils et de Dieu le Père s'établit. Au VIe siècle, à l'encontre des monophysites qui ne voulaient voir en Jésus-Christ qu'une seule nature, la nature divine, le dogme des deux natures, divine et humaine, dans l'unique personne du Christ s'imposa : le Christ est « vrai homme et vrai Dieu ».
L'importance du concile de Nicée (325 après J.-C.), présidé par l'empereur Constantin, résida dans l'établissement d'une profession de foi œcuménique (*Nicenum*), consensus qui devait lier toutes les Églises régionales. Parallèlement, la jeune Église devenant Église d'État (392) fit preuve d'intolérance croissante à l'égard de ceux qui, dans ses propres rangs, s'écartaient du droit chemin, et fit intervenir le pouvoir de l'État dans ses conflits théologiques.
Le concile de Constantinople (381) allait formuler pour la première fois le dogme chrétien de la Trinité et la « profession de foi nicéano-constantinopolitaine », dont l'essentiel est encore en vigueur aujourd'hui.
Il n'empêche que, les siècles suivants, différents points du dogme de la Trinité n'ont cessé de soulever de vives controverses. Saint Augustin (354-430), Père de l'Église latine, peut être considéré comme l'un des plus importants interprètes d'une doctrine toujours valable aujourd'hui, dans la mesure où il a placé la Sainte Trinité au centre des dogmes chrétiens.

L'IMAGE CHRÉTIENNE DE L'HOMME

Liberté, péché et grâce

Pour le christianisme, tout comme pour le judaïsme et l'islam, l'assertion de départ est que Dieu a créé l'homme à son image (Genèse 1, 27). Dieu se reconnaît donc lui-même dans l'homme qui est à son image ; l'homme est le partenaire de la révélation divine.
De cette identité d'image résultent essentiellement deux idées :

- l'homme est une créature pure et donc complètement dépendante de Dieu ;
- l'homme est, de par cette identité d'image, distinct des autres créatures, et au-dessus d'elles

L'homme a un esprit (l'âme) et un corps, qui à l'origine formaient une unité, conformément à l'idée transmise par les Juifs. Mais, influencés par la pensée gréco-hellénistique, Paul et les Pères de l'Église ont introduit un certain dualisme de l'âme et du corps, et ont ainsi dévalué ce dernier (la « chair »).
En dépit de l'affirmation de la révélation et de la prédestination divines de toutes choses, le christianisme souligne la liberté de l'homme, qui peut fort bien le conduire à faire des choix déraisonnables et contraires à la morale. L'homme est donc libre de se détourner de Dieu.
L'idée que l'homme peut pécher joue un rôle important dans le christianisme. C'est la seule de toutes les grandes religions monothéistes qui associe le mal sur terre – existant depuis la chute

originelle d'Adam et Ève au paradis – à l'idée d'une « faute originelle » de l'homme.
A cette faute originelle correspond le rôle universel de rédempteur de Jésus-Christ, le « dernier Adam ». Un mésusage de la liberté humaine produit le désordre, le mal et la souffrance. Le péché originel soumet les hommes et le monde entier à la rédemption.
Dans ces conditions, le salut de Jésus-Christ incarné s'étend aussi à tous les hommes. Dans le christianisme, la liberté de l'homme présuppose également l'amour du prochain : l'homme est appelé, dans le sens du Sermon sur la montagne, à aimer son prochain comme soi-même, à lui rendre le bien, à lui pardonner et à se réconcilier avec lui, puisqu'on peut en lui rencontrer le Christ lui-même (« Ce que vous avez fait au plus humble de mes frères, c'est à moi que vous l'avez fait »).
Le christianisme ignorant à l'origine le dualisme du corps et de l'âme, l'idée de la résurrection revêt chez lui un aspect matériel, dans la mesure où il ne croit pas seulement à l'immortalité de l'âme mais également à la résurrection physique de l'homme.
L'idée de l'incarnation de Dieu et de Jésus-Christ fait homme confère également à l'être humain, sous ses aspects physiques et spirituels, une position particulière qui a profondément marqué la pensée occidentale quant à l'appréhension du concept du sujet et de l'individu.
Le christianisme incite à un amour universel entre les hommes comme moyen de perfectionnement de l'individu. L'idée de l'élection y est largement imitée de la pensée judaïque et est également associée à l'interprétation de l'histoire, considérée comme celle du salut.
Le sacrifice du Christ est la condition du salut de l'homme disposant de la connaissance de ce sacrifice. Pour l'Église, l'orthodoxie, et donc l'accord du croyant avec les enseignements de l'Église, est une condition de la rédemption.
Le protestantisme associe très fortement la foi à la grâce rédemptrice de Dieu. La doctrine catholique, qui fait de la grâce divine un préalable essentiel du salut, exige de l'homme qu'il participe en proportion de ses forces à son propre salut. Pour le protestantisme, l'homme ne peut rien sans la grâce de Dieu, il doit se soumettre entièrement à la grâce divine.
De fait, les diverses Églises protestantes interprètent très différemment les conséquences pratiques de cette attitude sur les aptitudes et activités humaines sur terre. Quand Luther conserve à l'homme son autonomie, Calvin pense que celui-ci, par sa « double prédestination » (au salut comme à la damnation), ne peut guère modifier un destin prédéterminé.

Les représentations chrétiennes de la fin du monde et de l'au-delà

Dieu, juge équitable, examine attentivement les actes humains, récompense les justes et punit les pécheurs. La récompense définitive des actes commis par l'homme durant sa vie sur terre ne survient qu'au lendemain de celle-ci. Les justes entrent alors dans la vie éternelle. Le Nouveau Testament ne donne que peu de précisions sur le paradis, si ce n'est la félicité dans la contemplation de Dieu, l'invitation à la table du Seigneur, ou le règne à ses côtés de toute éternité (Matthieu 19, 28).
Des auteurs entreprirent bien plus tard d'enjoliver et le ciel et l'enfer. À l'extrémité de la vie, les morts en état de péché mortel entrent en enfer, et ce pour l'éternité. Ils y accomplissent une triple peine : ils perdent la contemplation de Dieu, ils ressentent les souffrances dans leur corps et accusent en permanence leur propre conscience.
La doctrine de l'éternité des tourments de l'enfer n'est pas restée à l'abri des controverses, certains la considérant comme contradictoire avec la bonté de Dieu. La résurrection d'entre les morts est – comme pour Jésus-Christ – une résurrection physique ; le corps ressuscité est d'une absolue pureté et à l'abri de la décomposition.
Les controverses se sont longtemps succédées sur le moment du Jugement dernier et de la résurrection, ainsi que sur les circonstances qui doivent les entourer. Des partisans de la doctrine du mil-

Rosace du Jugement dernier
Chartres, cathédrale, façade ouest, vers 1220-1230

L'apparition du fils de Dieu sur terre n'ayant pas, contrairement aux attentes, établi le royaume de la justice divine ici-bas, la notion d'un jugement dernier des pensées et des actes des hommes fut déplacée dans une sphère transcendante à la fin des temps terrestres. Les vitraux impressionnants que traversent des flots de lumière le rappellent aux fidèles chaque fois qu'ils quittent la maison de Dieu.

Thomas d'Aquin (1225-1274)
Portrait posthume de Joos van Wassenhove (Juste de Gand), vers 1470, Paris, musée du Louvre

Thomas d'Aquin, dominicain, professeur des universités de Paris, Naples et Rome puis, à partir de 1259, théologue à la cour du pape Urbain VI, créa un vaste système théologique de connaissances, de valeurs et de classements, synthèse (thomisme) de la tradition antique (Aristote) et de la doctrine chrétienne. Sa justification rationnelle des dogmes de l'Église, la subordination du savoir à la foi, la différenciation de l'être (*essentia*) et de l'existence (*existentia*), l'articulation du monde (matière originelle, monde inorganique, monde vivant, vivant conscient, esprit de Dieu), ainsi que la capacité de la raison à reconnaître et à prouver par ses propres moyens l'existence de Dieu, marquent l'apogée de la « philosophie chrétienne » du Moyen Age (scolastique).

Croix celtiques
Cimetière du monastère de Cashel, VIIe–VIIIe siècle, Irlande, Cashel, Comté Tipperary

Dans le cadre de la christianisation des Celtes, arrivés en Irlande vers 600 avant J.-C. (période de La Tène), le christianisme irlandais connut un développement aussi intense qu'autonome sur le plan culturel. L'Irlande n'ayant jamais fait partie de l'Empire romain et sa culture n'ayant à aucune époque connu la latinisation, l'art chrétien partit du symbolisme ornemental de la période de La Tène et reprit avec de nombreuses variations le langage symbolique (par exemple le symbole solaire) de l'organisation clanique paysanne, qui marqua l'Irlande jusqu'au IXe siècle. L'Église irlandaise primitive, qui fut en premier lieu une église monacale, évolua elle aussi vers le système clanique.
L'institution monacale irlandaise se caractérisa en particulier par sa mobilité au-delà des frontières (*peregrinatio*). Ainsi, l'érudition, le goût pour les sciences et les études (par exemple des classiques de l'Antiquité) se répandirent dans presque tous les monastères de l'espace iro-écossais et déclenchèrent une intense activité missionnaire en Angleterre, en Europe centrale et en Europe du Nord (entre autres à Saint-Gall, Regensburg-Ratisbonne, Würzburg, Vienne).
Les ecclésiastiques irlandais passèrent pour les plus instruits de leur époque et servirent comme précepteurs à la cour des empereurs francs.

lenium (dans le sens biblique du terme), « chiliastes » et « millénaristes », firent des calculs compliqués souvent marqués par les attentes impatientes de salut. Ces groupes particulièrement importants à la fin du Moyen Âge et au début des temps modernes, se sont presque toujours opposés à l'Église officielle qui, voyant en eux des représentants d'un « messianisme imminent », les a souvent durement persécutés ; certaines branches de la Réforme en ont fait partie, les anabaptistes par exemple.
La révélation, et donc l'Apocalypse de Jean, considérée par tous les groupes christo-messianiques comme le « texte fondamental », est très fortement inspirée de l'eschatologie de l'Ancien Testament juif, en particulier du livre de Daniel.
Le fond du message dit que, peu de temps avant l'avènement du royaume de Dieu, la dissolution morale, les injustices, les guerres, les épidémies et la dépravation générale auront, sous le « règne de l'Antéchrist », atteint leur apogée. Le royaume de la justice divine ne s'en démarquera que mieux. Avec le retour du Christ, intercesseur du royaume de Dieu, « les temps s'accomplissent » : l'Apocalypse de Jean part du principe que le Jugement dernier et la résurrection de tous les morts ne se produiront qu'au lendemain du millenium, royaume partagé avec le Christ par les témoins privilégiés de la foi.

JÉSUS ET LES DÉBUTS DE L'ÉGLISE

Jésus historique

La tradition concernant la vie de Jésus mêle des récits historiques et des récits légendaires. Si personne en général ne conteste son existence historique, en revanche des sources non chrétiennes (judaïques, islamiques et littérature de l'Antiquité) contestent sa nature divine.
Ces sources sont doubles : d'un côté les quatre Évangiles, de l'autre les écrits apocryphes, refusés ultérieurement par l'Église, et qui pour la plupart traitent de l'enfance de Jésus. Les trois premiers Évangiles (Matthieu, Marc et Luc), appelés « synoptiques » à cause de leur similitude, présentent des événements fortement historico-biographiques de la vie de Jésus et sont des versions grecques de textes originaux probablement araméens. L'Évangile selon saint Jean, qui est plus tardif, poétise la vie de Jésus et l'enrichit de spéculations métaphysiques et de considérations sur l'histoire du salut.
Les sources proviennent certainement de l'entourage immédiat de Jésus.
Jésus (abréviation de Josué, *Ieoshoua*, « aide de Dieu ») était le fils aîné du charpentier Joseph et de sa femme Marie ; il eut plusieurs frères et sœurs (Marc 6, 3). Ses parents vivaient à Nazareth (Galilée), mais Matthieu et Luc situent ses origines à Bethléem, de façon que la prophétie de Michée dans l'Ancien Testament s'accomplisse. L'année de sa naissance fut longtemps contestée, mais on la fixe aujourd'hui entre les années 6 et 3 avant J.-C.
Jésus a sans doute à l'origine exercé le métier de son père ; cependant, les qualités exceptionnelles de l'enfant de douze ans apparaissent déjà dans le récit de Jésus au Temple (Luc 2, 42 et suiv.).
Les débuts de l'activité apostolique de Jésus se rattachent à celle de Jean-Baptiste. Jésus reçut le baptême et, après l'emprisonnement de Jean-Baptiste, qui fut exécuté sur l'ordre du tétrarque Hérode, il rentra en Galilée.
Selon saint Luc, Jésus avait une trentaine d'années quand il entreprit son activité publique (Luc 2, 23), qui ne dura qu'une année, au maximum trois. Accompagné de certains disciples, Jésus prêcha à travers la Galilée, en particulier sur les bords du lac de Tibériade. Il guérit des malades et jouit de l'hospitalité de ses partisans, ce dont témoigne sa présence à de nombreux banquets. Jésus ne fut donc pas un ascète insociable.
Son mode de vie et ses messages religieux éveillèrent bientôt la méfiance, puis l'hostilité des pharisiens traditionnels et des docteurs de la Loi, qui s'inquiétaient du nombre croissant de ses partisans. Ils mirent à profit son séjour à Jérusalem pour l'arrêter, lui faire un procès pour blasphème (Marc 14, 64) et le condamner à la crucifixion avec l'accord de Ponce Pilate, procurateur de 26 à 36 après J.-C.
Tandis que Jésus-Christ mourait dans d'atroces souffrances, le pays fut plongé dans les ténèbres (le jour probable de sa mort serait le 3 avril 33).
Jésus était un homme du peuple qui prêchait dans une langue simple et claire, mais imagée. Ses paraboles étaient à la portée de son auditoire de paysans et d'artisans. Il minimisait l'importance de l'érudition et enseignait un évangile pratique et quotidien fondé sur l'amour du prochain, promettait l'avènement du royaume de Dieu, et traitait les incroyants et ses adversaires avec indulgence tout en évoquant la promesse d'un châtiment futur.

Le Sermon sur la montagne

Le Sermon sur la montagne est au cœur de l'éthique chrétienne et donc de la conception morale chrétienne dans sa totalité, dans la mesure où Jésus n'exige pas de ses partisans une connaissance préliminaire, mais une imitation. L'éthique activiste du christianisme fait de celui-ci un mode de vie, un chemin à suivre au long de toute la vie.

Le Sermon sur la montagne, prononcé sous forme de sentences et de contre-propositions courtes et précises, et transmis par Matthieu et Luc, n'exige pas un renforcement de l'obéissance à la Loi judaïque, mais l'obéissance au Dieu d'amour.

Il est un appel moins à la raison qu'à la générosité et au cœur de l'homme. Prononçant des exigences radicales, Jésus incite au refus d'exercer la force et la violence. Il va même plus loin encore, en exigeant qu'on n'y réponde pas.

Le Sermon sur la montagne est peut-être le plus grand défi à la chrétienté elle-même. Les tentatives sont innombrables, venant même d'institutions de l'Église, d'en atténuer la teneur ou même d'en désamorcer le message politique. Dans ce texte, l'amour est l'accomplissement de la Loi et, idéal sublime, s'oppose sans compromis aucun à la loi jusqu'alors en vigueur, qu'il accomplit et abroge tout à la fois.

Les « Saintes Écritures »

Le canon de la foi chrétienne établi par l'Église, les Saintes Écritures, comprend les livres de l'Ancien Testament, qui constituent également le fondement de la foi judaïque ; s'y ajoutent le canon du Nouveau Testament comportant les quatre Évangiles de Matthieu, Marc, Luc (avec les Actes des apôtres) et Jean, ainsi que vingt et une épîtres des apôtres (treize de Paul, deux de Pierre, trois de Jean, une aux Hébreux, une de Jacques et une de Jude), et pour finir la révélation (l'Apocalypse) de Jean.

Alors que les protestants considèrent les Saintes Écritures comme la seule véritable source de la foi, l'Église catholique enseigne que la Tradition (religieuse) est un continuum d'enseignements révélés par Dieu et dont l'autorité est incontestable. Elle considère donc les dogmes, les enseignements des Pères de l'Église, les décisions des conciles, etc. comme des « règles de la foi » que les fidèles ne peuvent transgresser. Symboles de cette foi, elle admet en premier lieu les actes de foi des premiers conciles, par ailleurs amplement reconnus par les autres Églises chrétiennes.

Le christianisme primitif et les apôtres Pierre et Paul

Jesus est apparu dans une période de grande inquiétude religieuse et d'attentes chiliastiques. La crucifixion, la résurrection et l'ascension du Christ provoquèrent un grand désarroi parmi les douze disciples et la petite communauté primitive qui l'accompagnaient. Cette communauté, composée de différents groupuscules provenant des basses couches sociales juives, commença à attendre l'arrivée imminente de la fin des temps (autrement dit l'apocalypse imminente).

Le récit sur la Pentecôte des Actes des apôtres raconte l'apparition du Saint-Esprit au-dessus de leurs têtes, et la constitution de la communauté messianique qui se regroupa autour du message de Jésus.

Luc transmet l'image idéale de la communauté primitive sur la base de la mise en commun des biens, du partage et de l'aide mutuelle.

Ces chrétiens juifs, tous fortement imprégnés de l'ancienne croyance judéo-messianique, s'en distinguent cependant par la christologie et le rite initiatique du baptême. Leur communauté conserva sa cohésion en célébrant le repas en groupe, en souvenir du dernier dîner de Jésus avant son arrestation, avec l'offrande symbolique du pain et du vin.

Le « dîner du Seigneur » devint, avec le baptême, le second symbole fondateur du jeune christianisme. C'est la Pentecôte qui, en dernière analyse, détermina les apôtres à se répandre dans le monde pour y propager l'Évangile. Elle est aujourd'hui considérée comme la date de « fondation » de l'Église chrétienne en tant que communauté des croyants.

Au début ses structures étaient encore très provisoires et fortement marquées par ses lieux d'implantation. Il n'existait encore aucune forme de hiérarchie. Les interprétations varient sur une préexistence dans l'Église primitive des fonctions ecclésiastiques ultérieures.

Les apôtres Pierre et Paul ont été les figures émergentes de la communauté primitive. Simon Pierre est déjà le porte-parole des disciples du vivant de Jésus. Premier témoin, à côté des saintes femmes, de sa résurrection, Matthieu (et non Jésus lui-même) le désigne comme la « pierre » (le roc) sur laquelle Jésus bâtira son Église (Matthieu 16, 17-19). Mais il ne fut pas le chef unique de la communauté primitive de Jérusalem. Il finit par soutenir Paul dans sa mission auprès des païens, accomplit aussi la sienne auprès des Juifs et partit enfin pour Rome où, sous le règne de l'empereur Néron, en 64 ou 67, il mourut en martyr.

C'est sur la tradition du « roc » que les papes fonderont plus tard leur légitimité en tant qu'évêques de Rome et donc successeurs de Pierre et primats

L'apôtre Pierre
Mosaïque, VIe siècle, Ravenne, baptistère des ariens

Le Nouveau Testament explique que, parmi les disciples, le rôle de Pierre fut le plus important. Il doit être considéré comme le premier chef de la communauté chrétienne primitive de Jérusalem. Il est présenté traditionnellement comme l'aîné des apôtres et désigné comme la « pierre » sur laquelle Jésus allait construire son Église (Matthieu 16, 18). Pierre étant mort en martyr en 65 à Rome, les évêques de cette ville revendiquèrent la succession. Ils voulaient être reconnus comme les occupants légitimes du « siège de Pierre ». Pour affirmer leur rôle de dirigeants uniques de l'Église et consolider la primauté du pape sur l'ensemble de l'Église ils évoquaient les paroles de Jésus : « Je te donnerai les clés du Royaume des Cieux » (Matthieu 16, 19). Le conflit sur le primat romain, réglé sur le plan théologique aussi bien que politique, aboutit en 1054 à la scission définitive de l'Église en Église romaine catholique et en Église orthodoxe grecque.

La Pietà de Saint-Pierre du Vatican
Michel-Ange (Michelangelo Buonarroti, dit), marbre, 1498-1499, Rome, église Saint-Pierre

La mystique de la fin du Moyen Âge aboutit, à partir du XIVe siècle, non seulement à un renforcement de la piété individuelle, mais également à la constitution diversifiée du culte marial. L'invitation à la compassion trouva son expression toute particulière dans la « Pietà » (en italien, « sentiment profond, compassion »), représentation de Marie éplorée, tenant sur ses genoux le corps du Christ après la descente de croix. Logiquement, le transfert de la douleur absolue vécue par le Crucifié à sa mère aboutit à l'Assomption, au couronnement et à l'adoration de la mère de Dieu qui, devenue reine des cieux, miraculeuse et pleine de grâce, s'ancra dans la foi populaire.

de l'Église. Mais, dans un premier temps, Jérusalem resta la communauté mère chrétienne avec comme dirigeant l'apôtre Jacques, le frère de Jésus, qui mourut également en martyr.

La figure de l'Église primitive la plus intéressante et la plus importante sur le plan théologique est celle de l'apôtre Paul. Persécuteur des chrétiens à l'origine, Saul, devenu Paul sur le chemin de Damas et grand zélateur du christianisme, élabora les premiers concepts théologiques de la foi en Jésus-Christ. Il connaissait profondément la philosophie juive et hellénistique, ce qui l'aida sans aucun doute à formuler les principes fondamentaux du christianisme.

Ainsi élabora-t-il la doctrine de la justification du chrétien par la seule foi. On trouve également chez lui les premières indications relatives au « corps » (visible) « du Christ » dans l'Église. Ses épîtres aux diverses communautés chrétiennes, jointes aux Évangiles dans le canon du Nouveau Testament, le désignent comme l'organisateur et le missionnaire le plus important de l'Église primitive. Il posa également les bases théologiques de la formulation ultérieure du dogme de la Trinité.

L'Église chrétienne : idée et organisation

L'apocalypse n'ayant pas eu lieu, le christianisme se trouva dans la nécessité de formuler à long terme son rapport au monde existant – en fonction de la mission fixée par Jésus de porter l'Évangile à « toutes les nations » (Matthieu 28, 19).

Après avoir mis en place une organisation solide, l'Église apostolique se considéra comme la représentante sur terre de l'« Église céleste », préexistante dans le ciel. Elle vit dans le Christ son chef éternel et revendiqua le droit de parler en son nom.

Le besoin de trouver des formes d'organisation et des fondements juridiques centralisés se doit à plusieurs facteurs : le fait que les différentes Églises étaient dispersées géographiquement et que de plus en plus, face à l'influence de la pensée et du mode de vie romains, il était nécessaire de légitimer la foi et la vie de la communauté.

L'Église primitive commença par définir le canon du Nouveau Testament et se référa aux critères de sélection de l'« apostolat », c'est-à-dire à l'authenticité apostolique des textes reconnus dans ce canon. Un dogme particulier de la succession s'appuya sur les continuateurs des apôtres désignés par le Christ lui-même ; la « règle de la foi apostolique » et le sacrement du baptême consolidèrent la communauté.

Pour se défendre du charisme libre et indépendant et des courants ésotérico-gnostiques, on instaura la fonction d'évêque (*episkopus*), le chef de la communauté. La communauté des évêques constitua le concile œcuménique qui, dès le IVe siècle se réunit sous la protection de l'empereur. Les règles du choix communautaire, qui étaient si importantes pour la cohésion de l'Église primitive, furent, après l'institution d'instances centrales, notamment de la papauté, frappées de caducité. Après l'unification des professions de foi et l'imposition des décisions des premiers conciles pour assurer son autorité dogmatique unique, ainsi que son « pouvoir de cohésion et de dispersion », l'Église fit preuve d'une intolérance grandissante à l'égard des dissidents de tous ordres. Cette intolérance s'étendit très rapidement à toute la mission, l'idée de tolérance ne faisant que bien plus tard son entrée dans les Églises chrétiennes.

Institution instaurée par le Christ lui-même, l'Église considère que sa tâche essentielle est de transmettre la Tradition écrite et orale, ce qui lui permet de se mouvoir dans le champ d'action compris entre l'esprit vivant et la lettre définitive. Sa création la plus importante est le canon des « Saintes Écritures », dont elle est la gardienne et qu'elle défend farouchement. Son autorité doctrinale s'est consolidée avec l'affirmation de son besoin d'exégèse. D'où un rapport extrêmement tendu avec la critique biblique, qui s'est fortement développée depuis les Lumières, et avec la recherche historique.

Offices religieux, liturgie et fêtes

La liturgie de l'Église a pour but et contenu la rencontre de la communauté avec le Christ ressuscité

Le martyre de saint Sébastien
Hans Holbein l'Ancien, vers 1516, volet central du retable de saint Sébastien, Augsbourg

Il existe de merveilleuses légendes narrant le courage, la foi et la souffrance des martyrs chrétiens. Les fidèles allaient en pèlerinage sur les lieux de leur mort. L'officier romain transpercé de flèches, Sébastien, acquit, à diverses périodes de l'histoire, une popularité toute particulière. C'est ainsi qu'au haut Moyen Âge il fut considéré comme le patron des croisés, puis des guildes d'archers, avant de devenir au XIVe siècle le saint protecteur contre la peste qui sévit avec une rare violence en Europe centrale. On dit qu'au VIIe siècle la peste se serait arrêtée aux portes de Rome grâce à son intervention. Son attribut, la flèche, devint le symbole de cette maladie. À la Renaissance, nombre d'artistes traitèrent le thème de saint Sébastien, le martyr attaché à une colonne offrant la possibilité, rare dans l'iconographie chrétienne, de représenter un corps nu.

et le renforcement de la foi. Depuis l'époque de l'Église primitive, nombreuses sont les figurations du repas communautaire, de la réunion à la table du Seigneur. Les Évangiles contiennent déjà de nombreux tableaux de repas, par exemple la description de repas de fête et de mariage ; des descriptions du paradis vont même jusqu'à évoquer « la table du Seigneur ». L'Église considère donc le maintien de la tradition du repas communautaire comme un legs essentiel de Jésus-Christ. À l'origine, l'office religieux et les repas prirent des formes très différentes en fonction des régions.

Ce n'est que vers le VIe siècle que les Églises orientale et occidentale aspirent vivement à l'unification. Les gestes de l'office religieux sont fortement marqués de symboles. Le mystère de l'Eucharistie est un point difficile : d'après la doctrine romaine catholique, à laquelle se sont ralliés l'Église orthodoxe et plus tard, mais avec quelques différences, Luther, la venue du Christ, qui s'opère au cours du repas communautaire de pain et de vin, n'est pas symbolique mais effective (doctrine de la transsubstantiation).

Ultérieurement, plusieurs mouvements réformateurs, en particulier ceux de Zwingli et des anabaptistes, rejetteront cette affirmation avec véhémence : pour eux, l'eucharistie est un simple repas commémoratif. La liturgie officielle des Églises oscille souvent entre un durcissement, voire une rigidité du rituel, et de prudentes innovations. Tous les groupes charismatiques et indépendants de l'Église, dont les sectes, présentent – à l'instar de la Réforme de Zwingli en Suisse – de fortes tendances antiliturgiques, le rituel menant, selon eux, à l'engourdissement de la foi dans des gestes extérieurs.

L'année chrétienne comporte une série de fêtes religieuses particulières qui répondent aux moments essentiels de la vie, de la mort et de la résurrection de Jésus-Christ. C'est ainsi que la fête de Pâques, que l'Église primitive célébrait chaque dimanche comme celle de la résurrection du Seigneur et de sa victoire sur la mort (Vendredi saint), devint le centre de l'année religieuse traditionnelle. Fixées en fonction du calendrier lunaire, les fêtes de Pâques, de l'Ascension et de la Pentecôte sont mobiles, alors que celle de Noël (jour de naissance du Seigneur) a lieu à date fixe, le 25 décembre.

Le christianisme a transformé cette fête d'origine romaine du solstice (*sol invictus*) en fête de la victoire du Christ sur le paganisme.

Hormis les périodes ou les jours sanctifiés, il existe également des lieux saints pour le christianisme, à l'exemple de Jérusalem pour le judaïsme. Au début, ces lieux étaient strictement ceux qui avaient été témoins de la vie de Jésus ou des apôtres. Bientôt on vénéra également les localités où vécurent ou agirent certains saints ou patrons locaux. Ces endroits devinrent le but de pèlerinages et d'autres manifestations religieuses. Le culte des saints, dont le culte marial peut être considéré comme le paroxysme, servit, essentiellement au Moyen Âge, à l'interprétation sensitive et symbolique des doctrines abstraites de la foi. Cette dévotion voyait dans les saints, considérés comme des hommes exceptionnels, des intercesseurs auprès de Dieu et des protecteurs dans la détresse, dont la fermeté de la foi devait également se communiquer à ceux qui demandaient de l'aide.

Les sacrements

Pour l'Église, c'est dans les sacrements que se révèle le mystère du Christ. Les Églises catholique et orthodoxe en reconnaissent sept : le baptême, la confirmation, l'eucharistie, la pénitence, l'ordination, le mariage et l'extrême-onction (qui, aujourd'hui s'est étendue au sacrement des malades). Le protestantisme n'en reconnaît que deux : le baptême et l'eucharistie. Leur origine sacrée, telle qu'elle est décrite dans les Évangiles, n'a pas manqué d'être contestée.

Le baptême est le sacrement le plus important, symboliquement réalisé par l'aspersion. Ce geste, pour le catholique, lave le péché originel de l'homme. Pour le protestant, il efface simplement la faute du péché originel, qui conduit à la damnation, le goût de pécher persistant dans l'homme. Le baptême étant considéré comme la « régénération

La Cène
Évangéliaire d'or d'Henri III, vers 1050, Madrid, Escorial

Pour le christianisme, le dernier repas que Jésus prit en commun avec ses disciples, le soir de son arrestation, la « Cène », et auquel participa également le traître Judas, allait revêtir une importance capitale. C'est l'expression de la communauté des croyants avec Dieu fait homme et du salut qu'il lui avait apporté. L'interprétation magique du changement du pain et du vin en corps et en sang du Christ (transsubstantiation) par le prêtre célébrant (consécration) a de tout temps été fortement controversée. La querelle théologique sur ce qui à l'origine n'était que la célébration du souvenir d'un repas culmina avec les débats réformateurs du XVIe siècle. Alors que toutes les communautés religieuses protestantes rejetèrent comme contraire aux Écritures la présence réelle et complète du Christ dans le pain et dans le vin, l'Église catholique romaine fit de l'Eucharistie un dogme fondamental de sa doctrine.

Le baptême du Christ
Guido Reni, vers 1621-1623, Vienne, Kunsthistorisches Museum

Dans l'Antiquité, le baptême, acte symbolique de purification par l'eau, était très répandu. Le baptême chrétien ne se réfère pas au baptême de Jésus par Jean-Baptiste, mais à la parole du Christ, « au nom du Père et du Fils et du Saint-Esprit ». Par ces mots, le baptisé (à l'origine adulte) n'est pas simplement accueilli subjectivement dans la communauté chrétienne, mais amené à se confondre objectivement dans la communauté du Rédempteur et des élus. Il est ainsi libéré du poids du péché originel, mais la doctrine et la foi continuent à être indispensables à son salut.

Monastère du mont Cassin (monte Cassino)

Le monastère initial de l'ordre des Bénédictins, fondé par Benoît de Nursie en 529, fut pendant des siècles un centre des arts et des sciences. Sa situation élevée sur une colline abrupte associait les idéaux de l'érémitique et de la communauté monacale.

dans le Christ», il ne fut accompli, à l'origine, qu'avec des adultes volontaires. Ainsi, certaines communautés radicales, tels les anabaptistes, refusent le baptême des enfants, même si, pour le salut des âmes, l'Église officielle l'exige, aucun enfant ne devant mourir sans être baptisé.

La confirmation «consolide la foi» : elle doit renforcer la profession de foi de l'enfant devenant adulte. Pour les Églises catholique et orthodoxe, il s'agit d'un sacrement, mais ce n'est pas le cas pour les protestants, même si elle est chez eux comparable à celle des catholiques.

Pour ceux-ci, l'eucharistie est un sacrement aussi important que le baptême, puisqu'elle signifie la présence effective du Christ dans le pain et le vin. Certaines Églises protestantes ne considèrent l'eucharistie que de manière symbolique.

Le sacrement de la pénitence, que Luther, à l'origine, aurait aussi voulu maintenir, associe le pouvoir de rémission des péchés du Christ (Matthieu 9, 2 ; Marc 2, 5 ; Luc 5, 20 et suiv.) et sa délégation aux apôtres (Matthieu 16, 19 et 18, 18 ; Jean 20, 23), puis à l'Église en tant que légataire des apôtres. L'Église, et donc le prêtre, peut à titre représentatif donner l'absolution (indulgence) et exiger la pénitence. C'est en grande partie les abus commis dans la pratique des indulgences qui provoqua la Réforme, mouvement qui nia aux prêtres le droit d'exercer cette compétence.

Aujourd'hui, chez les catholiques, l'extrême-onction, à l'origine exclusivement réservée aux mourants, a été élargie pour devenir un apostolat des malades, tel qu'il existe déjà depuis longtemps dans l'Église orthodoxe. Le catholicisme reconnaît en outre deux autres sacrements : l'ordination des prêtres et le mariage. D'autres gestes religieux ne sont pas considérés comme des sacrements au sens plein.

L'institution monastique chrétienne (les ordres)

L'institution monastique est issue de l'idéal chrétien originel de perfection, qui voulait que l'état de parfait chrétien se manifeste par un amour désintéressé de Dieu et de son prochain.

L'Église primitive reconnaissait l'ascétisme masculin et féminin, se référant sur ce point à Paul qui, déjà dans ses épîtres, avait célébré le célibat chrétien. Dès les IIe et IIIe siècles, singulièrement dans l'espace palestino-syrien, ascèse et mystique étaient étroitement liées. Le premier monachisme (les cénobites, du grec *koinos*, «en commun»), refusant la décadence de la vie dans la cité, recherchait la solitude et le silence du désert où se situaient les monastère. Les moines, dans des cellules ou des grottes, menaient une existence parfaitement solitaire même s'ils vivaient en communauté. L'exemple le plus extrême de cette forme d'ascèse est celui des stylites, qui en Mésopotamie et en Syrie vivaient sur des portiques ou des colonnades en ruine pour pratiquer la méditation. À l'origine, ces moines étaient des laïcs.

Le monachisme occidental présentait en revanche d'autres caractéristiques, à cause essentiellement d'une importante cléricalisation et d'une organisation rigide. Les *patres* (pères) sont des prêtres ordonnés, alors que les *fratres* (frères) sont chargés des tâches artisanales et «séculières».

Benoît de Nursie (480-547), génial organisateur du monachisme occidental, fonda en 529 l'ordre des Bénédictins (monastère du mont Cassin), qui, sous forme de communautés monastiques organisées, se répandit à travers toute l'Europe occidentale. Avec sa célèbre règle de l'ordre, «*ora et labora*» (prie et travaille !), il obtint des résultats remarquables dans les domaines de la mise en culture, de l'agriculture, de l'enseignement et des sciences.

Le courant réformateur des monastères de Cluny et de Gorze fut aux Xe et XIe siècles le moteur d'un grand renouveau intérieur de l'Église. Face à la sécularisation croissante des ordres anciens – les monastères devenant au Moyen Âge les sources principales de revenus des cadets de familles nombreuses ou nobles – apparurent différents ordres réformateurs, tel, aux XIe et XIIe siècles, l'ordre des Cisterciens de Bernard de Clairvaux (1091-1153), qui fut bientôt aussi puissant que celui des Bénédictins.

Au début du XIIIe siècle, ce fut la création des «Frères mineurs» (les Franciscains) de François d'Assise (1181-1226), engagés dans l'idéal chrétien de pauvreté et de soin des malades ; les Frères prêcheurs (les Dominicains) de Dominique Guzman (1170-1221) furent bientôt chargés par l'Église de la lutte contre les hérétiques et les apostats, et de l'Inquisition (*Canes Domini*, «les chiens de garde du Seigneur»).

Pendant le Moyen Âge et presque jusqu'au siècle des Lumières, les monastères appartenaient en Europe à de riches et puissants propriétaires terriens, vivant en large autarcie. Il s'agissait souvent de lieux d'instruction et d'érudition religieuses, qui, très puissants, formèrent une sorte d'«Église dans l'Église».

À l'époque de la Contre-Réforme, l'ordre des Jésuites, fondé par Ignace de Loyola (1491-

1556), acquit une importance exceptionnelle, formant essentiellement des missionnaires pour l'Extrême-Orient et des conseillers politiques des souverains catholiques.

La mission chrétienne

L'étendue de l'œuvre missionnaire et l'expansion du christianisme sont les signes les plus marquants de sa grande vitalité. Aucune autre religion n'a été capable d'organiser sa mission et de s'étendre de cette façon sur tous les continents. La (re)découverte du continent américain après 1492 ouvre, à bien des points de vue, un nouveau chapitre de l'expansion chrétienne.

Auparavant, la mission de l'Église avait été marquée, sur le plan tant de l'ardeur que des méthodes employées, par la *Reconquista* (Reconquête) militaire de la péninsule Ibérique qui était aux mains des « Infidèles », c'est-à-dire des Maures, adeptes de l'islam.

Ce besoin de conversion et d'expansion se trouve déjà à l'époque de l'apôtre Paul qui « pressé par le temps », puisque le retour du Christ devait être imminent, avait déployé une immense activité de voyageur prosélyte à travers l'Europe et l'Asie.

Cette activité débordante incita de tous temps un grand nombre de missionnaires à ne craindre ni la fatigue ni les dangers physiques, au point même d'accepter le martyre, pour prêcher, divulguer la bonne parole.

Alors que, dans son œuvre missionnaire, l'Église orthodoxe s'appuya très fortement sur les structures et les langues locales préexistantes (la diversité de ses formes d'organisation, singulièrement au Proche-Orient, en témoigne), les Églises occidentales pratiquèrent un prosélytisme plus rigide et centralisé. En particulier, l'activité missionnaire qu'exerçaient, depuis le XVe siècle, les deux principales puissances maritimes catholiques, le Portugal et l'Espagne, reposa à la fois sur la violence et l'eurocentrisme, alors que les puissances maritimes protestantes, l'Angleterre et la Hollande, surent concilier l'ardeur missionnaire et leurs intérêts commerciaux.

Les démarches de « mission intérieure », que l'on trouve dans toutes les Églises – en particulier les Églises protestantes –, sous la forme de mouvements d'éveil et de renouveau, se différencient de ces pratiques missionnaires. Dans le secteur des Églises protestantes, elles ont été surtout accomplies par des groupes piétistes (August Hermann Francke et le comte Nikolaus Ludwig von Zinzendorf), qui appelaient les hommes à une

Le rêve du pape Innocent III (1198-1216)
Fresque du Maître franciscain, vers 1260, Assise, San Francesco, en partie détruite

Au XIIIe siècle, de nombreux croyants remirent en cause les traditions des premiers chrétiens. Parmi les ordres monastiques réformés, les Franciscains ont eu une importance considérable. De nombreuses légendes entourent la vie de l'Espagnol saint Dominique (1170-1221) et de l'Italien saint François d'Assise (1182-1226). Les hautes instances de l'Église cessèrent de s'opposer à eux, grâce à un rêve qu'aurait fait le pape, lui indiquant que ces ordres nouveaux étaient les piliers de soutien de l'édifice chancelant de l'Église.

« conversion intérieure ». Une partie des jeunes Églises et un grand nombre de mouvements religieux de jeunesse et de renouveau (par exemple l'YMCA ou l'Action catholique) ont repris ces idées.

LE CHRISTIANISME JUSQU'À LA RÉFORME

L'Église primitive et l'Empire romain

Dans un premier temps, l'Église primitive (Jacques en particulier, et Pierre aussi, au début) s'efforça de limiter le christianisme à une religion légalement reconnue dans l'espace juif. Il s'agissait, par l'intervention auprès des Juifs, de faire de ceux-ci une secte judéo-chrétienne. C'est Paul qui, plus particulièrement, prit conscience que l'avenir du christianisme résidait dans sa mission auprès des païens.

Le message amplement novateur du Nouveau Testament fit que l'on se détourna du judaïsme. Les rapports entre les deux religions devinrent de plus en plus tendus, et, pour le judaïsme surtout, cette séparation eut des conséquences fatales. Les Juifs refusant de reconnaître en Jésus-Christ le Messie, on les accusa bientôt de paganisme aveugle. Si la tendance à présenter les Juifs comme les véritables « meurtriers du Christ » existait déjà chez les évangélistes, avec cette divergence elle se renforça considérablement.

Déjà par l'intermédiaire de Paul et plus encore par celui des premiers Pères de l'Église, les apologistes (les « défenseurs »), le jeune christianisme se rapprocha et s'inspira sur le plan spirituel du monde gréco-hellénistique et de sa prétention à l'universalité. Comme le préfigure déjà le prologue de l'Évangile selon saint Jean, le Christ fut assimilé au logos grec et interprété comme l'intelligence du monde. Les docteurs de l'Église d'Orient en particulier ont élaboré un système de

Messe sur la Piazza di San Pietro devant la basilique Saint-Pierre de Rome (pendant le concile Vatican II)

Conformément à l'usage de la langue latine, les assemblées générales de l'Église catholique, auxquelles les évêques sont seuls autorisés à assister, sont appelées conciles (« synodes » en grec). Les huit conciles œcuméniques de l'ancienne Église avaient tous été convoqués par les empereurs romains pour formuler et fixer la doctrine. Les conciles du Moyen Âge et des temps modernes convoqués par la curie se situèrent le plus souvent sur le terrain des tensions entre le pouvoir spirituel et le pouvoir temporel, et de la lutte contre les idées réformistes. Ils servirent souvent à consigner par écrit des positions juridiques et religieuses liées à la tradition.
Le concile de Vatican I (1869-1870) confirma l'épiscopat universel du pape et formula la notion de son infaillibilité. L'idée fondamentale des conciles était la conviction de l'efficacité du Saint-Esprit dans ces assemblées d'évêques.

pensée néoplatonicien christianisé. D'une façon générale, le christianisme a repris et « christianisé » l'enseignement antique.

Les rapports avec l'État romain païen subiront de profonds changements. C'est en Judée, où les chrétiens furent traités par l'administration romaine comme une secte juive, que le christianisme entra pour la première fois en contact avec des formes de culte politiques.

Pour les chrétiens comme pour les Juifs, le culte de l'empereur, qui après la consolidation des dynasties héréditaires ou fondées sur l'adoption aboutit à sa divinisation, fut un objet de scandale. Ils ne voyaient là qu'une forme d'idolâtrie, et malgré une certaine ambiguïté dans les paroles du Christ concernant l'autorité séculière, les chrétiens rejetèrent catégoriquement ce culte. Ainsi, dans les relations du christianisme avec l'Empire romain, de fragiles périodes de tolérance alternèrent avec des périodes de cruelles persécutions, les plus dures se produisant sous le règne des empereurs Néron (54-68), Septime Sévère (193-211), Maximin Ier (235-238), Decius (249-251) et Dioclétien (285-305). Durant ces années, le nombre des martyrs, dont le courage renforçait la foi et la croyance, augmenta considérablement.

Parallèlement, la pensée romaine pénétra le christianisme, ce qui conduisit à une forte légitimation de la foi : le paganisme romain est à l'origine d'un grand nombre de manifestations extérieures, cultuelles et organiques.

Constantin (306-337, règne personnel à partir de 324) fut le premier empereur à reconnaître la possible fonction politique du christianisme : il promulgua en 311 l'édit de tolérance de Milan, qui garantit le libre exercice de la religion chrétienne et sa reconnaissance officielle. La victoire de Constantin sur Maxence au pont Milvius en 312 prétendument remportée sous le signe de la croix fournit la matière d'une légende chrétienne ultérieure dite « donation de Constantin », sur laquelle le pape fonda plus tard sa revendication d'un pouvoir séculier sur l'Italie centrale (États pontificaux).

En 392, sous le règne de l'empereur Théodose Ier (379-395), le christianisme devint religion d'État et parvint à obtenir l'interdiction officielle de tous les cultes païens. Les empereurs chrétiens suivants de l'empire d'Occident se révélèrent pour la plupart de piètres politiques, tout en intervenant fortement dans les intérêts de la jeune Église officielle.

L'Église orthodoxe et Byzance

Après le partage de l'Empire romain au IVe siècle et, définitivement, après la disparition de l'empire d'Occident (476), ce fut au tour de l'empire d'Orient (Byzance) de dominer par son importance et sa puissance.

Constantinople, la « Seconde Rome », connut un grand essor culturel et, vers 500, son patriarche, placé sous la protection impériale, était considéré, en tant que chef spirituel de l'Église orthodoxe grecque, comme l'égal du pape à Rome.

Rome et l'Église d'Occident tombèrent aussi de plus en plus sous la dépendance de Byzance. Le césaro-papisme pompeux de l'empereur byzantin, dont les formes cultuelles pénétrèrent aussi l'Église orthodoxe, contribua à ce que l'Église d'Orient soit plus fortement unie que Rome qui était entourée de peuples germaniques ariens. L'Église orthodoxe s'étendit ainsi à tout l'espace slave, y compris la Russie.

Sur le plan théologique, l'Église d'Orient se distingue essentiellement de l'Église romaine en ce qu'elle affirme plus fortement la majesté des personnes divines et fait émaner le Saint-Esprit exclusivement du Père et non pas aussi du fils (*filioque*).

L'Empire byzantin atteignit le sommet de sa puissance sous le grand empereur Justinien (527-565), mais dès le VIIe siècle, sous la poussée de l'Islam, il perdit ses territoires du Proche-Orient et fut bientôt lui-même menacé jusqu'à la chute de la Rome d'Orient (1453).

Dans la zone d'influence de l'Église d'Orient, le culte d'innombrables saints et de leurs riches représentations sous forme de tableaux, d'icônes et de reliques entraîna entre 726 et 843 la querelle des Images (iconoclasme). Cette querelle souvent meurtrière, qui portait sur la légitimité et la justesse de ces formes de vénération (reproche d'idolâtrie), impliqua aussi bien l'empereur que l'Église et contribua à l'affaiblissement interne de l'empire.

Les querelles dogmatiques et la question de la primauté romaine provoquaient une distance de plus en plus grande entre les deux Églises. Après des condamnations mutuelles et des accusations d'anathème, la séparation était inévitable et se concrétisa avec le schisme de 1054.

Après la prise de Constantinople par les Turcs en 1453, l'Église orthodoxe grecque mena sous le régime ottoman une existence tout juste tolérée, tandis que l'Église orthodoxe russe, avec Moscou pour « Troisième Rome », se considéra comme l'héritière et le refuge de l'ancienne orthodoxie et joua un rôle important dans la vie spirituelle de l'Europe de l'Est et de l'Eurasie. Le tsarisme russe reprit des aspects importants du césaro-papisme byzantin et du principe de la religion d'État.

L'Église d'Occident du Moyen Âge et la papauté

L'Église d'Occident dut son essor au refoulement de l'arianisme et à la conversion des peuples germaniques d'Europe occidentale à la foi catholique romaine aux Vᵉ et VIᵉ siècles.

La christianisation précoce de l'Irlande et (en partie) de l'Écosse est à l'origine, dans ces pays, d'importantes communautés monacales, points de départ de la christianisation systématique de l'Europe de l'Ouest, du Nord et de l'Europe centrale. Le moine anglo-saxon Wynfrith (v. 673-754), sous le nom de Boniface, évangélisa au début du VIIIᵉ siècle une partie du royaume des Francs et mourut en martyr en Frise.

Face à l'influence croissante de l'Église d'Orient et de Constantinople, le pape, en sa qualité d'évêque de Rome, et se référant aux paroles de Jésus, « Tu es Pierre, et sur cette pierre je bâtirai mon Église » (Matthieu 16, 18), affirma son primat sur l'ensemble de l'Église. Avec l'affaiblissement politique de l'empire de Byzance, Rome gagna une autonomie croissante. Le pape Gélase Iᵉʳ (492-496) développa la doctrine de l'indépendance des pouvoirs spirituel et temporel avec la prédominance du pouvoir spirituel (« doctrine des deux [forces] épées »), que le pape Grégoire le Grand (590-604) approfondit pour en faire une doctrine du primat des papes de Rome.

Dès le VIIIᵉ siècle, Rome aspira à se détacher politiquement de Byzance et reporta son attention sur le royaume carolingien en pleine croissance. Le couronnement de Charlemagne par le pape à Rome à Noël en l'an 800 fit des souverains francs et plus tard des empereurs allemands les protecteurs de l'Église.

La papauté romaine ayant sombré au milieu du IXᵉ siècle (siècle dit « obscur ») dans le chaos provoqué par des clans rivaux de la noblesse romaine, les empereurs allemands, Ottons et Saliens, entreprirent vers le milieu du Xᵉ siècle à l'occasion de leurs campagnes romaines de sérieuses tentatives de réforme, mettant ainsi l'Église sous la complète dépendance du pouvoir séculier.

Mais le christianisme occidental sut réagir et, grâce à sa réorganisation, remporta d'énormes succès dans l'évangélisation de l'Europe de l'Est et de la Scandinavie.

Le mouvement de réforme intérieur de l'Église, parti des monastères de Cluny et de Gorze, s'opposa avec succès à la dépendance du pouvoir séculier. Symbole de ce mouvement, le moine Hildebrand, devenu pape sous le nom de Grégoire VII (1073-1085), prit des mesures contre l'investiture des laïcs (laïcs promus dignitaires de l'Église) et la simonie (achat de charges), et contraignit l'empereur Henri IV à venir faire amende honorable à Canossa en 1077.

Par le mouvement des croisades (fin du XIᵉ siècle jusqu'au XIIIᵉ siècle), la papauté gagna encore en influence et en richesse. Dès le XIᵉ siècle, les relations entre le pape et l'empereur se gâtèrent, en particulier lors de la « querelle des Investitures » (droit d'investiture des évêques), pour aboutir à des phases de lutte ouverte.

Ces querelles atteignirent leur point culminant sous le règne des Staufer (XIIᵉ et XIIIᵉ siècles), qui réussirent aussi à acquérir la Sicile et le sud de l'Italie. Parallèlement, le haut Moyen Âge vit s'épanouir le monachisme occidental et l'érudition scolastique ; une série d'universités et de monastères européens virent le jour et devinrent des centres spirituels, tandis que s'épanouit l'art religieux avec ses chefs-d'œuvre romans et gothiques.

Sous Innocent III (1198-1216) et ses successeurs directs, la papauté en tant qu'institution atteignit son apogée. Le pape était un chef spirituel, politique et législatif et se désignait fièrement comme le « chef de toute la chrétienté » (*caput christianitatis*).

Dans sa bulle *Unam Sanctam*, qui prônait l'obéissance au pape en toute matière nécessaire au salut, Boniface VIII (1294-1303) poussa à l'extrême les prétentions au pouvoir séculier de

Marie, mère de Dieu
Peinture iconique, école de Moscou, XVIᵉ siècle

Les images saintes de l'Église orthodoxe grecque, appelées « icônes » (en grec, « copie, portrait ») en opposition aux idoles, et très tôt honorées dans les églises (iconostase) et les maisons (iconostase domestique), connurent, en rapport avec l'opposition au culte des icônes (iconoclasme, VIIIᵉ et IXᵉ siècles), une standardisation persistante. Ce fut particulièrement sensible dans la représentation de Marie, mère de Dieu, en réponse à la critique du culte marial. L'icône, désignée sous le terme générique d'*hodigitria* (image miraculeuse), montre Marie en mère de Dieu, l'enfant posé sur un bras et qui accomplit le geste du Christ bénissant.

Fête de l'Eucharistie dans une église orthodoxe grecque
Photographie contemporaine

L'empereur Henri IV à Canossa en 1077
Eduard Schwoiser, illustration d'un livre, fin du XIXe siècle

Les conflits entre la curie et les princes de territoires, en particulier l'empereur du Saint-Empire romain germanique, culminèrent dans la « querelle des Investitures ». Le pape Grégoire VII (1073-1085) refusait le droit à un laïc (l'empereur) de remettre à des ecclésiastiques l'anneau et la crosse, insignes de leur dignité, et donc de leur céder les domaines y afférents. Pour des raisons politiques, l'empereur Henri IV (1056-1106) dut, en 1077, faire amende honorable trois jours durant devant les portes du château de Canossa. Cet incident est considéré comme l'expression symbolique du pouvoir papal à son apogée. Plus tard, des papes tels que Boniface VIII (1294-1303), par leurs abus, leur soif de pouvoir, et leur népotisme, contribuèrent à ce que le principe du « partage des pouvoirs » finisse par s'imposer.

Le pape Boniface VIII (1294-1303)
Arnolfo di Cambio, portrait en buste, vers 1300, Rome, Museo Petriano

la papauté. Ce fut la dernière et malheureuse tentative d'imposer une instance centrale spirituelle et culturelle dans un monde tiraillé par diverses tendances.

Le déclin n'allait pas tarder : transférés entre 1305 et 1377 en Avignon, les papes tombèrent sous l'autorité du roi de France. C'est alors que se produisit le «grand schisme d'Occident» (1378-1415/1417). Durant cette période, l'Église connut simultanément trois papes installés l'un à Rome, l'autre en Avignon et le dernier à Pise. Ce fut le concile de Constance (1414-1417) qui mit fin à cette situation chaotique.

Pendant la Renaissance, la papauté recouvra certes sa puissance, mais fondée sur une sécularisation totale, des intrigues politiques et l'immoralité. Recourant à la simonie et à un népotisme sans bornes, les papes cherchèrent à fonder des principautés italiennes au profit de leurs familles, les pontificats d'Alexandre VI Borgia (1492-1503) et de Léon X Médicis (1513-1521) pouvant être considérés comme l'apogée de cette sécularisation.

Toutefois, les princes de l'Église pratiquèrent parallèlement un mécénat inconnu jusqu'alors, et dont profitèrent presque tous les génies artistiques de la Renaissance.

LA RÉFORME

Le bouleversement spirituel

Au début du XVIe siècle, c'est l'émergence de la Renaissance, de l'humanisme et des temps modernes. C'est une période de grand bouleversement dans toute l'Europe et dans tous les domaines, qui se fit aussi particulièrement sentir dans l'Église.

Quelles qu'aient pu être leurs différences, les grands réformateurs étaient préoccupés du salut des âmes et de la prospérité de la doctrine chrétienne. C'est ainsi qu'ils condamnèrent les tendances à la sécularisation de l'Église et les faiblesses humaines, tels le luxe, la richesse et les abus de pouvoir de l'Église.

On « repersonnalisa » la foi. Il fallait arrêter de dissimuler la propension au péché par l'argent et les contributions financières, et libérer le message originel des Saintes Écritures de tous ses apports et ses rajouts ultérieurs dictés par les circonstances. Aux yeux des réformateurs, les rites, les cultes, les pratiques et les dogmes ultérieurement rajoutés empêchaient la compréhension du message originel.

Le protestantisme (du latin *pro-testari*, témoigner publiquement) issu de l'enseignement des grands réformateurs en appelle à l'autorité écrite unique de la Bible, à la liberté de conscience de l'individu. Le prédicateur appelle à une intériorisation de la foi, qui néglige les symboles extérieurs tels que le culte pompeux des saints, les mystères et les reliques. Ce furent les dysfonctionnements flagrants de l'ancienne Église qui déclenchèrent l'intervention des réformateurs. Mais ce mouvement n'était pas complètement inédit et s'inspira de ses prédécesseurs.

Au milieu du XIVe siècle, le réformateur anglais John Wyclif (v. 1320-1384) avait contesté la pratique financière de la curie romaine et prôné un retour de l'Église à la « pauvreté apostolique ». S'appuyant sur des bases plus théologiques, le prédicateur praguois Jan Hus (1370-1415) avait accusé en justice l'Église de sécularisation et de cupidité, et exposé la détresse spirituelle des croyants, ce qui lui avait valu d'être brûlé comme hérétique au concile de Constance – en dépit de l'accord d'un sauf-conduit.

Le même sort fut réservé au moine dominicain Jérôme Savonarole (Girolamo Savonarola, 1452-1498) qui, à Florence, se dressa contre le pape Borgia et la puissance financière des Médicis, associant ses exhortations critiques à une prise de position en faveur d'une politique messianique.

Seuls les grands réformateurs du XVIe siècle allaient obtenir un succès durable.

Martin Luther

En publiant en 1517 ses 95 thèses contre le commerce romain des indulgences (la légende dit qu'il les afficha aux portes du château de Wittenberg), Martin Luther (1483-1546), à l'origine moine augustinien à Erfurt et depuis 1512 professeur d'études bibliques à Wittenberg, déclencha un mouvement qui dépassa de loin sa propre personne.

Ce qu'à Rome le pape Léon X appela dédaigneusement une «chamaillerie de moines» se transforma bientôt en un vaste mouvement réformateur, d'autant que, les années suivantes, Luther défendit, systématisa et compléta ses thèses sous la forme de divers écrits polémiques. En 1520, il brûla la bulle romaine qui le menaçait de bannissement, scellant ainsi sa rupture avec Rome. Il réduisit les sacrements religieux à deux, le baptême et l'eucharistie.

Luther éprouvait une profonde confiance intérieure en la grâce de Dieu et était très conscient

de la propension de l'homme au péché. Au fil de ses démêlés, il devint aussi de plus en plus intransigeant et agressif, et il finit par voir dans la papauté le règne de l'Antéchrist.
Le parler convaincant et souvent cru de Luther invitait à une réforme effective de l'Église. Très vite, plusieurs princes allemands le soutinrent et le prirent sous leur protection, en particulier le prince électeur de Saxe et le landgrave de Hesse. Ainsi, en 1521, Luther put comparaître sous bonne escorte à la diète de Worms devant l'empereur et des envoyés de Rome qui tentèrent en vain une réconciliation : Luther refusa et maintint ses thèses.
Les années suivantes, la situation s'aggrava ; à la diète d'Augsbourg, en 1530, les partisans de Luther radicalisèrent ses thèses (en son absence), et ce fut le début du schisme religieux en Allemagne. Les disputes religieuses sans cesse reprises n'aboutirent à aucun accord, pas plus que la « guerre de Schmalkalde » (1546-1547) qui opposa l'armée impériale catholique aux princes protestants.
En 1555, la paix religieuse d'Augsbourg établit dans l'empire un équilibre précaire entre les catholiques et les protestants, dont la fragilité se confirma pendant la guerre de Trente Ans (1618-1648). Le luthéranisme remporta de grands succès dans le nord de l'Europe. En Suède, le roi Gustave Ier Vasa introduisit en 1527 la Réforme selon les règles luthériennes ; le roi Christian III en fit autant au Danemark, en Norvège et dans le Schleswig-Holstein en 1536.

Huldrych (Ulrich) Zwingli

La critique de Huldrych Zwingli (1484-1531), qui fut à partir de 1519 confesseur à la grande cathédrale de Zurich, présente de nombreux points communs avec celle de Luther, mais sa doctrine, plus marquée par l'humanisme et le spiritualisme, se rapproche plutôt de celle des anabaptistes.
À partir de 1523-1524, prêchant dans l'esprit réformateur, il introduisit l'eucharistie luthérienne et, avec ses partisans, finit par se prononcer pour le second baptême (des adultes), auquel la municipalité et les instances catholiques de Zurich s'opposèrent. Les cantons suisses se divisèrent sur la réforme de Zwingli qui, en 1529, à l'occasion des disputes religieuses sur la question de l'eucharistie, prit position aussi bien contre la doctrine catholique de la « métamorphose » de Jésus en pain et en vin (doctrine de la transsubstantiation) que contre l'attachement de Luther à la présence effective du Seigneur dans l'eucharistie (consubstantiation). Pour Zwingli, l'eucharistie était un pur moment de célébration. Par la suite, il tenta – comme plus tard Calvin – de prendre des mesures radicales contre des renégats dans ses propres rangs. Il fut tué en octobre 1531 au cours de la bataille de Kappel contre les confédérés catholiques.

Jean Calvin

Jean Calvin (1509-1564) fut le plus jeune et à bien des égards le plus extrémiste des grands réformateurs, et celui dont l'action a eu la plus grande portée. Né dans une famille de gens d'Église, il fit ses études en France puis se rendit à Bâle, où il entra en contact avec la Réforme. En 1536, il fut nommé pasteur à Genève, où il conçut en 1537 une loi d'organisation communale inspirée de la Réforme et qu'il comptait appliquer avec rigueur. Obligé de fuir, il revint en 1541 en triomphateur à Genève, où il imposa sa réglementation de l'Église. Avec une rigoureuse intolérance, qui n'excluait ni le bûcher ni le bannissement, il y établit avec ses partisans un « État théocratique » sévèrement organisé et ouvrit en 1559 une importante université théologique, à partir de laquelle ses idées se répandirent à travers toute l'Europe.
Conscient de sa mission prophétique, Calvin prôna le « tyrannicide » en réponse à un pouvoir injuste et qui ne se comporte pas en chrétien (droit de résistance), et radicalisa la doctrine des précédents réformateurs. Il pensait que Dieu avait élu certains hommes à qui il accordait la foi. La réussite de la vie terrestre d'un bon chrétien est le signe de la grâce de Dieu. Il insista sur la notion de « double prédestination » : certains hommes étaient élus et accédaient au salut, tandis que d'autres étaient voués à la damnation éternelle. Sa sévérité et son sérieux imprègnent sa doctrine dans sa totalité ; sa conception d'une vie qui soit agréable à Dieu a déterminé de manière essentielle l'éthique protestante du travail dans l'Europe moderne, l'attitude de l'« ascèse du monde intérieur » (Max Weber).
En dépit de sanglantes persécutions, cette doctrine allait s'imposer – singulièrement en France, où les huguenots (confédérés) calvinistes constituèrent bientôt une force importante, à laquelle se joignit aussi une partie de la noblesse, et qui trouva dans l'amiral de Coligny un chef intelligent. Puis ce fut le massacre de la Saint-Barthélemy en 1572. La France demeura catholique ; toutefois, le roi Henri IV, lui-même protestant d'origine, assura à ses ex-coreligionnaires, par l'édit de

Martin Luther en chaire
Lucas Cranach l'Ancien, prédelle de l'autel de la Réforme, détail, 1548, Wittenberg, église communale

L'ensemble de tableaux peint deux ans après la mort de Luther par son ami Cranach montre le réformateur interprétant le message de la justice divine, généreuse et miséricordieuse, qui ne peut être prêchée qu'à travers la parole biblique et vécue dans la foi. Contrairement à la messe latine, dont le point culminant est le saint sacrifice, la prédication des Évangiles (message de joie) en « vraie langue maternelle » est, chez les protestants, au centre du service divin. Luther tend le bras vers le Crucifié au centre de la prédelle, qui symbolise l'acte de grâce divine libérant de la crainte du péché et de la mort.

Le pape Antéchrist
Feuille satirique, gravure sur bois, XVIe siècle

Nuit de la Saint-Barthélemy
François Dubois, fin du XVIe siècle, Lausanne, musée des Beaux-Arts

L'expansion des idées réformatrices provoqua la résistance de l'Église catholique et déclencha, surtout sur le territoire des souverains catholiques, la « Contre-Réforme », souvent menée dans le sang. Les persécutions infligées aux huguenots (confédérés) calvinistes par la maison royale française de Catherine de Médicis en furent l'exemple le plus cruel. Les premières exécutions publiques eurent lieu dès 1559 et 1560 (Tribunal sanglant d'Amboise). Elles se poursuivirent en dépit d'un édit de tolérance (Bain de sang de Vassy, 1562). L'amiral de Coligny put obtenir quelques concessions par la force des armes (paix de Saint-Germain, 1570), mais la Régente se vengea deux ans plus tard, à Paris, lors d'un mariage royal (Noces sanglantes) où étaient présents la plupart des chefs huguenots. Dans la nuit du 23 au 24 août 1572, elle fit assassiner quelque deux mille huguenots, dont l'amiral de Coligny (nuit de la Saint-Barthélemy). Partie de Paris, la vague meurtrière se répandit dans les villes et les campagnes. Les sources parlent de cent mille victimes. Ce n'est qu'en 1598 que l'Édit de tolérance de Nantes accorda le libre exercice de la religion.

Nantes en 1598, le libre exercice de leur religion ; cependant, Louis XIV révoqua cet édit de tolérance en 1685, et les huguenots furent chassés de France.

Le calvinisme remporta aussi un grand succès aux Pays-Bas, où il fut le moteur spirituel de la lutte de libération contre la domination espagnole. Il devint religion d'État dans les Provinces-Unies et, de là, pénétra dans les régions du cours inférieur du Rhin. De même quelques principautés allemandes, comme le Palatinat électoral et la Prusse-Brandebourg, devinrent, du moins temporairement, calvinistes.

En Écosse, John Knox (v. 1510-1572) prêcha sur des bases calvinistes une réforme qui se répandit aussi en Angleterre. La Grande-Bretagne et la Hollande, puissances maritimes, exportèrent également la pensée calviniste dans les colonies et le Nouveau Monde.

Les autres courants de la Réforme

A l'époque de la Réforme, le roi d'Angleterre Henri VIII (1509-1547), après diverses querelles avec la papauté, entre autres après le refus du pape de lui accorder une dispense de divorce, se dégagea de l'autorité romaine. En 1534, après avoir dissous les monastères, il fonda l'Église anglicane qui, sous l'autorité royale, adopta un statut intermédiaire entre celui de l'Église catholique et celui de la protestante. En 1539, le roi fit édicter six articles de foi inspirés de la Réforme, qui niaient, notamment, la doctrine catholique de la transsubstantiation. Avec les quarante-deux articles de foi de 1553 et l'« acte de suprématie et d'uniformité » de 1559, le protestantisme, sous Édouard VI (1547-1553), et plus tard, sous Élisabeth Ire (1558-1603), s'imposa définitivement en Angleterre, malgré une tentative de recatholicisation.

La Réforme compte également plusieurs courants extrémistes, tous combattus et écrasés aussi bien par les catholiques que, mais dans une moindre mesure, par les protestants. Vers 1520, plusieurs soulèvements paysans fermentèrent essentiellement dans le sud-ouest de l'Allemagne. À leurs protestations fortement religieuses et messianiques se joignit une partie de la petite noblesse. Ils eurent plusieurs chefs appelés « exaltés » ou « fanatiques », jusqu'à ce qu'émerge en 1521 le prédicateur révolutionnaire de Zwickau, Thomas Müntzer (1489/1490-1525), qui tenta d'établir en 1524 à Mühlhausen (Thuringe) un « État théocratique » chiliastique. Il préconisa l'élimination par la force des autorités et des princes qui adoptaient un comportement contraire au christianisme. Après quelques succès, les armées paysannes furent battues et massacrées en 1525 à la bataille de Frankenhausen. Müntzer mourut dans d'horribles souffrances, et l'aspiration paysanne à la liberté, qui avait pris la religion pour prétexte, fut réprimée dans le sang avec l'approbation notamment de Luther qui en avait appelé aux autorités.

Sous l'influence du prophète anabaptiste Melchior Hofmann (v. 1500-1543, mort en prison), influence qu'il exerça à Amsterdam et à Strasbourg, et du chapelain de Münster, Bernhard Rothmann (v. 1495-1535), des anabaptistes instaurèrent à Münster, après en avoir chassé l'évêque (1534-1535), un nouveau « royaume de Sion », que rejoignirent différents éléments de la bourgeoisie aux idées réformatrices.

Le dirigeant des anabaptistes néerlandais Jan Matthys (mort en 1534) et son successeur, le prophète Jan Beukelsz, dit Jean de Leyde, furent les chefs spirituels de ce royaume anabaptiste, un « royaume de Dieu » sur terre, édifié par la force et avec une grande rigueur.

Cette tentative fut écrasée dans le sang en 1535, et ses chefs moururent sous la torture ; leurs corps, placés dans des cages en fer, furent suspendus pour l'exemple sur la façade de l'église Saint-Lambert. Les survivants, connus sous le nom de mennonites, réussirent à se réfugier aux Pays-Bas.

La Contre-Réforme catholique

Du côté catholique, les succès de la Réforme dès le milieu du XVIe siècle déclenchèrent un mouvement de réforme intérieur connu sous le terme de « Contre-Réforme ». Ce mouvement eut pour point de départ le concile de Trente qui, réuni épisodiquement entre 1545 et 1563, supprima un certain nombre d'abus ecclésiastiques et rénova les bases de l'Église catholique.

On y redéfinit la forme des sacrements, le célibat des prêtres, les ordres monastiques, la mission et le « catéchisme romain » (1566), ainsi que les bases d'un pastorat encore en vigueur aujourd'hui. L'ordre des Jésuites, fondé en 1540 par Ignace de Loyola, auquel fut confiée la direction des universités et des institutions culturelles, ainsi que les missions, fut le moteur de cette rénovation.

La Contre-Réforme n'allait pourtant pas échapper aux critiques à venir. On lui reprochera la persécution systématique des hérétiques, la tutelle spirituelle exercée sur les croyants, les fastes du baroque, et les procès de sorcellerie menés par l'Inquisition. Il est vrai qu'en cette époque troublée, sans repères spirituels, la superstition atteignit son apogée dans la première moitié du XVIIe siècle en Europe centrale et même un peu plus tard en Amérique du Nord, un Nouveau Monde pourtant marqué par le protestantisme.

LE CHRISTIANISME DES LUMIÈRES À NOS JOURS

Les Lumières et la critique de la religion

De même qu'aucune autre religion que le christianisme n'a remporté un tel triomphe, aucune n'a été l'objet d'une remise en question aussi importante que celle que lui ont imposée les Lumières.

Du côté protestant, le christianisme s'était attaché au principe de souveraineté territoriale (*cuius regio, eius religio*, « une terre, une religion ») et était donc extrêmement dépendant du pouvoir politique ; c'est ainsi, par exemple, que le Palatinat électoral changea six fois de confession en l'espace de soixante-quinze ans (de 1508 à 1583), à l'occasion de changements de princes électoraux.

Dans l'Église catholique aussi, l'absolutisme d'État et le principe de souveraineté nationale provoquèrent des tentatives de « nationaliser » la religion et de la subordonner au pouvoir de l'État ; ce fut le cas au XVIIIe siècle en France et en Allemagne avec le gallicanisme, le jansénisme et l'épiscopalisme.

L'esprit nouveau des Lumières commença d'abord par enseigner une « religion naturelle », un « christianisme naturel », en tant que principe moral, intérieur et dicté par la raison, qui n'a nullement besoin de révélation surnaturelle, d'une croyance en l'au-delà, non plus que d'une institutionnalisation ecclésiastique.

Des philosophes importants, tels John Locke en Angleterre ou Leibniz, Thomasius, Wolff et même Immanuel Kant en Allemagne, sont les représentants de cette pensée qui, par l'intermédiaire de Jean-Jacques Rousseau, exerça une très grande influence sur la Révolution française.

L'« absolutisme éclairé » de Frédéric II en Prusse ou de Joseph II en Autriche-Hongrie se distingua par une vaste indifférence religieuse et intervint de manière extrême dans les affaires de l'Église en rectifiant le cérémonial et en soumettant la religion aux principes de la raison d'État et à la prospérité du peuple.

L'empereur Joseph II (1765-1790) limita fortement les pouvoirs de l'Église catholique, en nommant exclusivement des évêques éclairés et en remplaçant les établissements religieux d'enseignement par des établissements laïques.

La Révolution française (1789-1794) s'attaqua avec rigueur à tous les privilèges du clergé qui, à partir de 1790, dut prêter serment à la constitution bourgeoise ou émigrer. Les biens de l'Église furent confisqués et la religion limitée aux « nobles instincts de l'homme ».

Maximilien de Robespierre notamment imposa le « culte de la raison » et (en disciple de Rousseau) la croyance en un « Être suprême » guidé par la raison. Après la Révolution, Napoléon Bonaparte soumit l'Église d'Europe centrale – entre autres en internant le pape et les cardinaux – à un droit civil et obtint la séparation de l'Église et de l'État.

L'ample mouvement de sécularisation (en Allemagne, suppression du pouvoir séculier de l'Église par décision des ordres de l'empire en 1803) modifia fondamentalement la situation religieuse et ecclésiastique dans l'Europe du début du XIXe siècle. L'Église et en dernière instance la religion chrétienne avaient définitivement perdu le monopole de l'esprit et de l'enseignement ; la souveraineté (y compris spirituelle) des États nations s'était imposée face à la prétention d'universalité de l'Église.

Parallèlement à cette perte de pouvoir politique, le christianisme fut l'objet d'une sévère critique de fond – en particulier au XIXe siècle à la suite des Lumières – qui ébranla très profondément non seulement l'Église mais aussi les bases de la foi chrétienne. Avec la « sécularisation de l'esprit » et le « désenvoûtement » croissant du monde consécutifs au puissant élan des sciences exactes, de la technique et de l'économie, le christianisme traditionnel est perçu comme un obstacle à la liberté intellectuelle et au progrès scientifique expérimental.

L'église du Sauveur flagellé
Dominicus Zimmermann, église de Wies, 1754-1757, Wies, près de Steingaden, Haute Bavière

Le siècle des guerres de Religion (huguenots, guerre de libération des Pays-Bas, guerre de Trente Ans, 1618-1648) provoqua un clivage entre l'Europe centrale et l'Europe occidentale, qui eut des incidences sur le plan économique aussi bien que social. La papauté célébra les événements de la Contre-Réforme comme une victoire de l'Église (*Ecclesia triumphans*), qui s'exprima notamment par une intense activité architecturale. Le style baroque, avec abondance de personnages, de couleurs et de lumière (*Horror vacui*) évoquant les fastes célestes à l'intérieur des églises, était là pour éblouir les croyants.

La prise de la Bastille
d'après un dessin de Jean-Louis Prieur, fin du XVIIIe siècle, Versailles, Musée historique

La prise de la Bastille, symbole de la souveraineté absolue, par le peuple de Paris le 14 juillet 1789 exprimait la conviction, entretenue par les Lumières, que l'homme avait le droit à l'autodétermination. La raison était reconnue comme la source unique de la connaissance et le fil conducteur de l'action. On réduisit le rôle de la religion au « déploiement des nobles penchants ». Cela entraîna la suppression des privilèges du clergé, la soumission des fonctionnaires à la constitution bourgeoise et à la justice civile. La tentative de quelques dirigeants de la Révolution pour satisfaire le besoin de religion des masses en remplaçant celle-ci par une croyance en un « Être suprême » guidé par la raison et par un culte de la raison ne dura pas. Napoléon émergea de cette période de trouble en grand vainqueur. Il imposa la séparation de l'Église et de l'État et mit fin à la prétention d'universalité du clergé par l'annexion des États Pontificaux et l'arrestation du pape Pie VII.

Les différents courants du matérialisme scientifique notamment, qui entendaient libérer l'homme de ses préventions traditionnelles et religieuses afin qu'il atteigne une plus grande efficacité scientifique et technologique, s'attaquèrent aux fondations de la vision chrétienne du monde.

Le sociologue Auguste Comte (1798-1857), fondateur du positivisme scientifique, imagina une « loi des trois stades » de la pensée humaine, selon laquelle le progrès de l'esprit part, pour s'accomplir, de l'explication théologico-religieuse du monde, passe par l'explication philosophique et aboutit à l'explication positiviste (empirique), qui finit par renoncer à tout questionnement religieux.

Le biologisme et la théorie de l'évolution de Charles Darwin (1809-1882) et de ses successeurs ébranlèrent durablement la croyance en l'histoire biblique de la Création et en l'homme fait à l'image de Dieu.

Aspirant à un anthropocentrisme radical, Ludwig Feuerbach (1804-1872) entreprit une vaste critique de la religion et plus particulièrement du christianisme. Il comprenait la religion comme une autoaliénation de l'homme (thèse de la projection), un obstacle à son effort de perfectionnement personnel.

Karl Marx (1818-1883) et Friedrich Engels (1820-1895) donnèrent à la critique de Feuerbach des bases économiques, sociales et politiques : avec ses références à l'au-delà, la religion empêche le combat politique de l'homme pour l'amélioration de ses conditions existentielles sociales et matérielles (« la religion, opium du peuple »).

La critique du christianisme par Friedrich Nietzsche (1844-1900) fut particulièrement agressive et radicale. Reprenant le scepticisme de Schopenhauer en la matière, il reprocha au christianisme d'avoir instauré le règne d'une « morale d'esclave » fondée sur le ressentiment, la faiblesse et la médiocrité (le nivellement), qui s'oppose au libre épanouissement de l'individu puissant et artiste (le surhomme).

La tentative de Richard Wagner (1813-1883) de faire revivre dans l'art un fort néopaganisme germanique participa de la même pensée.

Sören Kierkegaard (1813-1855) voulait rénover le christianisme protestant de l'intérieur. En insistant sur l'individuation de l'homme et de ses décisions et en critiquant les formes purement extérieures d'un christianisme d'Église installé dans la commodité, il a introduit un courant de pensée qui allait devenir plus tard très critique vis-à-vis de la religion, la « philosophie de l'existence » (l'existentialisme).

Le traitement de la question religieuse par Sigmund Freud (1856-1939) eut des effets qui n'ont pu être évalués que progressivement : dans sa tentative pour expliquer l'homme par le biais de certaines pressions intérieures, la psychanalyse considéra les images religieuses du « sur-moi » (l'instance morale) comme des représentations morales en partie pathogènes qui, par exemple, peuvent être ramenées aux images surpuissantes et angoissantes du père.

Les Églises au XIXe et au XXe siècle

Après avoir tenté, au lendemain du congrès de Vienne en 1815, de reconstruire leurs anciennes structures dans de nouvelles conditions, les Églises chrétiennes se retrouvèrent largement désemparées, face aux défis essentiels du XIXe siècle. Dans un premier temps leur réaction fut de s'opposer et même de condamner les acquis révolutionnaires de la technique et des sciences exactes, la croyance séculière dans le progrès, les mouvements de démocratisation, le libéralisme et le socialisme.

Les Églises protestantes menèrent au XIXe siècle des discussions au sujet l'orientation du christianisme qui opposèrent conservateurs et libéraux . La théologie libérale essaya de se rapprocher du rationalisme scientifique et s'ouvrit en partie après 1848 au libéralisme. Friedrich Schleiermacher (1768-1834) est la figure spirituelle dominante du courant rénovateur de la théologie protestante.

Tourné vers l'extérieur, le protestantisme (conservateur) fut, particulièrement en Prusse et donc, après 1871, dans tout l'empire, le soutien d'un cléricalisme postabsolutiste d'État. En 1817, la Prusse avait contraint par la force les Églises protestantes à se constituer en union (« l'Église chrétienne évangélique »), exemple suivi par la plupart des autres pays allemands. Dans la seconde moitié du XIXe siècle, le protestantisme commença à s'ouvrir, en même temps que le catholicisme, à la question sociale.

Pour l'Église catholique, l'adaptation au monde moderne émergeant allait se passer de façon nettement plus compliquée. Le Saint-Siège devint après 1815 le refuge de tous les courants réactionnaires, le summum étant atteint sous les pontificats de Léon XII (1823-1829), de Grégoire XVI (1831-1846) et Pie IX (1846-1878). À partir des années 30, Rome prononça dans toute l'Europe des mesures disciplinaires à l'encontre de théologiens et de professeurs d'université ouverts au progrès.

Par sa rigidité sur la question des lois relatives aux mariages mixtes dans tous les pays, Rome déclencha la «dispute des mariages mixtes de Cologne» (1837-1841) qui compliqua lourdement la situation religieuse, tant en Allemagne que dans les autres pays aux confessions multiples.

Le durcissement et le centralisme imposés sans compromis par Rome, qui culminèrent dans le Syllabus de 1864 (condamnation des quatre-vingts « erreurs des temps modernes », au nombre desquelles figurèrent avant tout le libéralisme et la démocratisation), l'instauration de l'Index (catalogue des livres dont le pape interdit la lecture aux catholiques), et surtout le dogme controversé de l'«infaillibilité papale» de 1870, provoquèrent de graves conflits au sein des Églises catholiques de divers pays.

Une dure bataille scolaire et culturelle éclata en Belgique et en France, où la situation était d'autant plus compliquée que, après 1871, l'Église catholique n'avait pu, dans un premier temps, se résoudre à reconnaître la république.

Nombre de courants prétendument modernes furent qualifiés d'«américanistes» et condamnés sans nuances, ce qui ne favorisa pas spécialement la situation de l'Église catholique aux États-Unis, où elle ne jouissait déjà pas d'un grand prestige.

En Italie même, les relations entre le pape et le pouvoir temporel tournèrent à l'hostilité ouverte après l'œuvre d'unification de Garibaldi, qui avait conduit en 1870 à la perte des États pontificaux, le pape se déclarant «prisonnier dans le Vatican». D'une façon générale, dans tous les pays à prédominance catholique (Italie, Espagne, Portugal), tous les mouvements démocratiques et libéraux présentèrent un caractère nettement anticlérical.

Dans l'empire allemand, Bismarck qui voulait largement «dépolitiser» l'Église catholique entreprit en 1871, en soumettant l'enseignement à l'autorité de l'État, son fameux *Kulturkampf* (combat pour la civilisation), au cours duquel nombre d'évêques catholiques furent emprisonnés ou contraints à l'émigration. De nombreux évêchés restèrent inoccupés pendant de longues années. Ce n'est que sous le pontificat de l'intelligent et souple Léon XIII (1878-1903) que les relations purent peu à peu se détendre en Allemagne, en France et en Italie.

Sous le pontificat de Léon XIII (encyclique *Rerum novarum*, 1891), l'Église catholique esquissa sa première doctrine sociale et une ouverture prudente sur le monde ouvrier.

Son successeur Pie X (1903-1914) remit à l'ordre du jour la lutte contre le modernisme. Son «serment antimoderniste», prononcé en 1910, obligeait tout ecclésiastique à jurer de refuser toute approche du modernisme. Cet antimodernisme a caractérisé le comportement de l'Église (avec quelques variations) jusqu'à la fin du pontificat de Pie XII (1939-1958).

L'Église orthodoxe russe a connu, après la révolution bolchevique de 1917, de nombreuses et sanglantes persécutions. Toutefois, le gouverne-

Karl Marx (1818-1883)
Photographie coloriée, vers 1880

L'évolution scientifique et technique du XIXe siècle aidant, la critique de la religion par les Lumières se fit plus radicale. L'athéisme s'émancipa de l'hérésie et se transforma en une conception du monde autonome. Les contributions les plus fondamentales se doivent, dans le domaine des sciences exactes, à Charles Darwin (1809-1882, théorie de l'évolution), et, dans le domaine politico-social, à Karl Marx.Son analyse des forces motrices économiques renvoyait le christianisme, avec ses références à l'au-delà, dans le domaine des « superstructures » idéologiques qui visent à minimiser la part du revenu économique des classes exploitées, créatrices de sur-valeur (« la religion est l'opium du peuple »). Le matérialisme historique fondé par Marx influença les mouvements de rénovation théologique du XXe siècle, en particulier dans le tiers-monde. La critique du christianisme, empreinte de l'esprit de scepticisme du XIXe siècle très vague dans la définition de ses valeurs éthiques, (Arthur Schopenhauer, Friedrich Nietzsche) fut facile à détourner par les idéologies nationalistes ou racistes.

Friedrich Nietzsche (1844-1900)
Hans Olde, 1899

ment soviétique réussit, en renouant avec les idées traditionnelles de l'Église d'État, à se concilier peu à peu le clergé et à l'engager à collaborer dans son sens.

Le socialisme à caractère bolchevique ou stalinien était un mouvement fortement antireligieux et anticlérical, dont souffrirent également, après 1945, les autres Églises d'Europe de l'Est (Pologne, Tchécoslovaquie, Hongrie, Roumanie, Bulgarie, Yougoslavie). Ici aussi, des périodes de persécutions (en particulier à la fin des années 40 et au début des années 50) alternèrent avec une politique de mise à l'écart ou d'intégration.

En Europe centrale, les Églises catholique et protestante entretinrent des rapports quelque peu réservés et ambigus avec les démocraties de l'après-1918. En France, l'Église catholique alla même jusqu'à s'engager dans le mouvement antidémocratique et profasciste de l'Action française, de même qu'en Autriche, en Espagne et au Portugal, où elle soutint ouvertement les tendances antidémocratiques. Les deux Églises, surtout au début, ne prirent pas position dans la lutte contre le fascisme et le national-socialisme.

Dans l'Église protestante, à cause d'une politique gouvernementale qui, dès 1933, commençait à se détériorer, le courant hostile au nazisme, *die Bekennende Kirche* « Église de la confession » se sépara (déclarations de Barmen, 1934) de l'« Église allemande du Reich », qui restera fidèle jusqu'au bout à l'État.

Influencées par les concordats signés avec les gouvernements fascistes (en 1929 avec l'Italie et en 1933 avec le Reich allemand), les protestations de Rome n'eurent jusqu'en 1945 aucun véritable effet. Seuls quelques courants des deux Églises et des personnes isolées opposèrent en Allemagne une véritable résistance, alors qu'en Italie, en Espagne et dans certaines dictatures d'Amérique latine, l'Église catholique s'identifia largement à ces régimes. Et ce parfois jusque dans les années 60 et 70.

Le congrès de l'Église protestante allemande, Leipzig, 1954

Après 1945, toutes les Églises chrétiennes allaient organiser de grands rassemblements pour discuter ensemble sur le thème « être chrétien dans le monde moderne » et aborder des questions afférentes à l'œcuménisme, au désarmement et au mouvement pacifiste, ou à la justice sociale.

Après 1945, avec la réorganisation de la situation y compris dans tous les milieux chrétiens, on commença à réfléchir à ce qui venait de se passer et à élaborer de nouvelles lignes de conduite. Toutes les Églises, en particulier celles d'Europe centrale et d'Amérique du Nord, se déclarèrent plus nettement partisanes de la démocratie et de l'État social de caractère conservateur.

Depuis, de nombreux mouvements chrétiens de jeunesse et pour la paix agissent en faveur d'un vaste rapprochement des peuples et d'une politique de paix et de désarmement sur des bases chrétiennes. Dans toutes les Églises le mouvement œcuménique a gagné de l'importance grâce principalement au « Conseil œcuménique des Églises » (siège à Genève), fondé en 1948 et à majorité évangélique.

Les pontificats de Jean XXIII (1958-1963) et de Paul VI (1963-1978), avec leur politique d'« aggiornamento » (modernisation), et surtout le concile dit « Vatican II » (1962-1965) ont clairement amorcé une ouverture de l'Église catholique en direction du monde moderne. À côté d'un grand nombre d'innovations, comme la réforme de la liturgie, le renforcement du courant laïque ou l'apparition de projets théologiques critiques et modernes, les jeunes Églises d'Afrique, d'Asie et tout particulièrement d'Amérique latine se sont fait entendre en présentant lors du concile leurs propres conceptions, comme par exemple celle de la « théologie de la libération ». Cette tendance continue à gagner en dépit de certains courants conservateur qui ont reconquis de l'espace sous Jean-Paul II, depuis 1978.

Tant dans le secteur de l'Église catholique (et jusque dans la curie romaine) qu'au Conseil œcuménique des Églises à dominante évangélique, on assiste à une nette « internationalisation » – et donc à une universalisation – du christianisme. Les énormes problèmes sociaux des pays appartenant au bloc que l'on nomme habituellement le « tiers monde » et aussi la prise de conscience renforcée des femmes chrétiennes (« théologie féministe ») obligeront les Églises à repenser leurs rapports avec les pays pauvres et le rôle de la femme dans le christianisme. Par ailleurs, des groupes fondamentalistes chrétiens – issus à l'origine des milieux protestants conservateurs des États-Unis – retrouvent une clientèle et tentent d'opposer de façon combative une compréhension rigoureuse de la Bible à la complexité de l'époque actuelle.

LES ÉGLISES CHRÉTIENNES DISSIDENTES ET LES SECTES

Les anciennes Églises d'Orient

Le christianisme, avec ses formes d'organisation centralisée, ne tolère guère les déviations ou les interprétations de son message. Son histoire est ponctuée par des luttes religieuses et des batailles menées autour des questions de doctrine, différents groupes s'opposant souvent dans la défense de cette même doctrine.

Depuis l'élimination, aux IVe et Ve siècles, des ariens essentiellement présents en Europe occidentale, les monophysites, qui ne reconnaissent qu'une nature au Christ, la nature divine, constituent jusqu'à aujourd'hui en Syrie des Églises chrétiennes autonomes. En Syrie, on les appelle des Jacobites, du nom de leur précurseur Jacques Baradée (mort en 578), et leur chef est l'évêque d'Antioche.

Font également partie des monophysites (avec toutefois des nuances d'interprétation) :

- les Coptes, chrétiens égyptiens, dont le chef, le « pape copte », qui avait à l'origine le titre de patriarche d'Alexandrie, réside au Caire ;
- l'Église d'État des Abyssiniens (Éthiopie), devenue patriarcat en 1949. Les Abyssiniens reconnaissent en plus du canon de la Bible une grande partie des écrits apocryphes du Nouveau Testament.
- les Arméniens, sous l'autorité du « katholikos » (pontife).

En désaccord avec les monophysites, les Nestoriens doivent leur nom au patriarche Nestorius de Constantinople (accusé d'hérésie et déchu en 431). Établissant une nette distinction entre la nature divine et la nature humaine du Christ, ils affirment que seule sa nature humaine a pu naître et souffrir sur la croix, et non pas sa nature divine. Les Nestoriens constituèrent en Syrie orientale leur propre Église, qui a parfois bénéficié de la protection islamique et a très tôt envoyé des missions dynamiques en Chine et chez les Mongols.

Des chrétiens habitant le sud de l'Inde et se réclamant de l'apôtre Thomas, qui leur aurait pour la première fois fait connaître le christianisme, font aussi partie des Nestoriens. Ils sont aujourd'hui également présents en Amérique du Nord, sous le nom d'« Église assyrienne ». Ils ont conservé le syriaque pour leurs offices et s'interdisent la consommation de la viande de porc.

Autour de l'Église catholique

Pour défendre l'homogénéité de sa doctrine, l'Église catholique n'a pas hésité à persécuter ou à exclure de ses rangs les groupes dissidents. Pourtant, son but suprême étant l'unité de toutes les Églises, elle a réussi à convaincre certains secteurs de la quasi-totalité des Églises orientales à regagner le giron romain. Ce regroupement est connu sous le nom d'« Églises unies d'Orient ».

Ces Églises ont pu conserver leur souveraineté de culte et leur langue. Ainsi leurs représentant sont aisément identifiables, y compris à l'intérieur de l'Église catholique, à leurs habits et rites des Églises d'Orient.

Parmi les Églises unies, les Coptes (unis) d'Alexandrie (siège au Caire), les Syriens d'Antioche, les Melkites grecs de Syrie (siège à Damas), les Maronites du Liban (siège à Bkerke près de Beyrouth), les Babyloniens de Chaldée (siège à Bagdad) et les Arméniens de Cilicie (siège à Beyrouth) ont leurs propres patriarches ; les Ukrainiens (unis) de Lwow (ou Lemberg) et les Syro-malabares d'Ernakulam (Inde) ont leurs propres sièges archiépiscopaux à l'intérieur même de l'Église catholique romaine.

Refusant le dogme de l'infaillibilité papale proclamée au premier concile Vatican en 1870, les

Deuxième concile du Vatican

Le Premier concile du Vatican (1869-1870), avec l'affirmation de la prétention à l'universalité de l'épiscopat romain et du dogme de l'infaillibilité, marqua le sommet du conservatisme catholique antilibéral. Face aux grands événements du XXe siècle – guerres mondiales, dictatures nationalistes, révolution d'Octobre, confrontation Est-Ouest, fin de l'époque coloniale – l'Église se trouva assez désemparée . Ce n'est que sous les pontificats de Jean XXIII (1958-1963) et de Paul VI (1963-1978) qu'elle commença à s'adapter aux changements survenus dans le monde (*aggiornamento*).

Le deuxième concile du Vatican (1962-1965) exprima les efforts de modernisation de toute l'Église : outre de nombreuses réformes (liturgie, droit d'intervention des laïcs, etc.), il amorça une discussion dynamique sur les projets théologiques sociaux des « jeunes Églises » d'Afrique, d'Asie et particulièrement d'Amérique latine, qui avaient du mal à allier la primauté de la doctrine religieuse avec les exigences d'un « christianisme en pratique ».

Martin Luther King (1929-1968)

Prêtre méthodiste victime d'un attentat raciste, Martin Luther King devint la figure symbolique universelle des mouvements des droits du citoyen et des mouvements de libération basés sur une éthique chrétienne. Sa méthode de résistance non violente à la ségrégation raciale aux États-Unis remporta un énorme succès. Elle constitue un exemple durable de la possibilité d'associer l'action chrétienne à l'action politique. En 1964, Martin Luther King reçut le prix Nobel de la paix.

« vieux-catholiques » allemands sous la direction de leur propre évêque se détachèrent de l'Église de Rome ; ils ne reconnaissent pas non plus différents autres dogmes plus récents, et autorisent le mariage des prêtres. À différents points de vue, ils apparaissent comme une variante libérale de l'Église catholique, plus particulièrement en ce qui concerne les droits de la femme ou le droit de vote des laïcs dans l'Église.

Autour de l'Église orthodoxe

Ici, les principales scissions se sont produites non pas dans l'Église orthodoxe grecque mais dans l'Église russe. L'accent mis sur le culte des mystères et la richesse des différents gestes et accomplissements liturgiques a en Russie provoqué des dissidences religieuses aux aspects très particuliers.

Au XVIIe siècle, les vieux-croyants, appelés aussi *raskolniks* (apostats), se distancièrent de la réforme du rite orthodoxe pratiquée par le gouvernement. Une partie d'entre eux, les « sans-popes », refusent les prêtres.

Quelques courants aux pratiques radicales sont apparus, souvent exposés à de dures persécutions de la part de l'État. Ce furent les philippons ou les chlystes (« flagellants »), qui maintenaient leur pratique clandestine, et dont le chef se considérait comme la réincarnation de Dieu le Père et choisit et son propre « fils de Dieu » et ses apôtres. Les *skopzis* (« émasculés ») furent les plus extrémistes : une fois leur descendance assurée, hommes et femmes pratiquaient la mutilation systématique des organes sexuels afin d'éteindre en eux tout désir charnel.

D'autres sectes se caractérisent par une forte pratique intérieure et spirituelle, tels les molokanes (« buveurs de lait de carême ») apparus au XIIIe siècle, qui vivaient dans de vastes communautés, mettaient tous leurs biens en commun et refusaient de se soumettre à tous les services administratifs et militaires.

Il en fut de même pour les duchoborz (« combattants de l'Esprit ») qui, persécutés par l'État, émigrèrent à Chypre et en Amérique du Nord.

Autour des Églises évangéliques (protestantes)

Il existe un très grand nombre de communautés religieuses se réclamant du protestantisme. Aux États-Unis, par exemple, plus de deux cents Églises protestantes sont enregistrées.

Dans de nombreux cas, ces mouvements réformés ne sont plus aujourd'hui que des survivances d'anciens groupements ou bien se sont dilués dans des formes religieuses mixtes, tels les descendants des vaudois persécutés à la fin du Moyen Âge, qui ont aujourd'hui leur centre au Piémont et ont constitué des communautés rigoureusement organisées.

Les « Frères moraves » sont aussi une survivance de la réforme de Jan Hus au début du XVe siècle, qui allait donner naissance à deux courants. Chassés de Bohème au XVIIe siècle, ils s'installèrent en grande partie en Saxe et s'impliquèrent dans la « Communauté fraternelle de Herrnhut » (localité saxonne), fondée par le comte von Zinzendorf (1700-1760) et à laquelle se joignirent des luthériens et des partisans de la Réforme.

Les survivants du royaume anabaptiste de Münster de 1535 fondèrent après 1537, sous la direction du prêtre Menno Simons (1496-1561) en Frise, de paisibles communautés anabaptistes, les mennonites qui, tolérés en Hollande et dans certaines parties de l'Allemagne, allaient pouvoir aussi, plus tard, s'installer en Russie et en Amérique du Nord. A la fin du XVIIe siècle, il y eut une scission : les très conservateurs amish (*amish people*) vivent aujourd'hui en Amérique du Nord, à l'écart de toute forme de vie moderne et de la plupart des conquêtes de la technique.

Les schwenckfelders, qui doivent leur nom au spiritualiste et mystique allemand Kaspar von Schwenckfeld (1489-1561), et dont le centre est aujourd'hui en Pennsylvanie, et la « Confrérie des remontrants » aux Pays-Bas, également issus aux XVIe et XVIIe siècles de mouvements chrétiens panthéistes et illuminés, présentent encore de fortes tendances à l'illumination intérieure.

Depuis le XVIe siècle, surtout dans les pays allemands, les querelles entre les différents mouvements et les Églises de culte protestant n'ont pas cessé. Tandis que les calvinistes sont parvenus à se maintenir entre eux, dans la plupart des pays, les Églises luthériennes et réformées se sont réunies (en Prusse, par exemple, en 1817) sous la pression des États.

En Angleterre également – en conséquence de diverses phases de formulation de la religion anglicane –, les anglicans ont connu plusieurs scissions. La *Church of England* donna ainsi naissance à deux courants, la *High Church* inspirée de l'Église du Moyen Âge et la *Low Church* plus puritaine. Sous l'influence des calvinistes, les austères « indépendants » ou « congrégationalistes » se séparèrent en 1581 de l'Église mère et, comme les « puritains » (ou « presbytériens »), gagnèrent de l'influence essentiellement en Amérique du Nord et en Australie.

Plusieurs communautés baptistes se sont déclarées indépendantes, la plus importante d'entre elles étant celle des « méthodistes » fondée par John Wesley (1703-1791), qui déploya une intense activité missionnaire dans de nombreux pays. L'Armée du salut (Salvation Army) fondée en 1865 par le prédicateur William Booth (1829-1912), qui associe un christianisme purement pratique à des formes d'organisation militaire, provient aussi de cette origine.

La communauté des quakers (de l'anglais *to quake*, trembler), qui professe une existence religieuse intériorisée fondée sur l'amour du prochain et sans grande organisation cléricale, et qui est surtout installée aux États-Unis (Pennsylvanie), est issue, elle aussi, de la pensée anglicane. D'autres organisations chrétiennes extrémistes ou libérales y ont aussi des communautés, tels les « shakers » et les « darbistes » (« Communauté des frères »).

Il faut encore signaler une série de communautés chiliastiques et apostoliques, qui se réfèrent de très près aux textes apocalyptiques de la Bible et construisent des spéculations sur la fin du monde. En font partie une série de communautés adventistes, ainsi que la secte des « Témoins de Jéhovah » fondée en 1874 et pour qui le « règne millénaire » a commencé en 1914. La « Nouvelle Église apostolique » fondée en Allemagne en 1860 fait aussi partie de ces groupes.

Il existe également des groupes encore plus éloignés de toute orthodoxie, qui s'appuient sur des proclamations et des révélations complémentaires, telles les « communautés inspirées » en Europe et aux États-Unis ou la « Société de la Nouvelle-Salem » du « prophète » Jakob Lorber (1800-1864). Il faut mentionner également la « Communauté des chrétiens » fondée sur les pensées anthroposophiques de Rudolf Steiner et la « Science chrétienne » de Mary Baker Eddy (1821-1910), fondée en 1879.

L'Église des mormons, dite « Église des saints des derniers jours » est une des institutions les plus curieuses et les plus indépendantes. Son fondateur Joseph Smith (1805, assassiné en 1844) rédigea à partir de 1827 un « évangile réformé » qui aurait été dicté par l'archange Moroni, le *Livre de Mormon*, et fonda en 1830 l'Église des mormons. Après le lynchage de Smith, son successeur Brigham Young (1801-1877) partit avec les adeptes à la découverte du Grand Lac Salé, à l'imitation de Moïse sortant d'Égypte. De l'Illinois ils arrivèrent en Utah où ils construisirent Salt Lake City. Après une phase d'affrontement avec le gouvernement fédéral, les mormons renoncèrent à la polygamie et à leur prétention à l'autonomie théocratique et purent continuer à participer au développement de l'Utah, devenu en 1896 un État fédéral.

Un grand nombre de sectes et groupes chiliastiques s'inspirant du christianisme existent aussi en Afrique, en Amérique latine et dans les îles de l'hémisphère austral, où les cultes évoluèrent en intégrant des rites autochtones, comme par exemple le culte vaudou en Haïti ou le culte peyotl (mescaline) des Indiens d'Amérique du Nord. Certaines communautés religieuses d'inspiration chrétienne doivent déjà être considérées comme des religions nouvelles.

Messe dans un village du Nord-Cameroun

Contrairement aux autres religions universelles, telles que l'hindouisme ou le bouddhisme, le rapport à la communauté, le « pour plusieurs » (Matthieu 26, 28 ; Marc 14, 24) et le « pour vous » (Luc 22, 20), ainsi que le commandement de l'amour du prochain, sont une partie essentielle du christianisme. Son évolution historique a toujours favorisé la volonté et la capacité de réformer les doctrines théologiques et les structures ecclésiastiques. Ainsi virent le jour un grand nombre d'interprétations et de formes d'organisation fondées sur le Nouveau Testament.

Au XXe siècle, sous l'impulsion du marxisme et de la constitution des jeunes États nationaux du tiers monde qui aspirent à un développement autonome (la « place dans la vie »), les Églises chrétiennes connaissent un regain de vitalité qu'elles n'avaient plus vécu depuis l'époque de la Réforme.

L'ISLAM

Islam signifie «soumission à Dieu». Rigoureusement monothéiste, troisième révélée parmi les grandes religions du monde affirme l'unicité absolue d'Allah et sa présence dans la vie quotidienne des hommes. Le Coran est considéré comme révélation éternelle et directe de Dieu apportée par l'archange au prophète Mahomet, dont la vie fut un exemple de vertu. Les «cinq piliers de l'islam» règlent la vie religieuse des fidèles. Dans la vie quotidienne l'islam met en valeur l'aspect pratique de la loi (*Charî'a*) et mêle étroitement la religion et la vie individuelle et collective. Plus charismatiques, les chiites ont opéré très tôt la scission avec le courant majoritaire de l'islam, plus légaliste (sunnite). L'histoire de l'islam, dont le premier apogée culturel remonte au Moyen Âge, est celle d'une relation étroite entre la religion et la vie politique, et la recherche du juste rapport entre les deux est aujourd'hui encore au centre du débat qui agite le monde musulman moderne.

MAHOMET ET LES PROPHÈTES

Vie et importance de Mahomet

Mahomet (en arabe, Muhammad) est le fondateur de l'islam, prophète, *an-nabi*, et envoyé de Dieu, *rasûl Allah*. Lui-même ne prétendait cependant pas apporter une religion nouvelle, mais parachever la seule religion monothéiste vraie, la religion de toujours, révélée depuis la nuit des temps.

Mahomet naquit vers 570 à La Mecque. Après le décès précoce de ses parents, il fut accueilli dans la maison de son oncle, Abu Talib (père du IVe calife Ali, le cousin du prophète). Jeune homme, il gardait les troupeaux de bétail dans le désert et entra à vingt-cinq ans comme caravanier au service de la riche veuve Khadidja, de loin son aînée, qu'il devait épouser par la suite. Son métier de caravanier le conduisit en Syrie et c'est dans ce creuset des cultures et des religions qu'il entra pour la première fois en contact plus étroit avec la foi des juifs et des chrétiens, ainsi qu'avec les «hanifes», ces chercheurs de Dieu de l'Arabie ancienne qui voulaient vaincre le polythéisme et enseignaient la foi en un seul dieu.

À l'âge de quarante ans approximativement, Mahomet eut ses premières apparitions. Comme le rapporte la sourate 96, la plus ancienne sourate coranique, il vit en rêve l'ange Gabriel qui lui révéla la parole de Dieu et lui ordonna de l'étudier. Dans son sommeil Mahomet tenta à plusieurs reprises de résister à l'ange qui se faisait de plus en plus pressant. À son réveil, il sentit cependant «une Parole inscrite dans son cœur». Gabriel lui annonça que lui, Mahomet, était le prophète de Dieu.

À cette nouvelle, Mahomet se sentit abattu et désemparé. En proie à une profonde dépression, il rechercha d'abord la solitude et pensa même au suicide. Après mûre réflexion, il accepta la mission qui lui était confiée.

C'est vers 610 que Mahomet apparut pour la première fois en public à La Mecque pour prêcher, et mettre en garde contre la débauche des mœurs, le laxisme religieux et l'indifférence sociale. Se présentant comme un réformateur de la société, il appelait à une vie vertueuse et prêchait un monothéisme absolu. Un dieu unique (Allah) était le souverain de la Kaaba, sanctuaire polythéiste de l'Arabie ancienne à La Mecque.

Il se montra de plus en plus intransigeant à mesure qu'il apparaissait en public. Pour les riches habitants de La Mecque, Mahomet fut d'abord un simple perturbateur, puis, peu à peu, une menace contre le style de vie qu'ils avaient mené jusqu'alors. Victime de nombreuses campagnes de diffamation, il devint la risée des Arabes aussi bien que des juifs et des chrétiens, et s'en vit finalement bannir avec ses disciples. En s'intensifiant, ses conflits avec les Mecquois conduisirent à des affrontements armés, mais lui valurent en même temps un certain nombre de nouveaux adeptes.

En 622, Mahomet émigra avec ses compagnons à Médine (la ville portait alors le nom de Yathrib et ce n'est que plus tard qu'elle prit le nom de Médine, «ville du Prophète »). Ce départ (*hidjra*, l'hégire) marque l'an un dans l'islam. Mahomet fut bien accueilli à Médine, sachant avec adresse tirer profit de la rivalité entre Médine et La Mecque la riche. Son prestige ne cessa de croître et il n'était pas rare qu'on lui demandât d'exercer son arbitrage dans des litiges. Il sut habilement modérer les tensions entre ses compagnons de la première heure et les nouveaux croyants de Médine, s'écartant de plus en plus du personnage du prophète inflexible pour devenir un homme d'État avisé et plein de circonspection. En 623, Mahomet élabora la première loi réglementant la communauté de ses fidèles et s'efforça, en vain, d'obtenir l'appui des juifs de Médine. C'est surtout à l'encontre des juifs qu'il souligna la parenté en même temps que l'indépendance de l'islam. Il mit en lumière l'importance d'Abraham et de son fils Ismaïl, qualifiant la Kaaba de La Mecque de sanctuaire édifié par Abraham à la gloire du monothéisme.

Par la suite Mahomet concentra ses efforts sur la lutte inéluctable qu'il avait à mener contre les Mecquois. Il déclencha en 625 une véritable bataille contre ces derniers au cours de laquelle les musulmans furent battus et Mahomet blessé.

L'archange Gabriel apporte le Message à Mahomet
Miniature turque

Mahomet, caravanier prospère et respecté, avait quarante ans lorsque l'archange Gabriel lui apparut en rêve dans une grotte au mont Hira près de La Mecque.
Il révéla à Mahomet la parole de Dieu et lui ordonna de proclamer aux hommes le message divin. Mahomet résista à l'apparition, la prenant tout d'abord pour l'œuvre du Diable. Comme l'apparition se reproduisait, il finit, après une longue lutte intérieure, par accepter sa mission de prophète. Ses premières prédications eurent lieu dans sa ville natale de La Mecque. Les riches Mecquois le contraignirent par la suite à l'exil à Médine (*hidjra*).

En 627, les Mecquois assiégèrent Médine. Dans ce qui fut appelé la « guerre des tranchées », Mahomet se révéla un brillant défenseur et obligea l'ennemi à lever le siège. En dépit de l'armistice conclu en 628 avec La Mecque, Mahomet reprit les armes deux ans plus tard pour prendre d'assaut sa ville natale et faire de la Kaaba un lieu saint, purement musulman et monothéiste. Après avoir soumis La Mecque, le Prophète se montra magnanime et proclama l'amnistie générale, mais fit détruire toutes les idoles polythéistes dans la ville. Puis il repartit vivre à Médine pour y formuler les enseignements de la foi musulmane et envoya des messagers à différents souverains, les exhortant à se convertir à l'islam.

En mars 632, il entreprit avec ses fidèles le premier pèlerinage musulman à la Kaaba de La Mecque, sur le modèle duquel devaient s'accomplir jusqu'à nos jours les pèlerinages, *hadj*. Alors qu'il se préparait à partir en campagne contre la Perse et Byzance, le Prophète tomba malade. Il mourut le 8 juin 632 à Médine.

Mahomet était pieux et sincèrement convaincu de la vérité de ses révélations. Conscient de sa mission d'« envoyé », il possédait un vrai talent de meneur d'hommes, mais sa personnalité se caractérisait plus par la sensibilité et une forte volonté que par une intelligence froide et analytique. Son enseignement était tourné vers la vie terrestre et se montrait en accord avec les exigences de la vie politique, de la guerre et d'un ordre social nuancé sans se fondre pour autant entièrement dans ce monde. Mahomet sut admettre ouvertement ses erreurs, mais demeura toute sa vie très susceptible face aux railleries de ses adversaires. Il semble qu'il ait cru à l'origine pouvoir persuader facilement les juifs et les chrétiens d'entendre son message. Face à leur résistance et leurs railleries son aversion à leur égard ne fit que croître.

L'action de Mahomet peut se diviser en deux périodes distinctes. C'est ainsi que le Prophète de La Mecque, qui se consacre aux questions concernant Dieu et la foi en général, et au destin de l'homme qui le conduit dans l'au-delà, devient à Médine un homme d'État visionnaire qui fixe de manière détaillée les principes juridiques et sociaux de la vie communautaire des croyants. Il s'appuiera toute sa vie sur son autorité personnelle, sur le caractère inébranlable de sa foi et sur sa réussite politique. Sa vie est à tous points de vue exemplaire pour les musulmans pieux.

Il réussit ce qui lui tenait tant à cœur : donner à l'islam une dimension universelle et abolir la notion de loyauté au clan, pratiquée dans l'Arabie ancienne, au profit d'une communauté de tous les croyants. C'est bien plus tard que la piété populaire des musulmans a fait du Prophète tourné vers la vie pratique un saint irréprochable et infaillible.

La signification des prophètes dans l'islam

Outre la notion de Dieu, la signification prêtée aux prophètes par l'islam illustre sa parenté avec le judaïsme et le christianisme. Selon le Coran, Dieu a envoyé à chaque peuple ses prophètes, qui étaient tous issus de ces peuples mêmes. Le Coran fait la distinction entre les simples prophètes, *nabi*, dont le rôle était d'exhorter et de mettre en garde, et les envoyés de Dieu, *rasûl*, qui sont des Élus.

Mahomet, appelé « sceau des prophètes » dans la sourate 33, 40, est considéré comme le dernier maillon d'une longue lignée.

L'islam reconnaît comme principaux prophètes avant Mahomet les mêmes que ceux vénérés par le judaïsme et le christianisme, à savoir Abraham (en arabe, Ibrahîm), Moïse (en arabe, Moussa) et Jésus (en arabe, Issa). Il reconnaît la révélation première et l'alliance première de Dieu avec Adam, le premier homme, mais rejette le péché originel pour souligner l'harmonie particulière entre la révélation divine et la raison naturelle de l'être humain : ainsi l'action divine est immédiatement discernable et compréhensible pour la raison de l'homme, sans que celui-ci puisse pénétrer le mystère de Dieu. S'écarter de la foi signifie donc toujours pour l'islam s'écarter de la raison. Pour l'islam tous les prophètes ont finalement proclamé un seul et unique message.

Abraham est pour les croyants un exemple de piété et d'obéissance. Appelé dans le Coran « exemple » et « ami de Dieu », il est considéré

Mahomet en prière devant la Kaaba
Miniature turque

L'intention de Mahomet avait été à l'origine de faire de la Kaaba un sanctuaire pour toutes les religions monothéistes. Après son exil à Médine, il prit cependant ses distances à l'égard des juifs et des chrétiens. Il proclama l'indépendance de l'islam et déclara la Kaaba, dont il attribua l'édification à Abraham, sanctuaire islamique. Désormais, c'est tournés non plus vers Jérusalem mais vers La Mecque que les fidèles durent faire la prière rituelle.

Mahomet prêchant à ses disciples
Miniature turque

Mahomet se présenta à La Mecque comme le chef de la première communauté islamique, appelant ses compatriotes à se détourner de l'idolâtrie et à se préparer au Jugement imminent de Dieu. Il se consacra avant tout à l'enseignement du dogme et ne tarda pas à rassembler autour de lui ses premiers disciples. Les éléments essentiels de ses premières révélations étaient la bonté et la toute-puissance de Dieu, sa sollicitude à l'égard des hommes et le devoir pour ces derniers de retourner au Dieu unique, Allah. Il appela les hommes à rendre grâce à Dieu, à le respecter et à être généreux avec leur prochain. Il leur fit également part de sa mission de prophète.

Le sanctuaire de la Kaaba à La Mecque

La Kaaba est le plus important sanctuaire du monde musulman. À l'époque du pèlerinage, chaque pèlerin s'efforce d'y accomplir au moins une prière. L'accès en est strictement interdit aux non-musulmans. Le nom de l'édifice, qui se trouve dans la cour de la grande mosquée de La Mecque, a son origine dans sa forme cubique. À l'époque du pèlerinage, le brocart noir, richement brodé d'inscriptions coraniques dorées, est remplacé par une étoffe blanche. Une porte située à deux mètres au-dessus du sol et à laquelle on accède par une échelle de bois s'ouvre sur une chambre vide, éclairée par de nombreuses lampes dorées et argentées, et dont les murs sont ornés d'une multitude d'inscriptions. De nombreuses légendes circulent à propos de l'édification de la Kaaba. Ainsi la pierre noire sainte qui est enchâssée dans un des quatre piliers d'angle de la chambre aurait été apportée par l'archange Gabriel. Blanche à l'origine, elle aurait été noircie par les péchés des pèlerins.

comme l'archétype de celui qui cherche Dieu, le *hanîf.* Moïse, dans le Coran, est appelé « Élu », et il occupe une place particulièrement importante en tant que promulgateur des lois largement citées dans le Coran.

Jésus est considéré à beaucoup d'égards comme le précurseur direct de Mahomet qui par le Coran mentionne que Jésus est né de la Vierge Marie, élue de Dieu. Ce que dit le Coran de Marie se rapproche d'ailleurs à maints égards des écrits apocryphes chrétiens.

L'islam voit en Jésus un prophète éminent qui fut (comme Mahomet) victime de railleries de la part des juifs, mais nie toutefois sa crucifixion, ne mentionne pas son œuvre de rédempteur et dément catégoriquement qu'il soit le fils de Dieu. Dieu étant Un (Allah), il n'a pas de fils et n'est « accompagné » d'aucune autre personne. Les commentateurs du Coran croient cependant au retour de Jésus à la fin des temps : il reviendrait alors comme musulman accompli, pour régner en roi juste sur un empire universel unifié.

Le Coran relate en détail la mission de prophète dont Mahomet fut porteur et prend sa défense contre les qualificatifs de menteur ou de possédé que lui attribuaient à son époque ses détracteurs. Mahomet sait qu'étant l'Élu de Dieu il est « bien guidé » et doit implorer le pardon d'Allah pour la faiblesse des humains. « Sceau des prophètes », Mahomet achève la lignée de ceux-ci. C'est pourquoi l'islam est l'achèvement religieux et temporel de la religion primitive voulue par Dieu. Mahomet est à la fois homme ordinaire et Prophète élu.

LE CORAN, MESSAGE D'ALLAH

Composition et signification du Coran

Pour les musulmans croyants, le Coran est le livre saint dans lequel est inscrite la révélation immédiate de Dieu telle qu'elle a été apportée aux hommes par Mahomet.

Ils voient en lui la règle de conduite suprême en ce monde, guide, enseignement et soutien moral pour tous les croyants.

Le terme de Coran s'énonce en arabe « *Qur'an* » et vient de *qara'a,* « lire, exposer ». Le Coran est donc le livre qui doit être récité ou lu. C'est aussi le premier mot de la révélation divine à Mahomet, qui est inscrit dans la plus ancienne sourate coranique, la sourate 96 : « Lis ! », « *iqra !* ».

Le Coran se compose de 114 sourates (chapitres) de longueurs différentes et intitulées chacune selon un mot caractéristique figurant dans le texte. Elles ne se succèdent pas chronologiquement et comprennent dans le désordre les différentes périodes de la révélation de Mahomet, ce qui conduit de temps à autre à des messages contradictoires – en règle générale, le contenu d'une sourate figurant ultérieurement dans le Coran est considéré comme ayant la primauté sur celui d'une sourate antérieure. Toutes les sourates, à l'exception de la sourate 9, commencent par l'invocation du nom de Dieu, *basmalah.*

L'arabe du Coran est pour le croyant une langue inspirée par Dieu, ce qui explique pourquoi durant si longtemps les musulmans se montrèrent réticents et même opposés à sa traduction dans d'autres langues.

Le Coran est considéré comme étant de source divine, éternel et non pas créé, et ayant existé auprès de Dieu avant même la création, sous la forme d'un « Livre originel céleste », *umm al-kitâb*, littéralement « Mère du Livre » ou « Parole de Dieu » dont le message a été transmis directement et sans altération à Mahomet.

Les différences de contenu et de style permettent de distinguer quatre périodes dans les révélations dictées par Mahomet dans le Coran.

Trois périodes se situent avant 622, date de la *hidjra*, et sont considérées comme les trois périodes mecquoises. Une autre période est constituée par les prédications faites à Médine.

Toutes les révélations mecquoises ont pour objectif la conversion des incroyants, et décrivent de manière expressive les joies qui attendent les croyants au paradis et les tourments que l'enfer réserve aux autres.

Les sourates de la première période mecquoise sont courtes, pleines de rythme et de verve poétique. La deuxième période mecquoise est d'un style plus paisible et contemplatif et raconte des histoires exemplaires de l'Arabie ancienne et des épisodes de la Bible. La troisième période mecquoise est marquée par une langue très prosaïque et de nombreuses répétitions. La période médinoise est celle de la lutte pour l'indépendance de l'islam et en particulier pour l'affirmation de sa différence par rapport à la foi des juifs.

Après la mort de Mahomet, la révélation divine fut considérée comme accomplie. Les dires du Prophète furent rassemblés, lus et mis systématiquement par écrit sous les trois premiers califes. C'est le troisième calife Othman (644-656) qui fit présenter aux croyants la version aujourd'hui en usage.

Coran et Hadîth

Outre les dires de Mahomet, les croyants se virent confrontés au problème de l'interprétation de la vie exemplaire du Prophète, et plus précisément à celui de la fiabilité de la relation de ses actes et de ses pensées dans certaines situations concrètes. C'est ainsi que la valeur de la Sunna, en arabe *sunna*, « habitude, tradition », la voie exemplaire suivie par le Prophète, fut fortement rehaussée.

C'est la raison pour laquelle apparurent au IXe siècle les six recueils classiques jusqu'ici en usage, *sahih*, « authentique », de la relation, appelés recueils des Hadîths. Loin d'être de simples commentaires du Coran, ils présentent surtout des cas de problèmes juridiques concrets de la vie quotidienne en se référant à l'exemple du Prophète et de son entourage. Ces recueils revêtent une importance particulière par la preuve qu'ils fournissent d'une « chaîne de garant », *isnad*, aussi complète que possible, et par le fait qu'ils sont comparables à d'autres traditions reconnues.

La *Sunna* (ensemble des Hadîths) est, après le Coran, la deuxième source principale de référence concernant les enseignements théologiques et le droit musulman.

DOGME ET VIE RELIGIEUSE

L'Unique – Allah : Créateur – Guide du monde – Juge

La foi en un dieu seul et unique, Allah, est le dogme au cœur de l'islam. L'expression de sa conception du monde rigoureusement théocentrique est pour le musulman, outre l'abandon sans réserve à Dieu et sa vénération, la soumission totale à sa volonté et à ses arrêts.

La lutte contre tout polythéisme et l'affirmation exclusive de l'unicité d'Allah sont ainsi les thèmes centraux et sans cesse repris des enseignements religieux de Mahomet. Dieu est présenté dans le Coran comme le libre créateur de toute chose, tandis que l'acte de la Création est décrit comme la séparation du ciel et de la terre à partir d'une masse homogène. Dieu créa l'Homme, comme cela est dépeint dans l'Ancien Testament, à partir du limon de la terre. Le Coran souligne aussi parfois que Dieu a créé le monde en prononçant simplement le mot créateur : « Sois ! » (et il fut). Le Coran souligne l'ordre raisonnable du monde et la cohérence de toute la Création. Toutes les lois qui régissent le monde, et entre

Fragment du Coran sur parchemin
Irak ou Syrie, VIIIe ou IXe siècle

Solon et ses élèves
Extrait des pensées choisies et des plus beaux discours (*Mukhtar al-hikam wa-mahasin al-kalim d'al-Mubashshir*), Syrie, première moitié du XIIIe siècle

La peinture de miniatures naquit du souci de rendre plus explicites les traductions arabes d'œuvres de sciences naturelles grecques par des images. La miniature de Solon donne une idée de la beauté et du haut degré de réalisme qui caractérisent les miniatures de la première moitié du XIIIe siècle.
L'œuvre montre le sage grec Solon entouré d'un groupe d'élèves.
Sa barbe rousse, marque de l'étranger, contraste avec les barbes noires de ses auditeurs aux vêtements arabes.
L'expression attentive de leurs visages, leur attitude concentrée et leurs gestes vifs trahissent la fascination qu'exerce sur eux le pouvoir de la parole. La scène symbolise la transmission de l'héritage antique au monde arabe, la chaîne de la tradition qui relie l'Antiquité à l'ère islamique.

autres la causalité, sont directement issues de la volonté et de la sagesse divines.

La Création s'entend comme création permanente de Dieu (en latin, *creatio continua*) ; le monde, dépourvu de cohésion autonome, est à chaque instant recréé par Dieu – et il en est de même de l'être humain.

Tout ce qui arrive à l'être humain est voulu par Dieu (prédestination, *mktoub*). En raison de l'importance accordée à la prédestination, le problème du libre arbitre humain devint un point de la doctrine islamique particulièrement controversé au cours de l'étude de la relation Dieu-homme.

La question se posa de savoir pourquoi Dieu guide certains hommes vers la foi juste et les mène ainsi au salut, tandis qu'il en laisse d'autres se perdre dans l'incroyance. C'est ainsi qu'aux premiers temps de l'islam ceux qui contestaient la liberté humaine, les *djabrites*, de l'arabe *djabr*, « contrainte », entrèrent en conflit avec les défenseurs enflammés de la liberté de l'homme de décider et d'agir, les *mutazilites*, dont la doctrine devint officielle au IXe siècle durant une courte période.

C'est l'école des Acharites qui s'est imposée depuis le Xe siècle, affirmant en même temps la prédestination absolue de tout acte par Dieu et la responsabilité de l'homme. Les acharites situent tous les actes sur un plan double : toute action est créée par Dieu en l'homme, mais l'homme approuve cette action et la reprend à son compte dans un processus d'« acquisition », *kasb* ou *iktisab*, ce qui lui donne un sentiment de liberté. Cette faculté de reprise et d'assimilation a été elle-même créée par Dieu en l'homme. Le point de départ de cette pensée est donné par les commandements de Dieu révélés dans le Coran. Les règles d'éthique ne sauraient avoir de sens que si l'homme a la faculté de faire la distinction entre le bien et le mal, et s'il a la liberté de choisir entre les deux.

Le premier ennemi selon le concept islamique de Dieu est le polythéisme sous toutes ses formes. L'unicité d'Allah est sans cesse formulée, comme dans la courte sourate 112 : « Dis : il est Dieu, il est un. Dieu de plénitude. Qui n'engendre ni ne fut engendré. Et de qui n'est l'égal pas un » (sourate 112, 1-4).

Le péché principal, celui que Dieu ne pardonne pas, c'est l'« association », *chirk*, d'autres dieux ou personnes divines à Dieu (sourate 4, 48). Ce verdict était à l'origine prononcé surtout contre le polythéisme que Mahomet avait connu dans l'Arabie ancienne.

Dans de nombreux passages du Coran on trouve de violentes diatribes contre l'idée d'un Dieu qui procréerait ou aurait des enfants : « Dieu ne s'est pas donné de progéniture, il n'y a pas avec lui d'autre Dieu » (sourate 23, 91). L'idée d'un autre dieu ou d'une autre personne divine signifie pour l'islam le renoncement à la foi en la toute-puissance et au règne sans partage de Dieu, et ainsi l'affaiblissement de l'absolue souveraineté divine. Cette idée donc est non seulement fausse et mensongère, mais constitue un blasphème.

Peu à peu ce reproche fut dirigé également contre le christianisme et son dogme selon lequel Jésus Christ est le fils de Dieu. En dépit du grand respect et de la vénération que le Coran témoigne à Jésus, l'islam ne reconnaît pas au Jésus historique de divinité. Il refuse de voir en lui le fils de Dieu et considère de telles affirmations comme une exagération intervenue ultérieurement dans les Écritures des chrétiens. Le dogme chrétien de la Trinité est donc en fin de compte pour l'islam une sorte de « polythéisme camouflé » qui attaque l'unicité absolue de Dieu.

Entre l'absolue transcendance de Dieu et le monde des hommes, le Coran reconnaît d'une part les anges, « serviteurs de Dieu » aux tâches très précises, et les djinns, êtres créés de feu, génies à mi-chemin entre les anges et les hommes. Le Coran mentionne également l'existence du Diable, *iblis*, et de ses démons, qui cherchent à séduire les humains.

L'au-delà selon la tradition islamique

La foi dans le Jugement dernier, au cours duquel Allah jugera avec sévérité la vie et les actes des croyants sur terre, constitue un élément essentiel de l'islam. Pour les musulmans, la mort signifie la séparation du corps et de l'âme, tandis que des anges de la mort spéciaux, en particulier Azraïl, accompagnent l'âme humaine au ciel.

Le Jugement dernier, qualifié de « hydre géante » (sourate 79, 34), est représenté de manière presque aussi martiale et colorée que dans l'Apocalypse selon saint Jean du christianisme. Les actes des hommes sont inscrits dans des livres, et le tribunal de Dieu les cite et accuse. Ensuite c'est Dieu seul qui prononce la sentence et qui sépare les justes des injustes.

Les tourments de l'enfer sont dépeints avec la même sensualité et la même force que les plaisirs du paradis. La prise en compte des bonnes actions ne considère pas seulement la foi, mais aussi son expression pratique, à savoir le lien entre la foi et les bonnes œuvres commises.

Le Coran mentionne dans plusieurs passages la surabondance de nourritures et de délices des sens qui attendent les justes au paradis, ainsi que les joies de l'amour charnel avec les vierges du paradis, *huri*. Seuls quelques croyants élus par Dieu seront admis à contempler sa face pendant quelques instants.

Les « cinq piliers de l'islam »

En ce qui concerne le culte, l'islam s'appuie sur ce qui est appelé les cinq piliers ou obligations majeures, les *arkân ad din*.

- Le premier pilier est l'attestation publique et visible de la foi, *chahâda*. Elle doit être prononcée en arabe : « J'atteste qu'il n'est de Dieu que l'Unique (ou encore : qu'il n'y a de divinité que Dieu) ; et j'atteste que Mahomet est l'Envoyé de Dieu. »

La profession de foi est en même temps une affaire individuelle et collective, elle renforce l'unicité de Dieu, *tawhid*, comme l'unicité de toute créature et de l'homme dans son attachement direct au Créateur. Ces paroles accompagnent la vie entière d'un musulman, rassemblent les croyants pour l'office religieux commun et constituent le centre de toutes les prières et de toutes les affirmations au sujet de Dieu. La *chahâda* est le seul des cinq piliers à faire l'objet du dogme théologique et non pas des lois de la *Charî'a*.

On devient musulman par l'énoncé volontaire et sincère de cette formule devant témoins. L'entrée au sein de la communauté des croyants est irrévocable et l'apostasie est punie de mort. C'est la raison pour laquelle les savants juristes islamiques soulignent la gravité de cette démarche et recommandent un examen scrupuleux de la disposition intérieure. De même, l'adhésion à la foi ne peut se faire qu'en toute liberté et sans contrainte.

Dôme du Rocher (mosquée d'Omar, Kubbat al-Sakhra) à Jérusalem
édifié entre 688 et 691 sous le calife Abdelmalik à l'emplacement de l'Arche d'alliance du temple de Salomon

La coupole dorée surmontant le Dôme du Rocher, édifié sur la colline du Temple, domine majestueusement la vieille ville de Jérusalem. Des faïences persanes ornent la façade extérieure de la mosquée octogonale qui compte, avec la Kaaba et la mosquée abritant le tombeau de Mahomet à Médine, parmi les lieux saints principaux de l'islam. Selon la légende, les âmes des hommes sont pesées sur les arcades qui entourent la colline, et leur place dans l'au-delà ainsi déterminée. À l'intérieur du Dôme se dresse le Rocher sacré sur lequel Abraham devait sacrifier son fils Isaac. Les musulmans affirment reconnaître sur la pierre les traces des sabots de Bouraq, le cheval sur lequel Mahomet fit son ascension vers le ciel.

- Parce que ses rites sont les plus clairs, le *salât*, prière rituelle obligatoire à certaines heures de la journée, constitue une forme particulière de profession de foi et de liturgie. Prière rituelle collective, il est considéré comme le deuxième pilier de l'islam. Avant de l'accomplir, le croyant doit se trouver en état de pureté. C'est pourquoi il exécute une série d'ablutions rituelles. La pureté rituelle, *tahara*, est une condition préalable à tous les actes religieux et cultuels. Les cinq prières dont le moment est fixé avec précision – le matin, le midi, l'après-midi, le soir, la nuit – sont destinées à rappeler nuit et jour aux musulmans leur situation d'adorateurs d'Allah. La prière collective est annoncée aux croyants par des crieurs, les *muezzins*, du haut des minarets des mosquées. Le *salât* doit être dit par les croyants là où ils se trouvent, mais un certain nombre d'entre eux au moins doivent le dire à la mosquée. La solidarité des musulmans du monde entier est mise en lumière par le fait que tous les fidèles disent la prière tournés vers la Kaaba de La Mecque. Dans la mosquée, hommes et femmes se rassemblent en files ou en pièces séparées sur un signe de l'*imam* (guide de la prière), et resserrent en même temps les rangs en signe de solidarité. L'unité est aussi garantie par l'imam, qui prend position devant la niche à prière de la mosquée (*mihrab*) marquant la direction de La Mecque. Les yeux fixés sur lui, les croyants prient comme une seule personne. La position du croyant pour la prière est, elle aussi, fixée avec précision et se traduit par une série d'éléments individuels qui se succèdent toujours dans le même ordre. Chacune des prières de la journée se termine par la répétition de la

Mosquée du Vendredi à Ispahan
Cour intérieure avec grand iwan côté sud

La mosquée du Vendredi, dont la construction débuta au milieu du XIIe siècle, sous la dynastie des Seldjoukides, est la plus ancienne mosquée dotée d'une cour à quatre iwans. Des quatre portiques ouverts se groupant autour de la cour centrale, c'est surtout l'iwan sud qui frappe par la beauté de ses faïences aux couleurs éclatantes. La voûte s'ouvrant sur la nef précédant le mihrab est ornée de 14 médaillons reliés par des rosettes et datant des Séfévides et qui comportent des prières à la gloire de Mahomet, de sa fille Fatima et des douze imams. Un des éléments caractéristiques de l'architecture persane est l'ensemble des quatre minarets surplombant l'édifice et qui se rétrécissent vers le haut où ils sont couronnés d'une galerie circulaire en forme de pavillon.

louange « *Allahu akbar* » (Dieu est grand) et par une récitation de la première sourate du Coran, qui est elle-même une prière. C'est ainsi que chaque fidèle dit « *Salamu alaikum* » (la paix soit avec toi) à ses voisins de droite et de gauche.

La liturgie du vendredi midi à la mosquée revêt une importance toute particulière. À l'inverse des juifs et des chrétiens, Mahomet avait choisi le vendredi comme jour de prière, mais sans en faire un jour de repos civil. Le vendredi n'est donc pas un jour férié au sens chrétien. Le centre de cette liturgie est constitué par une sorte de prêche, *chutba*, qu'un prédicateur doit tenir debout.

• L'aumône légale, *zakât*, est le troisième pilier de l'islam. D'une manière générale elle signifie pour le croyant l'obligation de partager ses richesses avec ses frères moins nantis ou dans le besoin. C'est le fondement de l'action sociale de tous les musulmans. À l'inverse du christianisme par exemple, le *zakât* n'est pas un acte volontaire, mais une obligation religieuse.

On peut d'une manière générale comparer le *zakât* à un impôt. Le Coran évoque peu l'importance et la fréquence des aumônes et s'intéresse plus à la valeur intrinsèque de l'acte de donner et au comportement éthique de celui qui donne. Un peu comme le dit Jésus dans le Nouveau Testament, il accorde une plus grande valeur à la prière silencieuse qu'à l'étalage public de la générosité, qui peut faire soupçonner le donateur de pharisaïsme.

Après la mort de Mahomet, le système juridique de l'islam s'est constitué avant tout à partir des questions que posait une réglementation précise de l'aumône légale. La *Charî'a* fixe de manière précise les taux de prélèvement, qui dépendent de la diversité des biens et de la nature des produits qui y sont soumis. Le musulman verse un *zakât* plus ou moins élevé sur les produits de l'agriculture, le bétail, les recettes en or et en argent, et d'une manière générale 2,5 % de ses bénéfices annuels sur les articles de commerce. Les bénéficiaires des aumônes sont divisés en huit catégories, dont la première regroupe les pauvres et les nécessiteux. La loi prévoit également l'aumône pour les orphelins, les malades et les voyageurs en détresse, de même que pour les œuvres publiques à la gloire d'Allah.

Le *zakât* a pour but le renforcement de la morale et de la conscience sociale du musulman, la solidarité à l'égard des plus démunis, et apparaît comme un correctif contre l'excès d'égoïsme, de cupidité et d'indifférence sociale. Le croyant distribue par ailleurs des aumônes et des dons particuliers aux nécessiteux à l'occasion des différentes fêtes islamiques annuelles, et surtout à la fin du mois de jeûne du ramadan.

Il est particulièrement intéressant de constater que le *zakât* fait le lien entre l'obligation religieuse et cultuelle et une ingénieuse juridiction fiscale de caractère profane. Les musulmans dotés d'une conscience politique voient dans le *zakât* l'institutionnalisation de la responsabilité sociale réciproque et ainsi une anticipation des institutions sociales publiques modernes.

• Pendant tout le mois de jeûne rituel du ramadan, neuvième mois de l'année musulmane, le musulman doit s'abstenir de manger, de boire, de fumer et de s'adonner aux plaisirs de la chair entre le lever et le coucher du soleil. Le jeûne rituel, *çaum*, constitue le quatrième pilier de l'islam. Le jeûne accentue lui aussi l'esprit de communauté des musulmans. L'autodiscipline corporelle doit permettre la purification intérieure : l'être humain réfléchit aux devoirs qui le lient à la communauté et aux actes qu'il a commis à son encontre, et aspire à la réconciliation avec ses frères. Le mois de jeûne du ramadan est en cela comparable à l'examen de conscience qui est accompli pendant le jeûne du carême chez les chrétiens.

Le jeûne est une action de grâces au cours de laquelle le croyant se souvient, tout en y renonçant, des dons qu'il reçoit chaque jour de Dieu. Le ramadan est le mois de la patience, et celle-ci trouve sa récompense par le paradis. Selon une parole de Mahomet, le jeûne des hommes est la forme de prière préférée de Dieu, parce qu'il est le seul à la voir. La Coran accepte cependant certaines restrictions et dispenses à l'obligation de jeûne. C'est ainsi que seuls les musulmans majeurs et en bonne santé sont soumis au *çaum* ; les vieillards, les malades, les femmes enceintes et les mères qui allaitent en sont dispensés, de même que les personnes accomplissant des travaux pénibles et les voyageurs. Ils doivent rattraper le jeûne ou faire une pénitence particulière.

Cet aspect est surtout important pour les croyants vivant et travaillant dans des pays non islamiques. En règle générale, le principe en vigueur est souple : le jeûne n'est obligatoire que tant qu'il n'a pas d'effet néfaste sur la santé. La fréquentation des mosquées augmente vers la fin du mois, au vingt-septième ramadan, quand, dans la « nuit de la puissance », *laylat al-qadr*, est commémorée la descente du Coran des Cieux et le début de la mission de prophète de Mahomet.

- Le cinquième pilier de l'islam est pour les musulmans le *hadj*, à savoir le pèlerinage à La Mecque et dans ses alentours. Tout musulman doit entreprendre ce pèlerinage au moins une fois dans sa vie, si sa santé, sa situation financière et la sécurité du voyage le permettent. Le *hadj* est le pèlerinage sur les lieux saints, témoins de l'action de Mahomet.

Au centre de la grande mosquée de La Mecque se trouve la Kaaba, tombeau dans lequel est enchâssée la pierre noire, et qui fut, selon le Coran, édifiée par Abraham avec l'aide de son fils Ismaïl en signe de dévotion à Allah.

Le voyage à La Mecque est pour les musulmans un acte religieux important à toutes les périodes de l'année, mais tout particulièrement au douzième mois du calendrier islamique, le mois de pèlerinage, *dhu'l'hijja*. Quand le « grand pèlerinage » commence alors, les pèlerins venus de tous les coins du monde musulman affluent par milliers vers La Mecque.

Arrivé à proximité de La Mecque, chacun d'eux accomplit un rite de sacralisation, *ihrâm*, et formule pour lui-même le sens et la forme de son pèlerinage. Il revêt une simple pièce de tissu blanc pour exprimer son désir de purification et se soumet à certaines règles. Dans la grande mosquée de La Mecque, il déambule ensuite sept fois autour de la Kaaba, *tawâf*, puis sept fois entre les collines al-Safa et al-Marwa.

Ce geste commémore la détresse d'Agar (femme d'Abraham) et de son fils Ismaïl dans le désert, avant que Dieu ne les sauve en faisant jaillir du sable le puits de Zamzam. L'eau de ce puits passe pour être miraculeuse, et les croyants la boivent avant de se rendre à quelques kilomètres de là, au mont Arafat. C'est alors le point culminant du pèlerinage, quand les participants s'adonnent debout à la méditation et à la prière de midi au coucher du soleil. Après le coucher du soleil commence la course vers Mina, qui est interrompue non loin, à Muzdalifa, où les pèlerins passent la nuit et rassemblent sept cailloux à l'aide desquels ils lapideront le lendemain trois tas de pierres à Mina.

Ce rite évoque vraisemblablement la force de la foi d'Abraham et le sauvetage miraculeux d'Isaac. En signe de commémoration, les croyants immolent ensuite des moutons et des chameaux en signe d'humilité, avant de se faire couper les cheveux. Le grand sacrifice, *al-ahha*, dure quatre jours et est célébré dans tout le monde islamique. La viande des animaux immolés est distribuée aux pauvres. Mahomet voyait dans cette célébration l'achèvement de la communauté musulmane.

Le pèlerinage signifie la vénération de La Mecque comme centre de rassemblement pour les musulmans du monde entier. Pendant le « grand pèlerinage » il arrive régulièrement que des scènes de panique collective et des affrontements entre groupes de pèlerins se produisent dans la foule immense des croyants rassemblés à La Mecque et aux alentours.

Le point culminant de ces affrontements fut l'occupation par la force de la mosquée de La Mecque par des islamistes radicaux en 1979 et la répression de la révolte par les troupes saoudiennes. Depuis la conquête des lieux saints en 1924, les membres de la famille régnante as-Saud se considèrent comme les protecteurs et les gardiens (chérifs) des lieux saints et du pèlerinage dans son ensemble. Le roi d'Arabie Saoudite, Fahd, a même renoncé en 1986 à son titre officiel de roi et se fait appeler depuis lors « Protecteur des deux lieux saints » (La Mecque et Médine).

Musulman en prière

Le *salât*, prière obligatoire au rituel strict, fait partie des obligations religieuses fondamentales de chaque musulman. Elle est accomplie à des heures précises à l'endroit même où le croyant se trouve. En signe d'abandon total à Dieu, le fidèle s'agenouille et touche le sol de son front. En se tournant vers la Kaaba sainte de La Mecque, le prieur symbolise la communion entre les musulmans du monde entier.

LE DROIT MUSULMAN

La loi islamique : *Charî'a*

L'islam est une « religion accessible », c'est-à-dire qu'il nie la nécessité d'une caste de prêtres pour conduire les hommes à Dieu et au salut. Il est par ailleurs une religion égalitaire, car les obligations religieuses et les « cinq piliers de l'islam » sont valables dans la même mesure pour tous les croyants.

Il existe certes à l'origine une théologie islamique, mais la diversité des obligations sociales des individus à l'égard de la collectivité a fait que, pour la masse des croyants, les problèmes juridiques de la vie quotidienne en communauté ont toujours eu une importance primordiale. C'est ainsi

Mihrab (niche à prière) de la mosquée de Cordoue

Le mihrab de la mosquée, dont l'accès était exclusivement réservé au calife et à sa suite, était le symbole de la puissance temporelle du souverain et constituait la partie suprême de l'édifice.
De magnifiques mosaïques dorées à motifs en arabesques et posées sur des fonds de couleurs différentes ornent la façade du mihrab, œuvre d'un maître byzantin, et donnent à ce lieu une résonance mystique. Les inscriptions coraniques en lettres dorées sur fond bleu qui entourent la voûte d'accès louent le nom d'al-Hakam II (961-976). La façade s'ouvre en un arc en fer à cheval flanqué de quatre colonnes de marbre sur le mihrab, niche à prière dont la forme octogonale parfaite rappelle celle d'une chapelle et constitue une nouveauté dans l'architecture religieuse de l'islam. Presque tous les mihrabs qui seront construits par la suite en Espagne et en Afrique du Nord le seront sur ce modèle.

que le musulman reçoit assistance et conseils non pas de prêtres, mais de juristes (*faqih*, pl. *fuqaha*).
La loi islamique, *Charî'a* (source), est donc considérée comme un élément essentiel de l'islam, capable de protéger et d'assurer la cohésion de la communauté des musulmans.
Les savants musulmans, dont le nom générique est *oulema,* sont ainsi toujours à la fois des connaisseurs de la religion et de la loi. Mahomet déjà prenait position dans le Coran sur le droit coutumier de l'Arabie ancienne et proclamait ses principes moraux sous la forme d'une pensée juridique, formalisée en commandements.
Le Coran met autant en lumière les qualités que les défauts de l'homme. Dieu a confié la terre à l'homme, mais il a accompagné cette mission d'instructions et de commandements clairs. L'homme, quant à lui, a une propension à l'incroyance ou même au mal et a besoin de la grâce de Dieu. En effet, si Dieu ne lui montre pas le droit chemin, l'homme est par lui-même trop faible pour suivre la voie du bien. C'est ainsi que sur terre l'homme est sans cesse guidé par la loi de Dieu. Or Dieu ne cherche pas à rendre la vie difficile à l'homme, mais au contraire à la lui faciliter. C'est pourquoi les commandements de l'islam sont presque tous accompagnés de mesures d'assouplissement ou d'exception. On peut lire ainsi dans la sourate 64, verset 16 : « Prémunissez-vous envers Dieu autant que vous le pouvez, écoutez, obéissez, faites dépense, cela sera pour vous-même un bien. »
Le Coran recommande la loi comme une lumière destinée à éclairer l'homme et à lui donner les moyens de porter un jugement juste. Il souligne le parallèle qui existe entre l'importance de sa loi pour les musulmans et celle de la Torah et de l'Évangile pour les juifs et les chrétiens. La loi doit être le lien qui lie les musulmans les uns aux autres et qui maintient leur unité.

L'enseignement du devoir musulman : classification des actes

L'origine des notions de « bien » et de « mal » appliquées aux actes humains aux premiers temps de l'islam a fait, elle aussi, l'objet de vives controverses. C'est ainsi que les mutazilites présumaient une qualité inhérente à chaque action, discernable pour la raison humaine et indépendante de la volonté directe de Dieu.
Les acharites orthodoxes, en revanche, croient encore aujourd'hui à la souveraineté absolue de la volonté divine, seule en mesure de décréter ce qui est bien et ce qui est mal. L'homme doit reconnaître les commandements de Dieu, les interpréter et y obéir.
C'est la raison pour laquelle les actes humains sont classés en cinq catégories en rapport direct avec la loi divine :

- les actes qui constituent des obligations ; Dieu récompense ceux qui les commettent et punit ceux qui les omettent ;
- les actes recommandés parce qu'ils sont profitables à la religion et à la communauté. Dieu récompense ceux qui les commettent, mais ne punit pas ceux qui les omettent ;
- les actes autorisés et moralement neutres. Ils ne sont suivis ni de la récompense ni du châtiment divin ;
- les actes réprouvés, car ils entravent l'obéissance religieuse. Dieu récompense ceux qui s'en gardent, mais ne punit pas ceux qui les commettent ;
- les actes interdits. Dieu ordonne de s'en garder et punit ceux qui les commettent.

Les péchés humains sont classés en petits et en grands péchés. Les péchés les plus grands sont d'abord ceux commis contre Dieu et la foi, puis ceux commis contre l'homme et son intégrité, et enfin ceux qui portent atteinte à la vie quotidienne, à savoir le vol, la diffamation et les faux témoignages.

Selon le Coran, Dieu pardonne tous les péchés s'il le veut, à l'exception de l'incroyance. Le Coran impose le respect de la vie humaine et a largement restreint la pratique de la vengeance sanglante, même si la mort en représailles n'est pas considérée dans tous les cas comme injustifiée.

La sexualité de l'homme est un don de Dieu et en cela approuvée sans réserve, tout en étant soumise à des règles strictes. La débauche et la luxure sont punies selon le Coran de peines sévères. La justice est sans cesse évoquée comme vertu principale des musulmans et sens de l'ordre universel divin.

Les quatre écoles juridiques de la *Sunna*

La juridiction de l'islam se retrouve dans presque tous les domaines de la vie du croyant et marque également le caractère de la profession de foi, *chahâda*. Après la mort du Prophète, les califes et les savants islamiques s'efforcèrent très tôt d'élaborer un large cadre juridique pour la vie au sein de la communauté musulmane. L'islam à majorité sunnite (de l'arabe *sunna*, tradition, habitude) vit naître quatre écoles juridiques orthodoxes (*madhhab*, pl. : *madhahib*) qui subsistent encore aujourd'hui.

- L'école des hanafites, de leur fondateur Abu Hanifa (699-767), est la première et reste la plus répandue des écoles juridiques. Elle est aussi la plus libérale et laisse largement le champ libre à la raison et au libre arbitre, *ra'y*, ce qui lui est reproché par ses adversaires. Elle a un penchant particulier pour les finesses juridiques et a introduit dans le droit islamique toute une série de procédés et de modes de pensée juridiques actuellement en usage dans l'ensemble du monde musulman. Cette école est dominante en Asie centrale, en Inde, au Pakistan, en Turquie, en Afghanistan et dans certaines régions de l'Égypte et de la Tunisie.
- L'école des malékites, de Malik ibn Anas (715-795), est en revanche conservatrice et s'appuie fortement sur le droit coutumier en vigueur à Médine au temps du Prophète. Ses jugements sont parfois très rigoristes. Elle est dominante en Afrique du Nord et de l'Ouest, en Mauritanie, au Soudan et au Koweït.
- L'école des chaféites, de Ach-Chafii (767-820), élève des deux écoles précédentes, est la plus systématique des écoles juridiques et se situe entre les hanafites à tendance libérale et les malékites plus conservateurs. Son mérite est surtout d'avoir su faire la distinction entre les principes juridiques. Elle est répandue dans tout le Proche-Orient et domine en Indonésie, en Malaisie, en Jordanie, en Palestine, en Syrie, au Liban et dans quelques régions d'Égypte.
- L'école des hanbalites, de Ahmad ibn Hanbal (780-855), incarne une piété traditionnelle rigoureuse et sans compromis. En raison de sa rigidité, elle ne s'est pas largement répandue, mais a rencontré une estime croissante dans le monde arabe depuis le début du XIXe siècle grâce au mouvement réformiste des wahhabites. L'école des hanbalites est dominante en Arabie Saoudite et dans certains petits États de la presqu'île arabique, mais on trouve aussi ses adeptes en Syrie, en Irak et en Algérie.

Alors que par le passé les écoles juridiques s'affrontaient parfois durement, on a assisté au cours du temps à un important effort d'harmonisation en ce qui concerne la pratique de la religion. Les quatre écoles juridiques reconnaissent toutes quatre « racines », *usul*, du droit, à savoir les deux sources que sont le Coran et la Sunna et deux procédés juridiques. Le premier procédé est la déduction analogique, *qijas*, qui se réfère à un cas similaire pour régler un nouveau cas. Ce procédé manifeste la considération des juristes envers les décisions et jugements pris aux débuts de l'islam. Le second est le consensus, *idjma*, ou « accord des savants religieux » sur une question. Ce procédé découle de la conviction de Mahomet selon laquelle un individu seul peut se tromper, mais la communauté des croyants ne saurait être guidée par Dieu vers l'erreur. En mettant en relief le consensus entre les savants religieux, l'islam sunnite impose (environ depuis le XIe siècle) la « fermeture du portail » de la recherche personnelle, *idjtihad*, littéralement « peiner », de chaque croyant dans le Coran et le Hadîth.

L'anniversaire de Mahomet à Akbar Nagar, Bihar

Le Maoulid, commémoration de l'anniversaire de Mahomet, constitue le point culminant du « cycle de Mahomet », c'est-à-dire de l'ensemble des cérémonies évoquant la vie du Prophète. En signe d'hommage, les croyants portent au cours des processions l'habit blanc du pèlerin ainsi que des drapeaux et des banderoles de couleur verte. Le blanc et le vert sont les couleurs de Mahomet, dont on dit qu'à sa naissance il était vêtu d'une robe de laine blanche et couché sur une couverture de soie verte.

Le grand sacrifice islamique
dans un village alevite, province de K'mara, Turquie

À l'occasion du pèlerinage à La Mecque (*hadj*), les croyants célèbrent le grand sacrifice, qui est la plus grande fête de l'année musulmane. Des moutons sont immolés en mémoire d'Abraham qui avait été prêt à sacrifier son fils. La viande n'est pas destinée à l'usage personnel, mais offerte aux amis et distribuée aux pauvres et aux démunis pour symboliser la solidarité entre tous les musulmans.

Dans le doute, le croyant et même des groupes entiers ou des gouvernements s'adressent à un savant religieux pour qu'il établisse une expertise juridique concrète, *fatwa*. Celui qui en tient compte se trouve ainsi personnellement largement dégagé de sa responsabilité, puisqu'il se fie en toute bonne foi au savoir du religieux.

Le droit dans le quotidien du musulman

Alors qu'il existe dans le droit islamique un dualisme singulier entre les conceptions éthiques et religieuses et les principes juridiques, ceux-ci ne sont ni simplement convergents, ni définitivement distincts. La *Charî'a* distingue les droits de Dieu et les droits des hommes, comme elle distingue les obligations à l'égard de Dieu et les obligations à l'égard des hommes.

La loi islamique n'est pas uniforme et autorise souvent des interprétations différentes qui sont pour les juristes l'occasion d'exprimer leur talent. Un certain nombre de transgressions des interdits, surtout celles relatives aux droits de Dieu, ne sont pas punies par le juge, *qadi*.

À cet égard la règle générale est que ce n'est pas la désobéissance à la loi ou la transgression d'un interdit qui fait de l'homme un incroyant, mais la négation du caractère obligatoire de la loi. Le rapport entre la *Charî'a* et la politique, en particulier le pouvoir politique, n'est dans presque aucun pays islamique aussi simple qu'il devrait l'être selon l'idéal musulman. Il n'existe presque nulle part ailleurs une telle cohérence entre le droit public et le droit religieux. Même si la Turquie est seule à posséder volontairement et explicitement un droit séculier (à la suite des réformes de Kemal Atatürk après la Première Guerre mondiale), d'autres pays islamiques comme la Syrie, l'Égypte ou la Tunisie manifestent des tendances nettement séculières ou une sécularisation croissante de la juridiction publique.

Dans l'esprit de l'islam, la pleine jouissance des droits civils implique pour le citoyen la pleine possession de ses facultés mentales et le fait d'avoir atteint l'âge de majorité ; et pourtant la restriction des droits civils commence à la naissance. C'est pourquoi le règlement juridique de la tutelle et des autres rapports de dépendance revêt une telle importance. De même le droit de la famille et du mariage joue un rôle prépondérant et met l'accent sur les obligations des conjoints et les possibilités de divorce. Le droit de succession qui fixe une réglementation précise des parts d'héritage revenant à chaque parent, le droit sur la fortune qui souligne l'interdiction de l'intérêt et de l'usure, et le droit pénal qui restreint le principe ancien de la loi du talion et établit une échelle précise des peines encourues, du châtiment corporel à la peine de mort en passant par les représailles, étaient déjà des sujets centraux de l'interprétation coranique du droit selon Mahomet à Médine et ils furent élargis et systématisés après sa mort.

ÉVOLUTION DE LA RELIGION ET DE LA CULTURE ISLAMIQUES

La pensée islamique au Moyen Âge

Les apports culturels de l'islam furent considérables dans tous les domaines, quoique à des degrés différents. Les métropoles des empires islamiques telles que Bagdad, Damas, Le Caire et Cordoue furent toutes des centres culturels importants dont le prestige rayonna dans toutes les contrées de l'islam. L'apogée de l'art, de la civilisation et de la science islamiques eut lieu entre le VIIIe et le XIIIe siècle et marqua particulièrement la période entre le IXe et le XIe siècle, au-delà même des frontières du monde islamique.

La philosophie islamique naquit avant tout de traductions commentées de la philosophie grecque, en particulier des œuvres de Platon et Aristote.

C'est d'ailleurs par le biais de l'islam que ces dernières parvinrent en Occident. Les domaines principaux de la philosophie islamique étaient la métaphysique (étroitement apparentée à la théologie), la logique et la théorie de la connaissance, l'éthique et la philosophie politique. Les questions ayant rapport à la théologie touchaient surtout à l'essence et aux attributs (possibles) de Dieu, à la science de Dieu, au commencement de la Création et à la date de la fin du monde.

L'astronomie, qui étudiait les hiérarchies et les cycles à l'intérieur du cosmos et qui avait su faire progresser la connaissance acquise dans l'Orient antique, était elle aussi apparentée à la philosophie.

Les mathématiques arabes consolidèrent les connaissances acquises par la Grèce ancienne et ne tardèrent pas à aller au-delà. C'est ainsi que le mot « algèbre », *al-gabr,* est d'origine arabe. La médecine arabe perse était à l'époque un modèle pour le monde entier et alliait les observations empiriques à l'étude spéculative de l'être humain, reprenant l'héritage grec et indien et créant ses propres écoles. Les traités d'Hippocrate et de Galien avaient été traduits.

Les principaux penseurs de l'islam possédaient, comme leurs maîtres grecs, une culture universelle. Presque tous exerçaient à la fois la médecine, l'astronomie et les mathématiques et occupaient fréquemment des positions élevées au service de l'État ou à la Cour.

Al-Kindi (mort en 870) associait de manière originale la philosophie aristotélicienne et les éléments néoplatoniciens. Il fonda sa propre théorie philosophique des prophéties et de la révélation divine et aurait rédigé 300 écrits, dont environ 70 ont été conservés.

Al-Farabi (870-950) est le plus éminent commentateur islamique de la philosophie grecque. Par son « État modèle » il marqua profondément la pensée politique des musulmans et sa philosophie de la Loi influença aussi fortement l'islam que le judaïsme.

Ibn Sina (en latin Avicenne, 980-1037) est considéré comme celui qui a achevé la philosophie islamique. En quête d'un système, il élabora une synthèse entre la philosophie et la théologie. Il domina toutes les sciences connues à son époque et se fit connaître également en Occident.

Ibn Rushd (en latin, Averroès) (1126-1198), originaire de Cordoue, purifia la philosophie, en particulier celle d'Aristote, des interprétations théologiques et mystiques qui en avaient été faites ultérieurement. Son action fut plus importante en Occident que dans le monde arabe. Sa doctrine de l'« averroïsme latin », surtout répandue en France, influença directement le plus grand penseur de l'Occident médiéval, saint Thomas d'Aquin.

Ibn Khaldun (1332-1406), originaire de Tunis, compte également parmi les penseurs islamiques originaux. Il élabora une philosophie personnelle de l'histoire et mit au point une théorie de la sociologie et de la civilisation aux accents très modernes, qui ne fut reconnue que des siècles plus tard. Elle marqua entre autres de son empreinte la pensée de Karl Marx et d'Émile Durkheim. Les dynasties islamiques encouragèrent toutes les sciences et les arts. En particulier les Abbassides au IXe et au Xe siècle et les souverains maures de l'Espagne firent de leurs cités de résidence les centres de la culture et des sciences contemporaines.

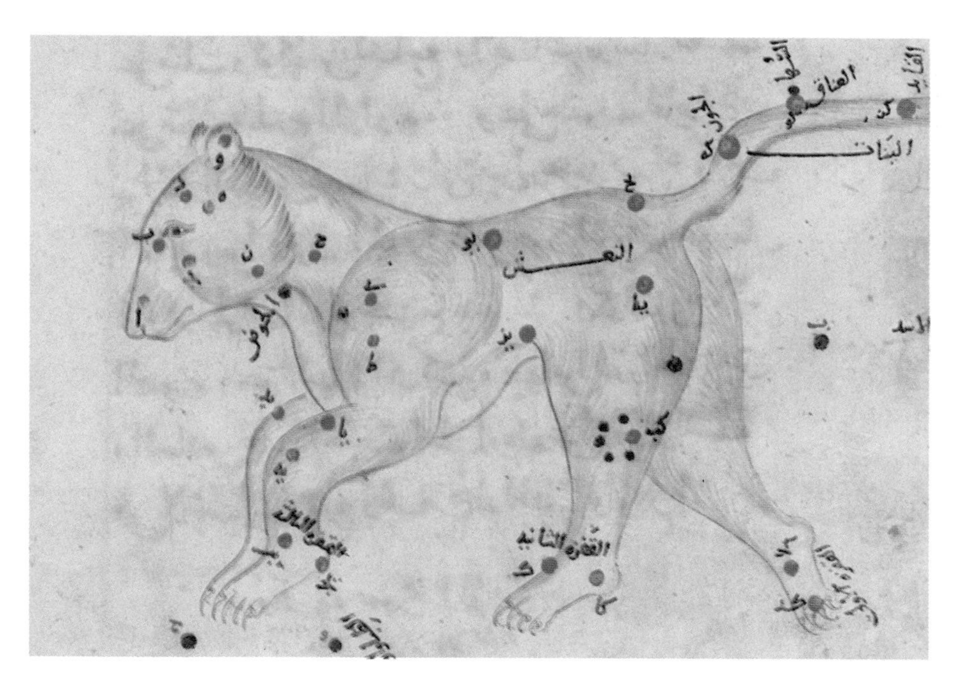

Représentation de la Grande Ourse
Extrait du catalogue des étoiles
As Soufi (1009/1010)

L'islam a accompli dans tous les domaines, tant en sciences que dans les arts, des prouesses remarquables. L'astronomie et l'astrologie jouissaient d'un prestige particulier. Avant la naissance de l'islam, les nomades s'orientaient déjà sur les étoiles et calculaient leur trajectoire pour en déduire leur position et l'heure de la journée. Les étoiles étaient considérées par ailleurs comme des forces supérieures porteuses de bonheur ou de malheur. L'astrologie islamique était particulièrement nourrie par l'héritage grec. L'influence des astres sur les planètes était reconnue, et ce savoir était utilisé en particulier en médecine. On attribuait à chaque astre un effet sur une partie déterminée du corps, ce qui permettait de diagnostiquer des maladies à l'aide des constellations d'étoiles. La constellation de la Grande Ourse est extraite du catalogue des étoiles *As Soufi,* qui parut en Europe dans la traduction latine et qui devait contribuer à la diffusion de noms d'étoiles arabes encore en usage aujourd'hui. Les inscriptions arabes sur l'image sont empruntées au globe céleste de Ptolémée.

Le mysticisme islamique : soufis et derviches

Le mysticisme islamique, riche et complexe, entretint toujours des rapports tendus avec l'islam officiel des souverains, des guerriers et des juristes. Il a subi de multiples influences extérieures à l'islam et s'est toujours maintenu en un curieux équilibre entre l'isolement et l'appel au renouveau de l'islam. Les racines spirituelles du mysticisme islamique se trouvent dans l'éloge de l'ascèse repentante, clairement énoncée dans le Coran, mais aussi dans la rencontre de l'islam en pleine expansion avec les formes de piété propres aux civilisations et aux pays intégrés à l'empire islamique. Ainsi l'influence du monachisme chrétien est aussi indéniable que l'assimilation de la pensée des moines itinérants indiens et bouddhistes, du néoplatonisme perse et de la gnose.

Abu Said (967-1049) mystique persan et adepte radical du soufisme
Extrait d'un manuscrit de Maqamat « Livre des rassemblements », probablement Syrie, vers 1300

La miniature montre le mystique persan Abu Said lors d'une prédication dans la mosquée de Samarcande.
Les prédications des mystiques, dont le contenu était autant empreint de pragmatisme que d'intuition, rencontraient souvent un plus grand succès auprès des fidèles que les discours des savants religieux, ce qui aggrava le conflit avec l'orthodoxie.

Danse cosmique des derviches
Pointillé, vers 1810

Les derviches, membres de confréries de musulmans mendiants issus des disciples des mystiques (soufis), parvenaient par la danse à un état de transe et d'extase qui leur permettait d'accéder à l'union immédiate avec Dieu. Leur costume somptueux, composé d'une jupe large, d'un bonnet ou d'un turban, varie selon la confrérie à laquelle ils appartiennent et leur rang au sein de la communauté.

La piété ascétique des origines se transforma bientôt en une quête consciente de Dieu, fondée sur l'idée centrale de crainte et de confiance en lui, et fut accompagnée du renoncement au monde et de la recherche de la paix intérieure. L'idée essentielle était l'entier abandon à Dieu, *tawakkul*, accompagné des notions de « transmettre », *taslim*, en l'occurrence sa personne à Dieu, et de « confier », *tafwid*.
Une place prééminente revint à la méditation, et à la pensée constante de Dieu, *dhiqh*. La connaissance intuitive de Dieu, qui est pour le mystique le critère intérieur permettant de vérifier la vérité de la foi de l'individu, pèse plus lourd à ses yeux que le savoir des juristes et la simple obéissance aux lois. Cette divergence devait obligatoirement conduire à un conflit entre le mysticisme islamique et la théologie officielle, et donc l'orthodoxie politique. Le langage pictural du mysticisme, issu principalement de la métaphysique de la lumière de la Perse antique, était tout aussi suspect aux yeux de l'islam officiel que les exhortations publiques de nombreux mystiques qui prêchaient la réforme et étaient vénérés comme des saints par le peuple. La suspicion donnait régulièrement lieu à des vagues de véritables persécutions, qui culminèrent dans l'exécution du célèbre mystique al-Hallâdj en 922. Le grand mystique et théologien al-Ghazzali (1058-1111) tenta de réconcilier le mysticisme avec l'orthodoxie officielle. Le mystique andalou Ibn al-Arabi (1165-1250) affirma que l'intensification de sa foi lui avait permis de parvenir jusqu'à l'essence même de Dieu et de s'unir à Lui.
Un des sommets du mysticisme islamique a été atteint avec l'œuvre de Djalâlad-Dîn Rûmî (1208-1273), dont les poèmes pleins de passion se distinguent par leur grande musicalité et leur richesse d'images.
Au XIIe siècle les mystiques s'organisèrent dans des structures durables, des communautés religieuses, *tariqa*, qui étaient regroupées soit dans de véritables cloîtres et confréries, soit dans des alliances. Les mystiques furent appelés « soufis » (de l'arabe *suf*, laine), ce qui signifie « ceux qui sont vêtus d'une robe de laine ». Les communautés religieuses étaient très proches des ordres extrêmement organisés et aux règles rigoureuses tels qu'ils existaient chez les moines bouddhistes et chrétiens, ce qui explique leur structure fortement hiérarchisée. Le maître spirituel était le *shaykh* (*cheikh*), et les frères lui devaient une obéissance absolue selon la règle qui disait : « Tu t'abandonneras aux mains de ton *shaykh* comme le cadavre aux mains du croque-mort. »
Les confréries occupaient également des fonctions caritatives et d'assistance spirituelle. Dans les premiers temps certains se constituèrent même en ordres de défense et de protection des frontières de l'islam, les *ribat*, et servirent ainsi au Moyen Âge de modèles aux ordres de chevalerie chrétiens. Les membres d'une confrérie islamique étaient appelés en persan « derviches » (l'origine du nom n'a pas été totalement éclaircie). Les ordres étaient de types très différents et la structure des communautés et des cloîtres n'était pas soumise à une coordination centralisée. Certaines confréries, telles que celle de Sanûsiya au XIXe siècle en Libye, se forgèrent également une importance politique en prenant la tête de mouvements de lutte armée pour la réforme de l'islam.

POLITIQUE ET HISTOIRE DE L'ISLAM

Les califes, successeurs du Prophète et vicaires de Dieu sur terre

Il apparut clairement après la mort de Mahomet qu'en particulier l'islam précoce voulait incarner, par-delà l'exemple du Prophète, l'unité de la religion et de la politique. Les successeurs du Prophète, appelés califes (de l'arabe *khalifa*, successeur), se chargèrent, outre de la direction religieuse de la communauté, de l'organisation d'un territoire en expansion constante. En effet, depuis les Omeyades, ils ne se concevaient plus seulement comme successeurs du Prophète, mais comme les vicaires de Dieu sur terre, d'où leur titre de « chefs des croyants ».

Après la mort subite de Mahomet – qui n'avait pas clairement réglé sa succession – les tribus élurent comme premier calife son beau-père, Abu Bakr (632-634), le père d'Aïcha, femme préférée de Mahomet, et qui avait fait partie des adeptes de la première heure. Grâce au prestige dont il jouissait, il put maintenir la cohésion de la communauté menacée de division. Le deuxième calife, Omar (634-644), était lui aussi un beau-père de Mahomet et avait fait partie de son entourage immédiat. En quelques années, il acheva l'œuvre commencée par Abu Bakr, à savoir la soumission de la Mésopotamie, de la Syrie, de la Palestine, de l'Égypte et de la Perse à l'Islam. Ces succès militaires et politiques rapides furent et continuent aujourd'hui d'être considérés par les musulmans comme une « preuve » de la vérité et de l'irrésistibilité de l'islam.

Lors des conquêtes militaires qui suivirent, ce dernier tira profit d'un habile principe de tolérance politique qui faisait des « peuples des Écritures » (appelés aussi peuples de la Bible), à savoir les juifs, les chrétiens et, en Perse, les zoroastriens (adeptes de Zarathoustra), des « protégés », *dhimmi*, placés sous la protection de l'islam. Ils versaient au souverain islamique un impôt spécial qui leur donnait le droit de continuer à pratiquer leur foi au sein même de l'empire islamique. Le principe du *dhimmi* est encore en vigueur aujourd'hui, bien que dans certains pays il semble de plus en plus menacé par les nationalismes locaux.

Le troisième calife, Othman (644-656), était originaire de La Mecque, mais avait rejoint très tôt Mahomet. D'un caractère pieux et plutôt apolitique, il fit achever la rédaction du Coran, ce dont résulta une version en vigueur depuis lors, et celle des premiers recueils des Hadîths. Après son assassinat, c'est le cousin et gendre de Mahomet, Ali (656-661), qui prit le titre de calife. Les chiites le considèrent encore aujourd'hui comme le seul successeur légitime du Prophète. Sous le califat d'Ali, qui, tout en étant un homme pieux et juste, avait de la peine à s'imposer face à ses adversaires, l'unité de la communauté musulmane fut définitivement démantelée. C'est ainsi que se produisit en 657, sous son califat, la première grande scission des musulmans, quand les kharidjites (de l'arabe : *kharadja*, sortir) entrèrent en dissidence et revendiquèrent un islam primitif, rigoureusement orienté sur le Coran. Ali fut assassiné en 661 à la suite d'une série d'expéditions guerrières destinées à rétablir l'unité.

L'islam sunnite qualifie ces premiers califes de « bien guidés ». Leur vie et leur action sont considérées par les sunnites à tous égards comme exemplaires et constituent avec le modèle du Prophète la *Sunna*, la « tradition » au sens politique. Dans toutes les discussions sunnites concernant la justice et le bon « guidage », l'époque des « califes bien guidés » joue encore un grand rôle aujourd'hui.

Mahomet et les califes

Page de texte ornementée, six portraits en miniature

Les miniatures représentent : Abd al-Moutalib (haut), grand-père de Mahomet, qui éleva son petit-fils. Mahomet, dont le visage est voilé, est entouré des portraits des quatre califes (de g. à dr.) Abu Bakr, Omar, Othman et Ali. Après la mort du Prophète (632), c'est Abu Bakr (632-634), beau-père de Mahomet, qui devint le chef religieux de la communauté et qui contribua à la consolidation politique et militaire de l'État islamique. Avant sa mort, il désigna comme successeur Omar (634-644), qui dota ledit État en plein développement de sa première structure administrative et remporta d'importants succès militaires, telle la conquête de la Syrie, de la Palestine, de l'Égypte et de la Perse. C'est sous le gouvernement d'Othman (644-656) que les versets du Coran furent rassemblés et mis par écrit. Après son assassinat, le cousin de Mahomet, Ali (656-661), considéré par les chiites comme le seul successeur légitime du Prophète, fut nommé calife. La vie et les actes de ces premiers « quatre califes bien guidé » servent aux sunnites d'exemple suprême.

Après l'assassinat d'Ali, le gouverneur musulman de Syrie, Mu'âwiya, qui avait été son adversaire le plus acharné, prend le titre de calife et fonde à Damas la dynastie califale héréditaire des Omeyades (661-750), qui étendra et consolidera l'empire tout en lui donnant les structures administratives nécessaires.

En 749/750, les Omeyades furent renversés par un coup d'État sanglant mené par la dynastie des Abbassides (750-1258). Après que le deuxième calife abbasside, al-Mansur, eut fondé Bagdad pour en faire sa nouvelle résidence, les Abbassides centralisèrent l'administration et le commerce et firent de la cour califale un centre important des arts et des sciences. Leur pensée politique et leur cérémonial étaient très marqués par la culture persane, et ils vouaient une grande admiration à la civilisation de l'Antiquité.

La dynastie connut son apogée culturel sous le calife Haroun al-Rachid (786-809), rendu célèbre par les contes des *Mille et Une Nuits*. Il encouragea les échanges culturels avec les autres centres de renommée mondiale, tandis que son fils et successeur, al-Mamoun (813-833), dont la culture

était remarquable, fit de Bagdad une métropole mondiale de la philosophie et des sciences.
Dès le Xe siècle, on note le début du déclin du califat et de sa domination par diverses dynasties militaires « protectrices ».
L'invasion mongole sous Hülägü Chan marqua en 1258 la fin sanglante du califat de Bagdad. Le démantèlement de l'empire fut suivi de l'ascension et de l'expansion de différentes dynasties locales, parmi lesquelles on retiendra la dynastie militaire des Mamelouks, qui régna en Égypte, en Syrie et en Palestine, et qui parvint, sous le commandement énergique et habile du sultan Baïbars (1260-1277), à contenir l'avancée des Mongols en Orient et à éliminer les derniers États croisés chrétiens.

La rencontre entre l'Orient et l'Occident : marchands et croisés

L'empire califal entretint dès le début de son expansion des relations commerciales régulières tant avec l'Asie qu'avec l'Europe. Grâce au commerce par bateau avec le Levant, les républiques maritimes italiennes de Venise et de Gênes furent les premières à s'enrichir considérablement. De même les villes marchandes de l'Empire byzantin et de l'Espagne maure devinrent des centres d'échanges commerciaux entre l'Orient et l'Occident.
Un phénomène de portée considérable pour les relations entre le christianisme et l'islam fut, à la fin du XIe siècle, la naissance en Europe de l'esprit de croisade, qui rassembla dans un même élan étrange de piété, d'espoir de salut, de cupidité, de besoin d'aventure et de fanatisme toutes les couches de la population, depuis les souverains de la chrétienté jusqu'aux nobles, aux paysans et aux pauvres. Ce fut la première expansion de l'Europe chrétienne à être menée dans le but précis et avoué de reconquérir Jérusalem pour la chrétienté. Bien qu'un certain nombre de croisades se soient terminées par un terrible désastre, le royaume latin de Jérusalem, fondé en 1099, ainsi que quelques autres États chrétiens croisés en Syrie et en Palestine parvinrent à s'imposer quelque temps.
La notion toute faite de « païen barbare », répandue sans distinction par les croisés à propos des musulmans, des juifs et même parfois des chrétiens d'Orient, engendra lors des conquêtes toute une série de massacres auxquels les musulmans répondirent par des représailles tout aussi sanglantes. Ce n'est que progressivement que le respect de l'adversaire grandit entre les deux parties belligérantes.
La figure la plus prestigieuse du côté musulman fut à cet égard le sultan kurde Saladin (1138-1193). Grâce à son courage mêlé de dureté, à son talent de négociateur irréductible et à son généreux esprit chevaleresque, il parvint à prendre le contrôle de l'Égypte et de la Syrie et à anéantir en 1187 le royaume latin de Jérusalem lors de la bataille de Hattin. L'Occident s'intéressa très longtemps à ce personnage qui fut à l'origine du débat sur l'islam illustré par *Nathan le Sage* de Gotthold Ephraïm Lessing. Les derniers États croisés chrétiens survécurent jusqu'au XIIIe siècle et disparurent en 1291 avec la prise de Saint-Jean-d'Acre par les Mamelouks.

L'islam en Europe : Maures et Turcs

Après avoir traversé le détroit de Gibraltar, les Arabes s'implantèrent après 711 dans la majeure partie de l'Espagne et du Portugal (excepté quelques provinces du Nord) et pénétrèrent en France, où ils furent repoussés en 732 à la bataille de Poitiers. Le centre politique et spirituel de l'Islam en Espagne fut l'émirat de Cordoue, créé en 756 par une branche latérale de la dynastie des Omeyades.
L'Espagne maure devint désormais un lieu de tolérance et un centre spirituel, commercial et artistique qui devait influencer durablement la science européenne, en particulier grâce aux différentes formes de communauté entre l'islam, le judaïsme et le christianisme.
L'islam connut son premier apogée en Espagne sous le puissant émir Abd al-Rahman III (912-961), édificateur de la ville-palais de Médine az-Zahara, qui prit en 929 le titre de calife (troisième califat après Bagdad et Le Caire), et sous le gouvernement de son fils, al-Hakam II (961-976), un érudit qui constitua à Cordoue une des plus importantes

La conquête de Jérusalem
Extrait de Guillaume de Tyr, *La Très Noble et Excellente Ystoire des saintes croniques d'outremer*, France, XIVe siècle

Les croisades du Moyen Âge ont durablement marqué les relations entre l'Orient et l'Occident. La chrétienté européenne s'était fixé pour but de libérer Jérusalem de la domination des « Incroyants », c'est-à-dire des musulmans, pour se la réapproprier.
Après une marche de près de quatre ans, l'armée des croisés atteignit la ville sainte qu'elle assaillit le 15 juillet 1099.
Le massacre sanglant de juifs, de musulmans, et en partie de chrétiens d'Orient, perpétré par les chrétiens marqua profondément les musulmans.

Carrelage de sol représentant la lutte entre le roi Richard Ier et le sultan Saladin
Chertsey Abbey (Surrey) vers 1290

La lutte entre le roi Richard Cœur de Lion (1157-1199) et le sultan d'Égypte Saladin (1138-1193) est la confrontation entre les sauveurs de l'Occident et de l'Orient. La soumission de Damas (1174) et la conquête de Jérusalem (1183) permirent à Saladin, le fondateur de la dynastie des Ayoubites, d'instaurer au Proche-Orient la domination des musulmans et de renforcer celle-ci par l'accord d'armistice signé en 1192 avec Richard Cœur de Lion. Jérusalem et les autres lieux saints d'Orient restèrent aux mains des musulmans, mais furent désormais accessibles aux chrétiens.

collections de livres de l'histoire avec plus de 400 000 recueils. Des formes originales de culture et d'art virent aussi le jour grâce aux chrétiens qui vivaient en Espagne sous la domination arabe (mozarabes), et aux musulmans qui vécurent ensuite sous la domination chrétienne (mudéjars). Dès le XIe siècle, le califat de Cordoue s'effrita en une multitude de petits royaumes arabes, *reyes de taïfas*, dont certains furent à l'origine de remarquables productions artistiques et scientifiques, mais qui, en raison de leurs inlassables querelles intestines, disparurent lors de la reconquête par les royaumes chrétiens espagnols, la *Reconquista*. Quant aux dynasties berbères des Almoravides et des Almohades, qui régnèrent du XIe au XIIIe siècle au Maroc et en Espagne islamique, elles ne purent en fin de compte que retarder ce processus. C'est le royaume maure de Grenade, au sud, dominé par la dynastie des Nasrides, qui se maintint le plus longtemps et connut un dernier apogée culturel (Alhambra de Grenade) avant d'être balayé en 1492 par les Rois Catholiques.

À la suite de l'avancée mongole, des peuplades islamiques turkmènes venues d'Asie centrale progressèrent au XIIIe siècle vers l'Europe. Les succès les plus remarquables furent remportés par les Turcs, dominés depuis 1281 par la dynastie des Ottomans et qui, partis d'Anatolie au XIVe siècle, avancèrent jusqu'aux Balkans. Après avoir encerclé l'empire de Byzance, affaibli depuis les croisades, ils l'anéantirent en 1453 grâce à la prise de Constantinople par Mehmet le Conquérant, qui en fit la capitale de l'Empire ottoman.

Au début du XVIe siècle, ils occupèrent très rapidement l'Égypte, la Tunisie, l'Azerbaïdjan et la Hongrie, et se rendirent maîtres d'une grande partie des îles de la Méditerranée. En 1529 et en 1683, les Turcs parvinrent aux portes de Vienne et devinrent, soit comme alliés soit comme adversaires, un facteur essentiel de la politique européenne. Malgré quelques tentatives de réformes au XIXe siècle, le déclin de l'Empire ottoman s'accéléra.

Après la Première Guerre mondiale, Mustafa Kemal Atatürk abolit en 1924 le sultanat et fit de la Turquie une république. Animé du désir de réaliser un État laïc, il entreprit un travail de modernisation colossal, notamment par la réforme du système scolaire et éducatif.

L'islam en Asie

Alors que l'islam parvint en Inde autant par la conquête que par les routes commerciales – dès 712 certaines régions de l'actuel Pakistan appartenaient à l'empire islamique –, l'Asie du Sud-Est, et en particulier l'Indonésie et la Malaisie, fut islamisée à partir du XIIIe siècle exclusivement par la voie pacifique des contacts commerciaux. C'est ce qui explique les particularités présentées par ces pays où est absente la cohésion religieuse.

Dans le cadre de la lutte contre le colonialisme au XXe siècle, un rôle prépondérant revint à un islam caractérisé par la souplesse, et qui a adopté dans certaines régions des formes surprenantes résultant d'un mélange avec les religions locales préexistantes.

C'est ainsi qu'en Indonésie, le pays musulman le plus peuplé du monde, l'islam, tout en étant religion d'État, est associé à des principes spécifiques du système politique du pays qui assurent la coexistence de différentes formes de religion.

Dans le nord de l'Inde, Babur, descendant des Timourides, fonda après 1526 l'empire islamique des Grands Moghols (en persan, *Mongol*). Lui et ses successeurs y déclarèrent les hindous « protégés », *dhimmi*, et s'efforcèrent de parvenir à une

La fontaine aux Lions dans la cour intérieure de l'Alhambra
Espagne, Grenade

La cour aux Lions, qui était à l'origine un jardin, fut construite sous Mohammed V (1354-1359 et 1362-1391). Elle compte parmi les ouvrages les plus impressionnants de l'art islamique en Europe. Le sultan résidait en ce lieu avec ses femmes, ses odalisques et ses enfants. La cour et le palais qui l'entourait étaient exclusivement réservés à la vie privée. De petits canaux partant des pavillons de fontaines situés sur les petits côtés de la cour conduisent l'eau à la fontaine aux lions, qui donne son nom à la cour. La vasque plate en marbre est soutenue par douze lions d'aspect archaïque crachant de l'eau, et dont la forme très stylisée crée un contraste marquant avec la galerie en filigrane dont les colonnes entourent la cour. La vasque est bordée d'une inscription en arabe célébrant l'atmosphère créée par le jeu de l'eau, de la pierre et de la lumière.

intégration des deux formes de religion dans ce vaste territoire.

La consolidation de l'État fut l'œuvre d'Akbar (1556-1605), petit-fils de Babur et grand souverain plein de tolérance, qui attira à sa cour des savants de toutes les grandes religions et fonda en 1582 une « communauté de la Foi », dont le but était la réunion dans un esprit d'égalité de toutes les formes de religion dans l'empire moghol, en une sorte de « religion d'État ».

Après la mort du dernier Grand Moghol, Aurangzeb, en 1707, l'empire se démantela et fut colonisé au XIXe siècle par la Grande-Bretagne. L'escalade de la tension entre les hindous et les musulmans dégénéra à partir du XIXe siècle en effusions de sang et conduisit, après l'indépendance de l'Inde en 1947, à la création du Pakistan en tant qu'État propre aux musulmans indiens. Les relations entre les deux pays restent aujourd'hui encore difficiles et tendues, et cette situation est aggravée par les conflits qui opposent en Inde le pouvoir central aux minorités musulmanes.

LES CHIITES : LA VIE DANS L'ATTENTE DE L'IMAM

Le grand schisme au sein de l'islam

Les chiites, *chi'at*, sont la minorité en scission avec la majorité islamique (sunnite) et représentent au total aujourd'hui de 10 à 15 pour cent des musulmans. Très puissants dans certaines régions, ils ont durablement influencé la vie spirituelle de l'islam. Leur scission remonte aux origines de l'islam, immédiatement après la mort du Prophète, et fut causée par la question du guide légitime de la communauté musulmane. Les chiites soulignent le rôle particulier d'Ali, cousin et gendre de Mahomet, dont l'épouse Fatima, était la seule survivante des enfants de son beau-père. Ils voient en lui le seul successeur légitime du Prophète, d'où leur nom, dérivé de *chi'at Ali*, qui signifie le « parti d'Ali ».

Le fondement canonique de leur croyance est constitué par certaines paroles quelque peu équivoques de Mahomet à propos d'Ali dans le Coran. Tandis qu'Ali est pour les sunnites le dernier des « quatre califes bien guidés », les trois premiers ne sont que des usurpateurs aux yeux des chiites, lesquels ne reconnaissent pas non plus les dynasties des Omeyades ni des Abbassides qui régnèrent après l'assassinat d'Ali en 661, et font commencer la lignée de leurs imams (chefs de la communauté) avec les propres descendants directs d'Ali et Fatima, qui du point de vue historique furent plus ou moins tenus à l'écart du pouvoir. Les chiites considèrent ces imams issus de la famille d'Ali comme les véritables chefs de la communauté musulmane et opposent d'une manière générale la personne de l'imam, figure charismatique et directement inspirée de Dieu, à celle, légaliste et finalement monarchiste, du calife.

Il est vrai que la foi en l'imam évolua en une intense vénération religieuse et fut assimilée à la foi dans l'« Imam attendu » (*Mahdi ; al-mahdi*, « le bien guidé ») à la fin des temps. C'est ainsi que naquit la croyance en un rédempteur, doublée d'espérances chiliastiques et par suite d'une conception utopique de la politique sociale. C'est la raison pour laquelle l'histoire du *chi'at* est constamment empreinte d'impatience religieuse et politique et d'aspiration au salut, et laisse entrevoir certains éléments qui vont dans le sens d'une révolution de la société.

Un grand nombre de fonctions, en particulier d'ordre pratique, accomplies par les croyants, montrent que le chiisme n'est pas un islam complètement différent. Ainsi reconnaît-il les « cinq piliers de l'islam » et la grande importance de la loi. Il se distingue néanmoins par toute une série d'additions et de particularités. Les chiites ajoutent par exemple à la profession de foi générale, *chahâda*, le complément « et Ali est l'ami de Dieu ». L'aumône légale, *zakât*, est complétée par un autre prélèvement, déjà cité dans le Coran, le « cinquième », *al-chams*. Outre le pèlerinage à La Mecque, il est recommandé de se rendre en pèlerinage sur les tombeaux des imams. Grâce à son espérance active en un empire de justice et d'égalité terrestre après la réapparition de l'imam, le *chi'at* se transforma au cours du temps en un refuge pour les mécontents et les révolutionnaires.

Par sa cosmologie exigeante et sa manière d'assimiler des courants spirituels très différents, il a toujours exercé un grande attraction sur les intellectuels islamiques. Sur certains points, tels le messianisme et l'espoir de salut chiliastique, le culte des martyrs, l'assimilation du néoplatonisme et de la gnose, l'infaillibilité des imams, le *chi'at* est intellectuellement encore plus proche du christianisme (précoce) et du judaïsme que l'islam sunnite.

Doctrine et histoire du *chi'at* précoce

Après l'assassinat d'Ali, considéré comme le Ier imam, les chiites reconnurent ses fils issus de son mariage avec Fatima, la fille du Prophète, en tant qu'imams. Il y eut ainsi tout d'abord le fils aîné, Hassan (IIe imam), qui ne manifesta guère d'ambitions pour le pouvoir, puis le cadet, Hussein (IIIe imam). Après une tentative de révolte mal préparée, Hussein se vit abandonné par son allié de Kufa, encerclé dans le désert près de Kerbela (Irak) avec tout son clan par les troupes du calife Yezid, de la dynastie des Omeyades, livré à la famine et enfin anéanti le dixième jour du *muharram* (octobre) de l'an 680.

Le martyre de Hussein est pour les chiites un épisode dramatique qui, plus encore que la vie d'Ali, fut à l'origine du *chi'at* religieux. La non-assistance à Hussein dont se rendirent coupables ceux de Kufa représente pour les chiites une sorte de « péché originel historique ». Chez les chiites d'Iran et d'Irak, les épisodes du martyre de la famille, agrémentés au cours des siècles de légendes pieuses, sont régulièrement reproduits pendant les journées de commémoration du *muharram* (journées de l'*Achoura*), à l'occasion de spectacles de théâtre (spectacles *taziye*) et accompagnés de cortèges funèbres et de processions de flagellants. Après la tragédie de Kerbela, la lignée des imams se poursuit par Hussein, un fils survivant, et ses descendants.

Des divergences existent cependant entre les groupes de chiites sur la personne qui clôt la série des imams. C'est ainsi qu'on distingue essentiellement les zaïdites, les ismaïliens et les duodécimains, selon le nombre d'imams qu'ils reconnaissent. L'arbre généalogique des imams chiites explique les scissions que connut très tôt le *chi'at*. Il fut en effet particulièrement marqué par l'impatience religieuse et l'espoir du salut révolutionnaire ; c'est surtout vrai pour les ismaéliens. Mis à part les nombreux groupuscules minoritaires entièrement ou presque entièrement disparus de nos jours, on distingue trois courants dans le *chi'at* de l'origine :

- les zaïdites : la lignée de leurs imams se termine par Zaïd, un fils du IVe imam, tombé vers 740 au cours de la révolte contre les Omeyades. Ils sont considérés comme modérés et tolérants, en particulier à l'égard des sunnites (ils s'abstiennent ainsi d'insulter les trois premiers califes). On ne trouve pas trace dans leur dogme du Mahdi ni de l'idée de l'imam caché. Ils soulignent comme particularité la lutte victorieuse des compétents pour la dignité d'imam, rejetant par là même le principe de sa transmission par héritage, reconnu par les autres chiites. Les dynasties zaïdites régnèrent pendant plus de mille ans, de 901 à 1962, sur le Yémen.
- Les ismaïliens ou septimaniens : ils constituent le courant le plus varié et le plus mystérieux dans le chiisme, mais se distinguent par une vitalité particulière. La lignée de leurs imams se termine avec Ismaïl, fils du VIe imam, qui fut appelé par ce dernier à lui succéder, avant même le décès de son père vers 760. Certaines branches ismaïliennes accordent à Ali une place particulière et affirment que la lignée des sept imams ne se termine qu'avec Mohammed, le fils d'Ismaïl. Ils adhèrent à la conception chiliastique du Mahdi et ont en

Akbar traversant le Gange
Miniature extraite de l'*Akbar-nama*

L'image fait partie de l'*Akbar-nama*, épopée relatant les exploits d'Akbar, qui fut empereur moghol indien de 1556 à 1605. Akbar traverse le Gange avec ses éléphants et ses troupes. Chef de guerre victorieux, il parvint à étendre l'empire que lui avait légué son père, Humayun, au-delà des frontières nord-ouest de l'Inde. Par la fondation d'une religion d'État indépendante de toute confession, il tenta d'unir dans son vaste empire les hindous et les musulmans. Il se montra tolérant à l'égard des Parsis et des chrétiens. Akbar, analphabète cultivé, s'intéressa vivement à toutes les religions et aux questions de mysticisme, se faisant expliquer le contenu de leur foi par les représentants des différents cultes. En tant qu'homme d'État, il sut avec adresse et ténacité imposer son autorité à l'intérieur de l'empire en dépit de multiples tentatives de rébellion, pratiquant par ailleurs une habile politique de mariages. Akbar fut responsable de la prospérité de l'empire moghol et fut un architecte passionné dont l'imposant mausolée se dresse à Sikandra près d'Agra.

Mahomet et Ali éloignant les idoles de la Kaaba
Illustration extraite du *Raudat as-Safa* de Mir Havand, Iran (Chirâz) entre 1585 et 1595

La scène illustre l'interdiction de l'image imposée par l'islam. Dans un grand nombre d'exhortations et prédications, Mahomet renouvelle le refus des représentations picturales. Après la conquête de La Mecque, il fit éloigner les représentations humaines qui ornaient l'intérieur de la Kaaba. La miniature persane souligne le rôle particulier d'Ali en temps qu'assistant de Mahomet.

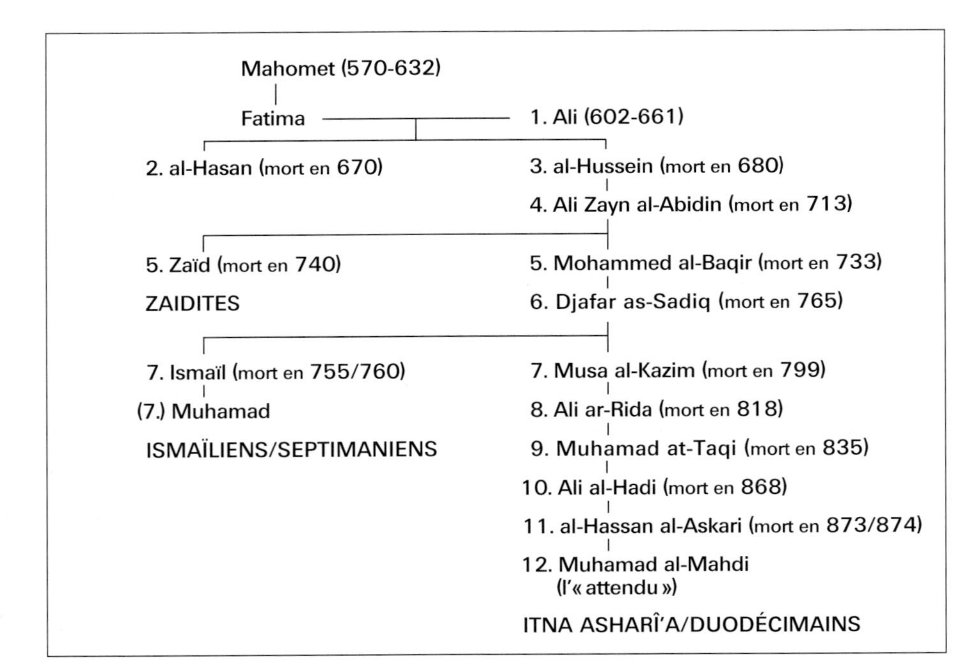

Arbre généalogique des imams chiites

Les chiites ne reconnaissent comme leurs imams que les descendants directs du Prophète Mahomet, ceux de sa fille Fatima et de son cousin et gendre Ali. Le IVe imam, Ali Zayn al-Abidin, est considéré comme le seul survivant de la tragédie de Kerbela (680). Son fils aîné, Zaïd ibn Ali, Ve imam des zaïdites, tomba à Kufa en combattant les troupes gouvernementales. C'est pourquoi les zaïdites sont partisans de la lutte entre les plus compétents pour le titre d'imam. Le VIe imam, Djafar as-Sadiq, est considéré comme le grand professeur de droit des chiites (« école juridique djafarite »). Son fils Ismaïl, désigné selon la foi des duodécimains par son père pour lui succéder, mourut avant ce dernier. Toutes les branches ismaïliennes le reconnaissent néanmoins comme imam légitime, alors que les duodécimains font se perpétuer la lignée de leurs imams par son frère, Musa al-Kazim. Les imams duodécimains vécurent tous sous la surveillance ou le contrôle des califes abbassides et moururent tous, selon la croyance, de mort violente (martyrs). Le XIIe imam, Muhamad al-Mahdi, « s'occulta » après la mort de son père en décembre 873 ou janvier 874, alors qu'il était encore un enfant.

commun avec les duodécimains l'idée de l'imam caché. Leur doctrine philosophique laisse une place importante à la spéculation et comporte de nombreux éléments hérités de la Perse ancienne et du mysticisme néoplatonicien. Certains d'entre eux affirment l'existence d'une connaissance secrète propre aux initiés et distinguent entre une révélation intérieure (secrète) et une révélation extérieure (visible) de Dieu.

À l'origine surtout, les ismaïliens affichèrent un comportement très missionnaire et connurent des succès politiques grâce à l'instauration d'un contre-califat ismaïlite des Fâtimides au Caire (909-1171), dont les partisans se divisèrent après 1094 en deux courants théologiques et politiques, les mutazilites et les nizârites. Un nombre important d'ismaïliens (nizârites) vivent aujourd'hui en Syrie, au Yémen, en Afghanistan, au Turkestan et dans différents pays d'Afrique, de même qu'en Inde où ils portent le nom de « Hodjas ». Leur chef est l'Aga Khan. On trouve des communautés moutazilites au Yémen et en Inde, où elles portent le nom de « Bohras ».

Les ismaïliens regroupent – généralement à la suite de scissions à l'époque des Fâtimides – un certain nombre de branches politiques ou religieuses extrémistes qui se sont fait connaître également en Occident, parmi lesquelles les druses qui vivent en Syrie et au Liban (leur nom est issu de leur premier annonciateur, le missionnaire fâtimide ad-Darazi) et qui vénèrent en tant qu'incarnation de l'Être suprême le calife fâtimide al-Hakim (996-1021), disparu en 1021.

La branche la plus célèbre fut celle, redoutable, des Assassins (de l'arabe *haschischin*, mangeur de haschisch), nizârites qui opéraient à partir de forteresses situées dans le nord de la Perse et en Syrie. Entre le XIe et le XIIIe siècle, ils commirent des attentats suicides spectaculaires contre des chefs sunnites, mais aussi contre les croisés. L'hypothèse selon laquelle les auteurs des attentats étaient drogués au moment de commettre leurs actes fait aujourd'hui encore l'objet de controverses en Syrie. Leur chef était le mystérieux « vieillard de la montagne », dont Marco Polo parle également dans ses récits de voyages. Ils furent anéantis au XIIIe siècle par les Mongols en Iran et par les Mamelouks en Syrie. Leur souvenir se perpétue par la survivance de certains mots dans de nombreuses langues européennes (*assassination*, assassin, *assassinio*).

• Les « excessifs ». Le *chi'at* naissant vit l'éclosion de toute une série de doctrines religieuses extrémistes, qui furent qualifiées d'« excessives », *ghulat* ou *ghaliya*, et combattues par toutes les autres branches chiites. Elles sont considérées de nos jours comme des sectes islamiques. Presque toutes ont en commun la croyance en la présence de Dieu ou d'attributs divins chez Ali ou chez certains autres imams qui lui ont succédé, et la conviction que les imams sont l'incarnation de Dieu sur terre. On trouve des traces de ces communautés en Syrie (nuzairis ou alaouites), en Irak et en Iran.

Les chiites duodécimains

Les chiites duodécimains ou imamites, mais qui s'attribuent eux-mêmes le nom de *Itna Achariya*, « douze », constituent la branche chiite la plus importante. Ils reconnaissent douze imams, dont le dernier portait le même nom que le Prophète et qui décida, encore enfant, de s'« occulter » à la mort de son père (le XIe imam), en décembre 873 ou janvier 874. Selon la prophétie, il serait le « bien guidé », *al-Mahdi*, qui reviendra à la fin des temps.

Les duodécimains attribuent à l'idée du martyre un rôle important qui est particulièrement mis en lumière par les spectacles théâtraux relatant la tragédie de Kerbela. Tous les imams (à l'exception du XIIe, l'imam « caché » ou *Mahdi*),sont pour eux des martyrs, victimes de la violence des califes sunnites. Les duodécimains parlent des « quatorze infaillibles », personnages sans erreur et sans reproche et qui sont les douze imams ainsi que Mahomet et sa fille Fatima.

Le *chi'at* duodécimain possède un système juridique particulier et nuancé, attribué dans ses principes au VIe imam, Djafar as-Sadiq (mort en 765), et appelé pour cette raison « école djafarite ».

Le recueil des paroles attribuées aux imams a en outre valeur canonique.
Le système juridique du *chi'at* duodécimain présente des particularités qui justifient le rôle dominant joué par les juristes iraniens, les mollahs (persan, de l'arabe *maula,* «seigneur, maître»). Les chiites rejettent la fermeture de la porte théologique et juridique telle que la connaît la *Sunna* depuis le XIe siècle, mais persistent à souligner l'importance des réflexions rationnelles, de l'effort personnel à accomplir pour résoudre les problèmes, dans le principe de l'*idjtihad,* (littéralement, «s'efforcer»). C'est ainsi que les mollahs et les ayatollahs iraniens se qualifient eux-mêmes de «*mujtahids*» (littéralement «ceux qui s'efforcent»). Toute *fatwa* et tout conseil doivent être soumis au contrôle de la raison et sont donc sujets à l'erreur. C'est pourquoi aucun autre juriste, a fortiori quand il vit à une époque ultérieure, n'est tenu de respecter les décisions prises.
En dépit d'une opinion largement répandue, le système juridique chiite est ainsi le moins «fondamentaliste» de l'islam. L'*idjtihad* est néanmoins le privilège exclusif des mollahs, tandis que le simple croyant est tenu à l'«imitation», *taqlid.* Ce pouvoir permit à partir du XVIe siècle la constitution d'un État hiérarchisé que l'on peut qualifier de «clergé chiite». Grâce à de longues études et à l'établissement d'expertises, *fatwa,* le *mujtahid* peut accéder à certains titres honorifiques : la première étape est appelée «autorité (preuve) de l'islam», *hoddjat al-islam,* la suivante «signe de Dieu», *ayatollah* ou *âyatullâh.* Les rares grands ayatollahs portent quant à eux le titre d'«instance d'imitation», *mardja at-taqlid.*

Ispahan : mosquée du cheikh Lotfallah
Sous la dynastie des Séfévides, l'empire persan connut une nouvelle apogée culturelle. Le châh Abbas le Grand (1587-1629) fit d'Ispahan la capitale de son empire et édifia au sud de l'ancien centre la nouvelle cité d'Ispahan selon des plans de dimensions impériales. La petite mosquée Lotfallah, qu'Abbas fit édifier au début du XVIIe siècle en hommage à son beau-père, est l'un des témoignages les plus beaux et les plus marquants de l'architecture de la dynastie séfévide. La construction et la forme de la petite coupole sont uniques en leur genre et se composent d'une pièce dont la base en briques de couleur sable est recouverte d'un entrelacs d'arabesques blanches aux contours noirs et composées de fleurs et de bourgeons. Tandis que la façade extérieure se distingue par sa sobriété, l'intérieur de la mosquée abonde des merveilleux tons turquoise et saphir propres au style de la période séfévide.

Les chiites en Iran

L'Iran est le seul pays où le *chi'at* duodécimain est religion d'État : dès la prise de pouvoir des Séfévides en Perse en 1501, le châh Ismaïl institua la domination de l'école djafarite. Ce fut le début de l'ascension des mollahs, même s'ils furent soumis à l'origine à un sévère contrôle de la part de l'État.
L'énergie des Séfévides fit de la Perse (en particulier de la capitale, Ispahan) un important centre artistique et culturel. L'apogée politique du pays eut lieu sous le règne du châh Abbâs Ier le Grand (1587-1629), qui soumit l'Azerbaïdjan et la Géorgie et créa un grand nombre d'institutions religieuses chiites, *waqf.* En 1779, puis en 1796, la dynastie des Qâdjârs prit le pouvoir (jusqu'en 1925) et fit de Téhéran la capitale de la Perse. La *Itna Acharî'a* demeura religion d'État.

Au XIXe siècle, des conflits de plus en plus nombreux éclatèrent entre les monarques iraniens et le clergé chiite. Dans la seconde moitié du XIXe siècle, le châh conceda divers privilèges commerciaux et monopoles à des sociétés britanniques. Cela déclencha des réactions chez les religieux qui reprochèrent à leurs souverains de se rapprocher de la civilisation occidentale et d'être trop attachés à l'Europe.
De nombreuses émeutes et des conflits secouèrent le pays après le vote de la nouvelle Constitution en 1906. L'opposition ouverte des mollahs se déclara à partir de la prise du pouvoir par le général Reza châh (1925-1941), qui fonda la dynastie Pahlavi. Admirateur des réformes de Kemal Atatürk, il entreprit une large sécularisation du pays, privant les mollahs chiites de l'exercice de la justice comme de l'éducation et de la scolarité, et les obligeant par des mesures autori-

Procession chiite en Iran, flagellants

Le dixième jour du *muharram* (octobre) est le jour anniversaire de la bataille de Kerbela, en 680, au cours de laquelle le IIIe imam, Hussein, fut tué par l'armée du calife des Omeyades, Yezid. C'est l'une des plus grandes fêtes chiites de l'année que l'on célèbre en particulier en Irak et en Iran. En signe de deuil, tous les établissements publics sont fermés, tandis que des draps noirs flottent sur les bazars et les mosquées. Les processions de pénitents qui se frappent la poitrine et se flagellent jusqu'au sang à l'aide de chaînes de fer constituent le point culminant des cérémonies funèbres.

taires à se restreindre aux affaires religieuses. Le calme revint provisoirement sous le règne de son fils, Reza Pahlavi (1941-1978), mais les confrontations se firent de plus en plus dures à partir des années 60, à la suite des tentatives de réformes inspirées de l'Occident (« révolution blanche ») entamées par le châh.

La propagande des mollahs politisés rencontra un grand succès dans toutes les couches de la population iranienne, irritée contre la corruption effrénée régnant au sein du régime et contre ses méthodes de gouvernement manifestement dictatoriales.

Force est néanmoins de constater que la plupart des ayatollahs – surtout ceux de haut rang – étaient peu enclins, même après 1978/1979, à intervenir directement dans la politique courante.

La chute du châh fut suivie du retour de l'ayatollah Ruhollah Khomeiny (1902-1989), qui avait vécu en exil depuis les années 60 et qui avait toujours été un chef religieux aux ambitions politiques, même s'il n'était ni le seul ni le moins controversé. Ce fut l'avènement de l'idéologie révolutionnaire du *chi'at* et de sa conception du salut par l'action politique, avec la mise en relief de l'idée de martyre, de l'État de Dieu, et le recours aux moyens de mobilisation politique et religieuse des masses. Khomeiny se trouva contraint par la dynamique révolutionnaire et ses propres partisans d'occuper de plus en plus le devant de la scène et d'imposer son principe de « gouvernement des experts » (en persan, *velayat-e faqih*) par la domination des experts juridiques chiites.

En tant que chef révolutionnaire il resta personnellement indécis sur le rôle qu'il avait à jouer, hésitant entre les principes d'ordre général et les directives politiques concrètes. Il imposa la conception selon laquelle le gouvernement iranien est le représentant sur terre de l'imam caché (art. 5 de la Constitution comportant le vœu qu'Allah précipite le retour du Mahdi). Son régime autoritaire, fortement teinté de théocratie, eut un effet de signal sur d'autres communautés chiites, en particulier au Liban. Depuis la mort de Khomeiny, la séparation est redevenue plus nette en Iran entre la direction politique et la direction religieuse. Outre l'Iran, les chiites duodécimains constituent la majorité de la population dans le sud de l'Irak, tandis que des communautés importantes vivent également au Liban.

L'ISLAM ET LE MONDE MODERNE

Le colonialisme et les mouvements islamiques réformateurs

Depuis le début du XIXe siècle, les pays islamiques ont connu une accélération du processus de modernisation grâce à la rencontre renouvelée avec l'Occident, et en particulier avec l'Europe qui a maintenu de manière persistante ces pays dans un rapport de dépendance politique et économique. Pendant la période coloniale, presque tous ces pays (à l'exception de l'empire ottoman) tombèrent sous la tutelle des grandes puissances européennes, tantôt à titre de colonies directes, tantôt sous forme de « protectorats ».

Au XXe siècle, la fin du colonialisme marqua dans les pays islamiques le début d'une revalorisation de l'islam aussi bien dans le domaine politique que dans le domaine religieux, car partout il avait été associé aux mouvements de libération.

L'événement qui fut à l'origine de cette nouvelle rencontre, parfaitement unilatérale au début, entre le monde islamique et l'Europe, fut le débarquement de Napoléon en Égypte en 1798. Les Européens prirent alors conscience, quoique de manière romanesque et déformée, de ce qu'était l'Orient. Les puissances coloniales attirèrent de leur côté les élites régnantes des pays qu'elles dominaient et y creusèrent ainsi le fossé entre les élites peu nombreuses et fortement européanisées, et la masse des populations, pour la plupart analphabètes et traditionalistes.

L'islam quant à lui prenait en général fait et cause pour les gens simples qui constituaient la majorité de la population. Dans ses rapports avec le colonialisme, le monde islamique se vit forcé d'accepter la supériorité militaire et technique de l'Occident (ce qui était particulièrement cruel si l'on songe à la gloire qu'il avait connue à l'avènement de la religion) et d'accepter d'être privé de son autonomie politique. L'Islam était conscient de l'écart existant entre sa conviction persistante de la supériorité de sa religion et son impuissance militaire et politique réelle. Il put se réaffirmer et reprendre de l'assurance en s'identifiant aux aspirations de liberté des pays et des peuples colonisés.

Les réformateurs de l'islam étaient conscients du danger que comportait la nécessité de faire face au monde moderne et aux conquêtes technologiques de l'Occident. Il fallait les adopter tout en conservant une réflexion critique et ne pas les condamner en bloc. Leur position ne pouvait donc être qu'anticolonialiste, mais pas obligatoirement antimoderniste. Il s'agissait au contraire pour eux de déterminer dans quelle mesure les acquis politiques et économiques du monde moderne étaient en fait inscrits de tout temps dans l'islam, en particulier dans le domaine social.

Les mouvements modernisateurs islamiques s'intensifièrent à partir de la seconde moitié du XIXe siècle. Ils comportaient de nombreux éléments qui sont aujourd'hui attribués au « fondamentalisme », à savoir l'effort d'authenticité et de retour aux sources de l'islam la nostalgie de l'islam originel et l'aspiration à un mouvement islamique unitaire au lieu de la multitude de systèmes existants, la protection de la culture islamique contre les influences dominatrices venues de l'extérieur, la mise en relief de l'égalité entre tous les croyants devant Dieu, et l'appel à l'engagement social et caritatif de l'individu.

Dans le même temps, les réformistes souhaitaient que l'islam, loin d'être une simple « utopie passéiste », prenne la tête de son propre mouvement de modernisation. Ils revendiquaient un accord entre la foi et la liberté de l'homme moderne, un engagement politique et une participation plus importante dans les processus de décision de la part des croyants, une réforme radicale du système de formation dans les pays islamiques et la disparition du fossé entre les chefs et le peuple. Ils se référaient à cet égard à la situation qui avait régné à l'origine dans la communauté islamique et cherchaient à harmoniser les exigences d'une politique économique moderne avec l'amélioration des prestations sociales.

Un des principaux mouvements fondamentalistes à tendance réformiste continue d'être celui des wahhabites puritains, fondé par le réformiste hanbalite Muhammad ibn Abd al-Wahhab (1703-1792), qui prôna un monothéisme radical, la destruction de la croyance orientale aux saints et un respect sévère des principes moraux.

Al-Wahhab conclut une alliance d'une grande portée politique avec la famille princière as-Saud, qui devait conquérir à partir du XIXe siècle une grande partie de la presqu'île arabique, et ainsi des lieux saints de l'islam.

Le représentant le plus brillant et le plus respecté de la famille as-Saud dans les pays arabes fut Abd al-Aziz, nommé Ibn Saud (1880-1953), qui, avec l'aide de ses guerriers militants, les *ikhwân* (« frères ») conquit dans les premières décennies du XXe siècle tout le territoire de l'actuelle Arabie Saoudite où il instaura en 1932 une monarchie héréditaire. Grâce à sa richesse en pétrole, l'Arabie Saoudite devint une grande puissance qui finance aujourd'hui la majeure partie des projets de soutien et de diffusion de l'islam à travers le monde.

D'autres centres de mouvements réformistes islamiques virent le jour à partir de la fin du XVIIIe siècle en Inde, au Yémen et en Libye, où la confrérie des mystiques combattants des Sanûsiya (mouvement sénoussi) devint au XIXe siècle le précurseur d'un islam rénové, conscient de son importance, qui devait rayonner sur l'ensemble du Maghreb et en particulier en Libye, où son influence est encore grande.

Parmi les réformistes les plus prestigieux, on citera l'Indien Ahmad Khan (1817-1898), qui voyagea en Angleterre, œuvra pour une amélioration des rapports entre l'islam et le christianisme dans le monde moderne, et revendiqua une réforme radicale de la formation des jeunes musulmans. L'Afghan Jamal ad-Din al-Afghani (1838-1897) prôna la lutte de l'islam contre le colonialisme et a influencé de nombreux souverains islamiques. L'Égyptien Muhammad Abduh (1849-1905) travailla au renouveau de la littérature islamique et encouragea le journalisme politique en même temps qu'il réclamait une réforme du droit pénal islamique.

Alors que le XIXe siècle avait créé les bases d'une réforme du monde islamique, le XXe siècle voulut mettre cette dernière en pratique. La Première Guerre mondiale et les conséquences qu'elle entraîna furent considérées – à juste titre – dans les pays islamiques comme la faillite du système colonialiste européen.

Le monde islamique porta un regard attentif mais critique sur les changements qui s'opérèrent par la suite en Europe. Les musulmans politisés critiquèrent l'individualisme et l'égoïsme des sociétés européennes, et leur réprobation s'étendit parfois à une critique du capitalisme. Par ailleurs la polarisation des sociétés européennes entraînée par les combats que s'y livraient les partis démocra-

Ayatollah Ruhollah Khomeiny
(1902-1989)

L'ayatollah Khomeiny se distinguait de nombreux autres dignitaires religieux chiites par son profond engagement politique. Il mena l'agitation contre le modernisme « anti-islamique » et l'occidentalisation du pays par le régime du châh, qui tentait de restreindre fortement le rôle des mollahs. De son exil parisien il fit progresser la révolution iranienne et rentra en 1979 dans son pays, après la chute du souverain dont le régime du châh céda la place à une « République islamique » qui attribua un rôle prépondérant au clergé. Khomeiny y occupa les fonctions de « chef des érudits de Dieu », détenant ainsi le pouvoir de décision dans tous les domaines politiques et religieux.

tiques leur paraissait suspecte. Leur conviction était que l'Islam était à mi-chemin entre la démocratie et la dictature et qu'il tenait de l'une la liberté et de l'autre la stabilité sociale.
Cette idée sera illustrée plus tard par la mise en pratique de formes de « démocratie guidée » et d'autres principes similaires. Aux dires des réformistes et des penseurs politiques, le système économique de l'Islam n'était ni capitaliste ni socialiste, mais empruntait au capitalisme la liberté d'action de l'individu et au socialisme le principe de la solidarité entre tous les membres de la société. Par la suite, les pays islamiques cherchèrent toujours à se soustraire à la polarité existant entre les deux grands blocs constitués par les États-Unis et l'URSS, proclamant avec orgueil la supériorité de l'islam en tant que « troisième voie ». C'est ainsi qu'un célèbre slogan militant clame : « Ni l'Est, ni l'Ouest – l'islam ! »

Les nationalismes arabes et le « socialisme islamique »

L'idée de la « mission éternelle du monde arabe » fut répandue surtout à partir du début du XXe siècle par les forces cultivées et progressistes dans les pays arabes. Dans les pays islamiques le nationalisme alla de pair avec des programmes de formation et d'unification des populations, qui rendaient plus difficile l'affirmation de leur identité aux minorités ethniques locales – Kurdes en Turquie et en Irak ou communautés juives irakiennes – et encourageaient l'intolérance croissante des pouvoirs centraux nationalistes. Ces problèmes sont souvent mis sur le compte de l'islam en tant que religion, alors qu'ils sont le résultat d'une politique d'unification nationaliste. La notion de socialisme exerce depuis la fin du XIXe siècle une forte influence sur l'islam. En raison des obligations mutuelles au sein de la société, du système de l'aumône légale, *zakât*, et de l'éthique sociale qui le caractérise, l'islam n'éprouve aucune réticence à l'égard du concept de « socialisme ». En revanche il rejette fermement le marxisme et le bolchevisme pour leur propagation du matérialisme athée. L'islam se veut un pilier du « socialisme » et le fer de lance spirituel de la lutte contre ce qu'il ressent comme un matérialisme paneuropéen.
Le « socialisme islamique » s'est développé après la Seconde Guerre mondiale, en particulier en Syrie (parti Baas) au cours de la lutte pour la justice sociale. Une des figures de proue de ce « socialisme arabe » fier et moderniste à la fois, fut le président égyptien Gamal Abdel Nasser (au pouvoir de 1954 à 1970), dont les idées et les projets influencèrent fortement le mouvement panarabe. Aujourd'hui encore, le « socialisme arabe » joue un grand rôle dans des pays tels que la Syrie, l'Irak et l'Algérie, tandis qu'en Libye il s'est vu intégré depuis 1969, sous le gouvernement du colonel Muammar al-Khadhafi, dans un processus de réislamisation fondamentale des principes de la société (voie du « Livre vert »). La prise de conscience politique et les notions de nationalismes arabes et de socialisme islamique se développèrent. Après la Seconde Guerre mondiale les idées de panarabisme et de panislamisme – une unification plus grande des pays arabes, mais aussi des pays islamiques en général – connaissent un essor rapide.
Sur la scène internationale, l'islam dans son ensemble multiplia les efforts pour parvenir à l'indépendance politique, avec la création de la « Ligue arabe » en 1945 et la naissance de l'« organisation de la Conférence islamique » en 1974.

Sommet des hommes d'État arabes en 1970 au Caire

De g. à dr. : le roi Faysâl d'Arabie Saoudite, le colonel Muammar al-Kadhafi (Libye), le président Abdul Rahman Iryani (Yémen) et le président Gamal Abdel Nasser (Égypte). Après la Seconde Guerre mondiale, les hommes d'État arabes s'engagèrent activement en faveur de l'indépendance politique des pays islamiques. La nationalisation du canal de Suez en 1956 assura au président Nasser une position dirigeante dans le monde arabe. La conférence fut réunie en septembre 1970 dans le but de déterminer une attitude commune devant la question palestinienne et d'éviter une guerre fratricide au Yémen et une division du pays. Quelques jours après la rencontre, Nasser succombait à une crise cardiaque. Dès janvier 1964, une première rencontre au sommet avait eu lieu au Caire à son initiative.

Le fondamentalisme et la « guerre sainte » de l'islam

Au cours de ces dernières années, l'assurance et le dynamisme des mouvements islamiques, ainsi que le problème des migrations dans les pays européens, ont fait prendre conscience aux Occidentaux de l'aspect militant de l'islam. Cette prise de conscience s'est accompagnée d'un sentiment de menace qui pèserait sur l'Europe et sur la culture occidentale en général.

On ne saurait nier le fait que certains groupes islamiques militants radicaux ont déclaré la guerre au monde moderne pluraliste. Ils sont fréquemment désignés en Occident sous le terme simpliste de « fondamentalistes » (bien que ce terme soit issu du protestantisme chrétien aux États-Unis) et ils évoquent dans notre esprit l'intolérance et la violence, conduisant ainsi à un préjugé négatif et douteux contre l'islam dans son ensemble.

Un des exemples les plus marquants de cet islamisme radical et souvent militant est l'association des Frères musulmans, *al-Ikhwân al-muslimûn*, créée en 1928 en Égypte par un instituteur, Hassan al-Bannâ (né en 1906, assassiné en 1949). Ce groupement prit tout d'abord part à la lutte de libération nationale, puis se radicalisa rapidement, réunissant après la Seconde Guerre mondiale 500 000 membres. À la suite d'un certain nombre d'actions violentes et d'attentats commis par leurs membres, les Frères musulmans subirent à partir de 1948 la pression du gouvernement, ce qui ne les empêcha pas de s'étendre en Jordanie, en Irak, au Liban et en particulier en Syrie. En Égypte (depuis Nasser) et en Syrie, où ils sont sévèrement poursuivis, ils constituent une force d'opposition puissante contre tous les courants de sécularisation.

Un mouvement d'importance similaire a vu le jour en 1941 au Pakistan. Il s'agit de l'« Assemblée islamique », *Jama'at-i islamiya*, créée par Abou l-A'la al Maudoudi (1903-1979), et qui œuvre avec succès depuis la fondation de cet État en 1948 pour l'islamisation intégrale de la société. Certains groupuscules radicaux, répartis dans différents pays et dont la structure reste souvent confuse, utilisent des moyens violents pour imposer l'ordre islamique tels qu'ils le conçoivent.

La question du militantisme de l'islam se pose toujours à propos de la signification de la « guerre sainte », *djihad*. Religion universaliste du salut, l'islam est attaché – comme le christianisme – à son exigence d'absolu. C'est ainsi que le système juridique islamique divise le monde en deux territoires : le « territoire de l'islam », *dar al-Salam*, où doit régner la paix, et le « territoire de la guerre », *dar al-harb*, dans lequel vivent les incroyants et les non-musulmans. Ce territoire peut néanmoins, en temps de paix, devenir un « territoire de l'entente » et même un « territoire de la paix ». Cette idée est d'ailleurs devenue réalité, puisque aucun pays islamique ne fait plus la guerre depuis longtemps à un pays non islamique pour des motifs uniquement religieux.

En ce qui concerne la guerre, Mahomet s'intéressait surtout à la question de la guerre défensive et condamnait toutes les guerres non justifiées par des motifs religieux. Il invita les croyants à la lutte pour Dieu et la religion, tout en les appelant à vivre en paix avec les incroyants tant que ces derniers « inclinent à la paix » (sourates 8, 61 ; 4, 90 et 4, 94). Le Coran ne cesse de souligner que la paix doit être le but prioritaire de la vie humaine.

Le terme *djihad* signifie « engagement pour la cause de l'islam », et son sens est beaucoup plus large que la traduction de « guerre sainte » qui en est donnée. Cet engagement est le devoir de tout musulman et implique la lutte pour la foi et la prédominance de l'islam. Or un grand nombre de juristes islamiques soulignent que la guerre n'est que le « petit djihad », et qu'elle est subordonnée au « grand djihad », à savoir l'effort spirituel, moral et missionnaire, ainsi que l'engagement social en faveur de l'extension de l'islam. De leur côté, les islamistes radicaux s'acharnent à voir dans la notion de « guerre sainte » la légitimation de leur action violente.

Au-delà du « djihad », l'iislam possède cependant aussi une grande tradition de paix à laquelle la plupart des musulmans sont attachés.

Manifestation de femmes musulmanes
Nabatyie, Liban

Les pays arabes ont connu depuis la seconde moitié du XIXe siècle une politisation croissante de l'islam. C'est en particulier dans les territoires en crise permanente tels que la Palestine que la prise de conscience politique des musulmans est la plus manifeste. Au Liban, le Hezbollah chiite qui lutte en faveur d'un islam radical et militant, a pris un essor considérable à la suite de la révolution iranienne. Comme la plupart des mouvements fondamentalistes, il mise sur la mobilisation des masses, et en particulier celle des femmes, qui prennent une part active aux manifestations de protestation politique.

INDEX

CRÉDITS PHOTOGRAPHIQUES

L'éditeur remercie les institutions, archives et photographes pour l'autorisation de reproduction et le soutien amical lors de la réalisation de ce livre. Malgré bien des efforts, il n'a pas toujours été possible de retrouver les ayants droit. Les photographes aux revendications légitimes peuvent s'adresser à la maison d'édition.

Archiv für Kunst und Geschichte, Berlin 61 en bas, 62, 63, 65 en haut, 67, 68, 69 en haut, 69 en bas, 72, 78 en bas, 79, 81, 84 en bas, 85 en bas, 86, 88, 89 en haut, 92, 115; (Hilbich) 88, (Erich Lessing) 57, 58 en haut, 59, 60, 61 en haut, 73, 74, 75 en haut, 75, 80, 82, 99

ARCHEFOTO 113

Bednorz, Achim 102

Berger, Friedmann 22, 24, 25, 27, 28, 30, 31, 32 en haut, 32 en bas, 33, 34, 35, 36 en haut, 37, 41 en haut, 41 en bas, 42 en haut, 42 en bas, 43 en haut, 44 en bas, 46 en haut, 46 en bas, 47, 101

Beyer, Klaus G. 18 en bas, 77, 83 en haut, 83 en bas, 85 en haut

Bibliothèque Nationale de France, Paris 108

Bildarchiv Preußischer Kulturbesitz, Berlin 21, 56, 58 en bas (Alfredo Dagli Orti), 65 en bas, 70, 78 en bas, 96, 97, 100, 106 en bas, 110, 111 en bas (AP)

Bodleian Library, Oxford 105

British Museum, Londres 109

Christoph, Henning/DAS FOTARCHIV 93

Deutsches Historisches Museum, Berlin 84 en haut

dpa/Central Press 38, 91

farabolafoto 80 en bas

Hansmann, Claus 12 en haut, 106 en haut

Imber, Walter Couverture, 9 en haut, 11 en haut, 13 en haut, 13 en bas, 19, 20, 103

IPPA (Israel Press & Photo Agency) 64 en bas, 71 en haut

JAPAN aktuell 36 en bas, 48, 51, 53, 54 en haut, 54 en bas

JAPAN-Photo-Archiv/Hartmut Pohling 52 en bas

Jüdisches Museum in der Stiftung Stadtmuseum Berlin, Foto: Hans-Joachim Bartsch 64 en haut, 71 en bas

Keilhauer, Peter 16 en bas

Lachmann, Hans 90

laenderpress 6 en bas

Michael O'Mara Books 49, 50, 52 en haut, 55

Moore, Charles/DAS FOTOARCHIV 29

Newman, Marvin 66

Österreichische Nationalbibliothek, Vienne 107

Poncar, Jaroslav/transparent 39

R:Maro/version 104

Riedmüller, Andreas/DAS FOTOARCHIV 76

Staatliche Museen zu Berlin, Preußischer Kulturbesitz, Museum für indische Kunst 7 en haut, 7 en bas, 8 en bas, 10, 14 en haut, 14 en bas, 15 en haut, 16 en haut, 17 en bas, 18 en haut

Süddeutscher Verlag 114

Topkapi Saray Museum, Istanbul 94, 95 en haut, 95 en bas, 98

Ullstein Bilderdienst 117

Victoria & Albert Museum 111 en haut

Weinreb, Robert/DAS FOTOARCHIV 2, 6